자기주도 학습 *sherpa*

책머리에···

수학은 누구나 잘 할 수 있습니다.
셀파 해법수학과 함께 하는 여러분은 목표를 꼭 이룰 것입니다.

'어떻게 하면 지긋지긋한 수학을 쉽고 재미있게 공부할 수 있을까?'
하고 고민해본 경험은 누구에게나 한 번쯤은 있을 것입니다.
수학은 모든 학문의 바탕이 되는 과목입니다.
또한 대학입시에서도 매우 중요한 역할을 합니다.
그러나 안타깝게도 많은 학생들이 수학을 포기하는 것이 우리 현실입니다.

수학을 잘 하기 위해서는 무엇보다 수학과 친해져야 합니다.
그러기 위해서는 쉬운 문제부터 시작하여
기본 원리를 확실하게 터득해야 합니다.

이에 여러분 모두가 수학을 잘할 수 있기를 바라는 마음으로
셀파 해법수학을 만들었습니다.
수학을 쉽게 익힐 수 있는 셀파 해법수학 개념 기본서는
여러분의 수학 실력을 한 단계 더 높이는 데 도움을 줄 것입니다.

수학을 공부하다 보면
도대체 이 문제를 어떻게 푸는 걸까?
하며 힘들어 할 때가 생길 것입니다.
이렇게 도움이 필요한 순간마다 셀파 해법수학을 펼쳐 보십시오.
셀파 해법수학은 여러분의 수학 공부 도우미가 될 것입니다.

셀파 해법수학과 함께 하는 여러분의 성공을 기원합니다.

崔 容準

구성과 특징

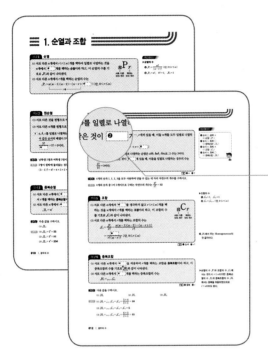

:: 개념 정리

그 단원에서 다루는 개념을 가장 쉽고 정확하게 이해할 수 있도록 꼼꼼하고 상세하게 개념을 정리했습니다.

꼭 알아야 할 개념과 함께 보기 를 제시하여 개념이 문제 해결 과정에서 어떻게 이용되는지 알 수 있도록 하였습니다.

또한 부족한 개념은 개념 플러스 에서 정리하여 학습의 공백이 없도록 구성하였습니다.

● 빈칸 채우기를 통해 그냥 지나치기 쉬운 개념 정리 부분을 다시 한 번 짚고 넘어갈 수 있습니다.

:: 개념 익히기

새로 배우는 개념을 좀 더 편리하게 학습할 수 있도록 다양한 형식의 가장 쉬운 문제를 제시하였습니다.

이 부분의 문제만 풀더라도 개념의 형성이 가능하도록 하였습니다.

같은 개념의 다른 문제를 한번 더 풀어봄으로써 기초를 확실히 다질 수 ● 있도록 하였습니다.

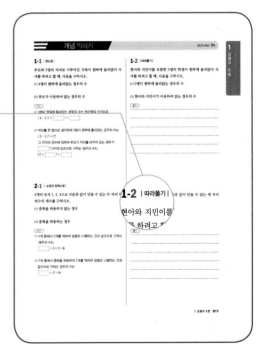

셀파

해법수학

sherpa

셀파

해 법 수 학

www.chunjae.co.kr

도움을 주신 선생님

김문선 서울대 수학과 졸 / (전) 종로학원 강사
김태형 서울대 수학과 졸 / (현) 종로학원 강사
김영곤 고려대 금속공학과 졸 / (현) 종로학원 강사
명백훈 서울대 수학과 졸 / (전) 종로학원 강사
손영표 서울대 재료학과 졸 / (현) 종로학원 강사
정두영 서울대 수학과 졸 / (현) 애드쿨학원 강사

해법을 통해 문제 해결 방법을 익히자!

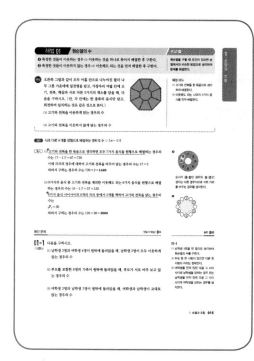

:: 셀파 해법

각 단원에서 꼭 알아야 하는 대표적인 유형을 뽑아 그 해결 방법을 제시하였습니다. 더 필요한 내용 또는 참고할 내용은 PLUS➕ 을 통해 반복함으로써 기억에 도움이 될 수 있도록 하였으며, 예제를 해결하는 데 꼭 필요한 개념을 해법 코드와 셀파로 정리하였습니다.

꼭 알아야 할 필수 유형만 뽑은 셀파 해법

틀렸던 문제 유형이라면 확실하게 이해할 수 있도록 도와줍니다. 또 복습할 때는 개념 설명만 따로 공부할 수 있습니다.

:: 확인 문제

예제에서 익힌 문제 해결 방법을 반복 학습할 수 있도록 예제와 닮은꼴 문제를 제시하였습니다.

확인 문제에서 처음 다루는 내용이나 문제 해결에 필요한 내용은 **MY 셀파** 에서 도움말을 제공하여 어려움 없이 문제를 풀 수 있도록 하였습니다.

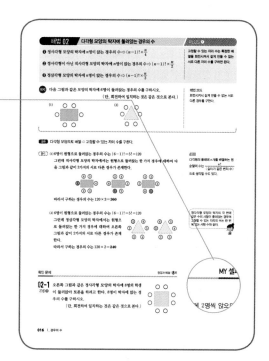

특별한 강의 셀파 특강

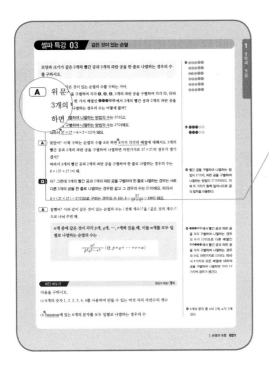

:: 셀파 특강

고등학교 수학에서 꼭 알아야 하지만 개념 정리에서 조금 부족하게 다룬 내용은 대화 형식 또는 집중 탐구 형식으로 셀파 특강을 통해 충분히 학습할 수 있도록 하였습니다.
또 중요한 내용은 **확인 체크 01**을 통해 다시 한 번 강조하였습니다.

● 선생님이 바로 옆에서 가르쳐주는 것처럼 친절한 설명!

:: 집중 연습

반복해서 풀어보고 확실히 익혀두어야 할 기본 문제는 집중 연습 코너를 두어 충분히 연습할 수 있도록 하였습니다. 문제를 풀면서 자연스럽게 공식을 외울 수 있고 실수하기 쉬운 계산 연습도 동시에 할 수 있습니다.

기본을 다지고 실력을 기르는 연습문제

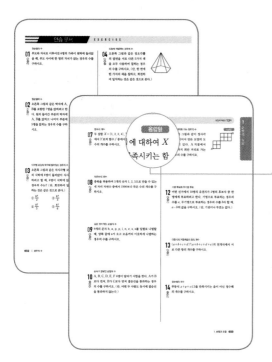

:: **연습 문제**

대부분의 책에서 연습 문제는 본문과 조금 동떨어진 어려운 내용을 다뤄 실제로는 효과적인 학습이 이뤄지지 않았습니다. 그러나 셀파 해법수학의 연습 문제에서 제시하는 문제는 앞에서 다룬 내용을 바탕으로 하고 있습니다. 기본을 강화하는 데 도움이 되는 내용과 학교 시험에서 자주 나오는 내용뿐 아니라 실력을 한 단계 높일 수 있는 문제로 알차게 구성하였습니다.

● 창의력 문제, 여러 개념의 통합형 문제, 서술형 문제를 통해 실력을 한층 높일 수 있도록 하였습니다.

:: **[별책] 정답과 해설**

이해하기 쉽도록 과정을 자세하게 설명하였습니다.

또한 자기 주도 학습에 도움이 되도록 간단한 보충 설명에는 LEC TURE 를 깊이 있는 설명이 필요한 부분에 셀파 세미나 를 제시하였습니다.

● 다양한 풀이 방법을 제시하여 사고력을 넓힐 수 있도록 하였습니다.

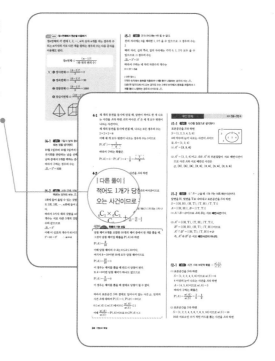

차례

셀파 특강 차례

집중 연습 차례

1

순열과 조합

1. 순열과 조합

개념 1 순열

(1) 서로 다른 n개에서 $r(r \leq n)$개를 택하여 일렬로 나열하는 것을 n개에서 <u>**❶**</u> 개를 택하는 **순열**이라 하고, 이 순열의 수를 기호로 $_n\mathrm{P}_r$와 같이 나타낸다.

(2) 서로 다른 n개에서 r개를 택하는 순열의 수는

$$_n\mathrm{P}_r = \underbrace{n(n-1)(n-2)\cdots(n-r+\boxed{\textbf{❷}})}_{r개} \ (단, 0 < r \leq n)$$

서로 다른 택하는
것의 개수 것의 개수

[답] ❶ r ❷ 1

▶순열의 수

❶ $_n\mathrm{P}_r = \dfrac{n!}{(n-r)!}$ (단, $0 \leq r \leq n$)

❷ $_n\mathrm{P}_n = n!$, $0! = 1$, $_n\mathrm{P}_0 = 1$

개념 2 원순열

(1) 서로 다른 것을 원형으로 배열하는 순열을 **원순열**이라 한다.

(2) 서로 다른 n개를 원형으로 배열하는 원순열의 수는 $\dfrac{n!}{\boxed{\textbf{❶}}} {}^{\textbf{ⓐ}}= (n-1)!$

[예] a, b, c를 일렬로 나열하는 경우의 수는 $3!$이지만, 이들을 원형으로 배열할 때 <u>회전 방향</u>[ⓑ]이 같은 순서의 배열이 3개씩 있으므로 a, b, c를 원형으로 배열하는 경우의 수는 $\dfrac{3!}{\boxed{\textbf{❷}}} = 2! = 2$이다.

[답] ❶ n ❷ 3

ⓐ n개에 대한 원순열의 수는 어느 하나의 위치를 고정한 후에 나머지를 일렬로 배열하는 순열의 수와 같으므로 그 경우의 수는 $(n-1)!$이다.

[보기] 남학생 2명과 여학생 3명이 원탁에 둘러앉는 경우의 수를 구하시오.

[연구] 5명이 원탁에 둘러앉는 경우의 수는 원순열의 수이므로

$(5-1)! = 4! = 4 \times 3 \times 2 \times 1 = \mathbf{24}$

ⓑ 원형으로 배열할 때 회전 방향이 같은 순서의 배열은 같은 것으로 본다. 따라서 순열에서 서로 다른 abc, bca, cab의 3가지 경우가 원순열에서는 (원형 그림)로 같으므로 1가지 경우가 된다.

개념 3 중복순열

(1) 서로 다른 n개에서 <u>**❶**</u> 을 허용하여 r개를 택하여 일렬로 나열하는 순열을 n개에서 r개를 택하는 **중복순열**이라 하고, 이 중복순열의 수를 기호로[ⓒ] $_n\Pi_r$와 같이 나타낸다.

(2) 서로 다른 n개에서 <u>**❷**</u> 개를 택하는 중복순열의 수는

$$_n\Pi_r = n^r$$

[답] ❶ 중복 ❷ r

ⓒ $_n\Pi_r$에서 Π는 Product(곱)의 첫 글자 P에 해당하는 그리스 문자로 '파이'라 읽는다.

[보기] 다음 값을 구하시오.

(1) $_5\Pi_2$　　　　　(2) $_3\Pi_4$　　　　　(3) $_4\Pi_4$

[연구] (1) $_5\Pi_2 = 5^2 = \mathbf{25}$

(2) $_3\Pi_4 = 3^4 = \mathbf{81}$

(3) $_4\Pi_4 = 4^4 = \mathbf{256}$

1-1 | 원순열 |

부모와 2명의 자녀로 이루어진 가족이 원탁에 둘러앉아 식사를 하려고 할 때, 다음을 구하시오.

(1) 4명이 원탁에 둘러앉는 경우의 수

(2) 부모가 이웃하여 앉는 경우의 수

연구

(1) 4명이 원탁에 둘러앉는 경우의 수는 원순열의 수이므로

$(4-1)! = \boxed{}! = \boxed{}$

(2) 부모를 한 명으로 생각하여 3명이 원탁에 둘러앉는 경우의 수는

$(3-1)! = 2!$

그 각각의 경우에 대하여 부모가 자리를 바꾸어 앉는 경우가

$\boxed{}!$ 가지씩 있으므로 구하는 경우의 수는

$2! \times \boxed{}! = \boxed{}$

1-2 | 따라풀기 |

현아와 지민이를 포함한 5명의 학생이 원탁에 둘러앉아 식사를 하려고 할 때, 다음을 구하시오.

(1) 5명이 원탁에 둘러앉는 경우의 수

(2) 현아와 지민이가 이웃하여 앉는 경우의 수

풀이

2-1 | 순열과 중복순열 |

3개의 숫자 1, 2, 3으로 다음과 같이 만들 수 있는 두 자리 자연수의 개수를 구하시오.

(1) 중복을 허용하지 않는 경우

(2) 중복을 허용하는 경우

연구

(1) 3개 중에서 2개를 택하여 일렬로 나열하는 것과 같으므로 구하는 경우의 수는

$\boxed{} = 3 \times 2 = 6$

(2) 3개 중에서 중복을 허용하여 2개를 택하여 일렬로 나열하는 것과 같으므로 구하는 경우의 수는

$\boxed{} = 3^2 = 9$

2-2 | 따라풀기 |

4개의 숫자 1, 2, 3, 4로 다음과 같이 만들 수 있는 세 자리 자연수의 개수를 구하시오.

(1) 중복을 허용하지 않는 경우

(2) 중복을 허용하는 경우

풀이

개념 4 **같은 것이 있는 순열**

개념 플러스

n개 중에서 같은 것이 각각 p개, q개, $\cdots$, r개씩 있을 때, 이들 n개를 모두 일렬로 나열하는 순열의 수는

$$\frac{n!}{p!\,q!\,\cdots\,r!} \quad (단, p+q+\cdots+r=\boxed{❶})$$

[예] 3개의 알파벳 a, b, b를 일렬로 나열하는 순열은 abb, bab, bba로 그 수는 3이다.
이와 같이 3개 중 같은 것이 $\boxed{❷}$ 개 있을 때, 이들을 일렬로 나열하는 경우의 수는

$$\frac{3!}{2!}=3이다.$$

❶ 순서 ○, 중복 ×
  ⇨ 순열 ($_n\mathrm{P}_r$)
❷ 순서 ○, 중복 ○
  ⇨ 중복순열 ($_n\Pi_r$)
❸ 순서 ×, 중복 ×
  ⇨ 조합 ($_n\mathrm{C}_r$)
❹ 순서 ×, 중복 ○
  ⇨ 중복조합 ($_n\mathrm{H}_r$)

[답] ❶ n ❷ 2

[보기] 4개의 숫자 1, 1, 2, 3을 모두 사용하여 만들 수 있는 네 자리 자연수의 개수를 구하시오.

[연구] 4개의 숫자 중 1이 2개이므로 구하는 자연수의 개수는 $\dfrac{4!}{2!}=12$

개념 5 **조합**

▶조합의 수
❶ $_n\mathrm{C}_0=1$, $_n\mathrm{C}_n=1$
❷ $_n\mathrm{C}_r={_n\mathrm{C}_{n-r}}$ (단, $0\le r\le n$)

(1) 서로 다른 n개에서 $\boxed{❶}$ 를 생각하지 않고 r $(r\le n)$개를 택하는 것을 n개에서 r개를 택하는 **조합**이라 하고, 이 조합의 수를 기호로 $_n\mathrm{C}_r$와 같이 나타낸다.

서로 다른   택하는
것의 개수   것의 개수

(2) 서로 다른 n개에서 r개를 택하는 조합의 수는

$$_n\mathrm{C}_r=\frac{_n\mathrm{P}_r}{r!}=\frac{n(n-1)(n-2)\cdots(n-r+1)}{r!}$$
$$=\frac{\boxed{❷}}{r!(n-r)!} \quad (단, 0\le r\le n)$$

❶ $_n\mathrm{H}_r$에서 H는 Homogeneous의 첫 글자이다.

[답] ❶ 순서 ❷ $n!$

개념 6 **중복조합**

(1) 서로 다른 n개에서 $\boxed{❶}$ 을 허용하여 r개를 택하는 조합을 **중복조합**이라 하고, 이 중복조합의 수를 기호로 $_n\mathrm{H}_r$와 같이 나타낸다.
(2) 서로 다른 n개에서 $\boxed{❷}$ 개를 택하는 중복조합의 수는

$$_n\mathrm{H}_r={_{n+r-1}\mathrm{C}_r}$$

▶순열의 수 $_n\mathrm{P}_r$와 조합의 수 $_n\mathrm{C}_r$에서는 반드시 $r\le n$이지만 중복순열의 수 $_n\Pi_r$와 중복조합의 수 $_n\mathrm{H}_r$에서는 중복을 허용하였으므로 $r>n$이어도 된다.

[답] ❶ 중복 ❷ r

[보기] 다음 값을 구하시오.

(1) $_4\mathrm{H}_2$ (2) $_2\mathrm{H}_4$ (3) $_5\mathrm{H}_2$

[연구] (1) $_4\mathrm{H}_2={_{4+2-1}\mathrm{C}_2}={_5\mathrm{C}_2}=\dfrac{5\times4}{2\times1}=10$

(2) $_2\mathrm{H}_4={_{2+4-1}\mathrm{C}_4}={_5\mathrm{C}_4}={_5\mathrm{C}_1}=5$

(3) $_5\mathrm{H}_2={_{5+2-1}\mathrm{C}_2}={_6\mathrm{C}_2}=\dfrac{6\times5}{2\times1}=15$

3-1 | 같은 것이 있는 순열 |

다음을 모두 일렬로 나열하는 경우의 수를 구하시오.

(1) a, a, b, b, b

(2) $1, 1, 2, 3, 3$

연구

(1) 5개의 문자 중 a가 2개, b가 3개이므로 구하는 경우의 수는

$$\dfrac{\boxed{}!}{2! \times 3!} = \boxed{}$$

(2) 5개의 숫자 중 1이 2개, 3이 $\boxed{}$개이므로 구하는 경우의 수는

$$\dfrac{5!}{2! \times \boxed{}!} = \boxed{}$$

3-2 | 따라풀기 |

다음을 모두 일렬로 나열하는 경우의 수를 구하시오.

(1) x, y, y, y, z

(2) $1, 1, 1, 2, 2, 2$

풀이

4-1 | 조합과 중복조합 |

1부터 6까지의 자연수 중에서 다음과 같이 4개를 택하는 경우의 수를 구하시오.

(1) 중복을 허용하지 않는 경우

(2) 중복을 허용하는 경우

연구

(1) 서로 다른 6개에서 4개를 택하는 $\boxed{}$의 수와 같으므로 구하는 경우의 수는

$$_6C_4 = {}_6C_{\boxed{}} = 15$$

(2) 서로 다른 6개에서 4개를 택하는 $\boxed{}$의 수와 같으므로 구하는 경우의 수는

$$_6H_4 = {}_{\boxed{}}C_4 = 126$$

4-2 | 따라풀기 |

서로 다른 5개의 문자 a, b, c, d, e 중에서 다음과 같이 3개를 택하는 경우의 수를 구하시오.

(1) 중복을 허용하지 않는 경우

(2) 중복을 허용하는 경우

풀이

원탁에 A, B, C, D 4명이 둘러앉을 때, 다음 그림과 같이 각 사람이 같은 방향으로 한 칸씩 이동하여 얻을 수 있는 4가지 경우에서 서로의 상대적인 위치는 모두 같다.

> 원순열에서는 회전하여 일치하면 같은 경우야!

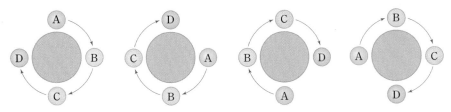

이와 같이 회전하여 일치하는 경우는 모두 같은 것으로 정할 때, 원형으로 배열하는 순열을 원순열이라 한다. 원순열을 구하는 2가지 방법을 살펴보자.

> n개 중 1개를 고정 $\Rightarrow$ $(n-1)$개를 일렬로 나열
>
>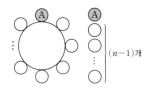

[방법 1]   **한 사람의 자리를 고정시켜 생각한다.**

원순열에서 회전하여 일치하는 경우는 같은 것이므로 A를 한 위치에 고정시키고 나머지 3명이 앉는 방법은 다음 그림과 같이 6가지가 있다.

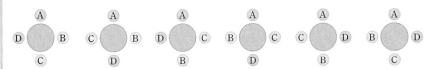

즉, 4명이 원형으로 둘러앉는 원순열의 수는 A를 제외한 B, C, D를 일렬로 나열하는 경우의 수 3!과 같다.

이와 같이 서로 다른 n개를 원형으로 배열하는 원순열의 수는 <u>특정한 1개를 고정시킨 다음 남은 $(n-1)$개를 일렬로 나열</u>한다고 생각하면 $(n-1)!$이다.

[방법 2]   **n개를 일렬로 배열할 때, n개마다 1개의 원순열임을 생각한다.**

A, B, C, D 네 개를 일렬로 나열하는 경우의 수는 4!가지이고, 다음 그림과 같이 4개의 순열이 1개의 원순열과 같아진다.

> $A \to B \to C \to D$, $B \to C \to D \to A$
> $C \to D \to A \to B$, $D \to A \to B \to C$ $\Rightarrow$

따라서 A, B, C, D 4명이 원탁에 둘러앉는 경우의 수는 $\dfrac{4!}{4}=(4-1)!=3!$이 된다.

이와 같이 서로 다른 n개를 원형으로 배열하는 원순열의 수는 n개를 일렬로 나열했을 때, n개마다 1개의 원순열이 생긴다고 생각하면 $\dfrac{n!}{n}=(n-1)!$이다.

> 나머지 순열도 각각 다음과 같이 4개씩 1개의 원순열과 같아진다.
>
> $A \to B \to D \to C$
> $B \to D \to C \to A$
> $D \to C \to A \to B$
> $C \to A \to B \to D$
>
>
> $A \to C \to B \to D$
> $C \to B \to D \to A$
> $B \to D \to A \to C$
> $D \to A \to C \to B$
>
>
> $A \to C \to D \to B$
> $C \to D \to B \to A$
> $D \to B \to A \to C$
> $B \to A \to C \to D$
>
>
> $A \to D \to B \to C$
> $D \to B \to C \to A$
> $B \to C \to A \to D$
> $C \to A \to D \to B$
>
>
> $A \to D \to C \to B$
> $D \to C \to B \to A$
> $C \to B \to A \to D$
> $B \to A \to D \to C$
>

해법 01 원순열의 수

PLUS ➕

❶ 특정한 것들이 이웃하는 경우 ⇨ 이웃하는 것을 하나로 묶어서 배열한 후 구한다.

❷ 특정한 것들이 이웃하지 않는 경우 ⇨ 이웃해도 되는 것을 먼저 배열한 후 구한다.

원순열을 구할 때 조건이 있으면 순열에서와 비슷한 방법으로 생각하여 문제를 해결한다.

예제 오른쪽 그림과 같이 모두 아홉 칸으로 나누어진 팔각 나무 그릇 가운데에 밀전병을 담고, 가장자리 여덟 칸에 고기, 전복, 해삼과 서로 다른 5가지의 채소를 담을 때, 다음을 구하시오. (단, 각 칸에는 한 종류의 음식만 담고, 회전하여 일치하는 것은 같은 것으로 본다.)

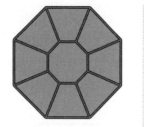

(1) 고기와 전복을 이웃하게 담는 경우의 수

(2) 고기와 전복을 이웃하지 않게 담는 경우의 수

해법 코드

(1) 고기와 전복을 한 묶음으로 생각하여 배열한다.

(2) 이웃해도 되는 나머지 6가지 음식을 먼저 배열한다.

셀파 서로 다른 n개를 원형으로 배열하는 경우의 수 ⇨ $(n-1)!$

풀이 (1) ❶ 고기와 전복을 한 묶음으로 생각하면 모두 7가지 음식을 원형으로 배열하는 경우의 수는 $(7-1)!=6!=720$

이때 각각의 경우에 대하여 고기와 전복을 바꾸어 담는 경우의 수는 $2!=2$

따라서 구하는 경우의 수는 $720 \times 2 = \mathbf{1440}$

(2) 8가지의 음식 중 고기와 전복을 제외한 이웃해도 되는 6가지 음식을 원형으로 배열하는 경우의 수는 $(6-1)!=5!=120$

❷ 6가지 음식 사이사이의 6개의 자리 중에서 2개를 택하여 고기와 전복을 담는 경우의 수는

$_6P_2=30$

따라서 구하는 경우의 수는 $120 \times 30 = \mathbf{3600}$

순서가 고전인 경우와 전고인 경우는 다른 경우이므로 서로 자리를 바꾸는 경우를 생각한다.

확인 문제

정답과 해설 | **8**쪽

01-1 다음을 구하시오.
(상)(중)(하)

(1) 남학생 3명과 여학생 4명이 원탁에 둘러앉을 때, 남학생 3명이 모두 이웃하게 앉는 경우의 수

(2) 부모를 포함한 6명의 가족이 원탁에 둘러앉을 때, 부모가 서로 마주 보고 앉는 경우의 수

(3) 여학생 3명과 남학생 3명이 원탁에 둘러앉을 때, 여학생과 남학생이 교대로 앉는 경우의 수

MY 셀파

01-1

(1) 남학생 3명을 한 명으로 생각하여 원순열의 수를 구한다.

(2) 부모 중 한 사람이 앉으면 다른 한 사람의 자리는 정해진다.

(3) 여학생을 먼저 앉힌 다음 그 사이사이에 남학생을 앉히는 경우 또는 남학생을 먼저 앉힌 다음 그 사이사이에 여학생을 앉히는 경우를 생각한다.

❶ 정사각형 모양의 탁자에 n명이 둘러앉는 경우의 수 ⇨ $(n-1)! \times \dfrac{n}{4}$

❷ 정사각형이 아닌 직사각형 모양의 탁자에 n명이 둘러앉는 경우의 수 ⇨ $(n-1)! \times \dfrac{n}{2}$

❸ 정삼각형 모양의 탁자에 n명이 둘러앉는 경우의 수 ⇨ $(n-1)! \times \dfrac{n}{3}$

고정할 수 있는 자리 수는 특정한 배열을 회전시켜서 같게 만들 수 없는 서로 다른 자리 수를 구하면 된다.

예제 다음 그림과 같은 모양의 탁자에 6명이 둘러앉는 경우의 수를 구하시오.
（단, 회전하여 일치하는 것은 같은 것으로 본다.）

(1)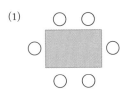
(2)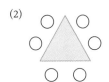

해법 코드
회전시켜서 같게 만들 수 없는 서로 다른 경우를 구한다.

셀파 다각형 모양으로 배열 ⇨ 고정할 수 있는 자리 수를 구한다.

풀이 (1) 6명이 원형으로 둘러앉는 경우의 수는 $(6-1)! = 5! = 120$

그런데 직사각형 모양의 탁자에서는 원형으로 둘러앉는 한 가지 경우에 대하여 다음 그림과 같이 3가지의 서로 다른 경우가 존재한다.

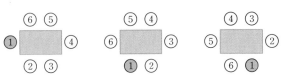

따라서 구하는 경우의 수는 $120 \times 3 = \mathbf{360}$

참고
다각형의 둘레에 n개를 배열하는 원순열의 수는 $\dfrac{n!}{(\text{길이가 같은 변의 수})}$ 으로 생각할 수도 있다.

(2) 6명이 원형으로 둘러앉는 경우의 수는 $(6-1)! = 5! = 120$

그런데 정삼각형 모양의 탁자에서는 원형으로 둘러앉는 한 가지 경우에 대하여 오른쪽 그림과 같이 2가지의 서로 다른 경우가 존재한다.

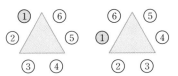

따라서 구하는 경우의 수는 $120 \times 2 = \mathbf{240}$

정다각형 모양의 탁자의 각 변에 같은 수의 사람이 둘러앉는 경우에 고정할 수 있는 자리의 수는 한 변에 앉는 사람 수와 같아.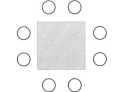

확인 문제   정답과 해설 | **8**쪽   MY 셀파

02-1 오른쪽 그림과 같은 정사각형 모양의 탁자에 8명의 학생이 둘러앉아 토론을 하려고 한다. 8명이 탁자에 앉는 경우의 수를 구하시오.
（단, 회전하여 일치하는 것은 같은 것으로 본다.）

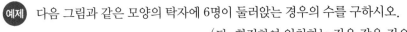

02-1
정사각형의 한 변에 2명씩 앉으므로 고정할 수 있는 자리는 2개이다.

해법 03 도형에 색칠하는 경우의 수 / PLUS ⊕

회전시켰을 때 모양이 일치하는 도형을 색칠하는 경우의 수는 다음과 같은 순서로 구한다.

1 기준이 되는 영역에 칠하는 경우의 수를 구한다.

2 원순열을 이용하여 나머지 영역에 칠하는 경우의 수를 구한다.

3 1, 2에서 구한 경우의 수를 곱한다.

서로 다른 n가지의 숫자나 문자를 도형의 각 면에 모두 적는 문제도 색을 칠하는 문제와 같은 원리로 푼다.

예제 오른쪽 그림과 같이 정삼각형으로 이루어진 4개의 영역을 **빨강, 파랑, 노랑, 초록**의 4가지 색을 모두 사용하여 칠하는 경우의 수를 구하시오. (단, 각 영역에 한 가지의 색을 칠하고, 회전하여 일치하는 것은 같은 것으로 본다.)

해법 코드

1 가운데 삼각형을 칠하는 경우의 수를 구한다.

2 원순열을 이용하여 나머지 3개의 삼각형을 칠하는 경우의 수를 구한다.

셀파 회전하여 일치하는 도형을 색칠하는 경우의 수 ⇨ 기준을 정한 후 원순열 이용

풀이 오른쪽 그림의 가운데 삼각형 ①을 칠하는 경우의 수는 4

가운데 삼각형을 제외한 나머지 3개의 삼각형 ②, ③, ④를 칠하는 경우의 수는 가운데 삼각형 ①에 칠한 색을 제외한 3가지 색을 원형으로 배열하는 원순열의 수와 같으므로

$(3-1)! = 2! = 2$

따라서 구하는 경우의 수는 $4 \times 2 = 8$

● 나머지 3개의 삼각형은 크기가 같은 정삼각형이므로 회전하면 일치한다. 따라서 원순열을 이용한다.

확인 문제 정답과 해설 | 8쪽 MY 셀파

03-1 오른쪽 그림과 같이 정사각형과 반원 4개로 이루어진 5개의 영역에 1, 2, 3, 4, 5의 5가지 숫자를 모두 사용하여 적는 경우의 수를 구하시오. (단, 각 영역에 한 개의 숫자를 적고, 회전하여 일치하는 것은 같은 것으로 본다.)
(상)(중)(하)

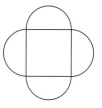

03-1
가운데 정사각형에 적을 숫자를 먼저 정하고, 원순열을 이용하여 나머지 4개의 반원에 숫자를 적는 경우의 수를 구한다.

03-2 오른쪽 그림과 같은 정사각뿔의 각 면을 서로 다른 5가지 색을 모두 사용하여 칠하는 경우의 수를 구하시오.
(상)(중)(하)
(단, 한 면에 한 가지의 색을 칠하고, 회전하여 일치하는 것은 같은 것으로 본다.)

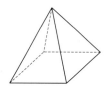

03-2
정사각뿔의 밑면에 칠할 색을 먼저 정한다.

Q ⊙중복순열의 수 $_n\Pi_r$에서 중복 가능한 것의 개수가 n, 택하는 것의 개수가 r라 했는데, 어떤 것이 n이 되고 어떤 것이 r가 되는지 헷갈려요.

⊙ 서로 다른 n개에서 중복을 허용하여 r개를 택하는 중복순열의 수를 기호로 $_n\Pi_r$로 나타낸다.

$$_n\Pi_r$$

중복 가능한   택하는
것의 개수   것의 개수

A 오른쪽 그림의 상황을 살펴보자. ⊙세 학생은 각자 A, B, C, D 네 개의 반 중 하나에 배정될 거야. 중복순열을 이용하여 그 경우의 수를 구할 때, 중복이 가능한 것, 즉 선택의 대상이 되는 것이 학생인 경우와 반인 경우를 모두 따져 보자.

Q 먼저 중복 가능한 것을 학생이라 생각해 보면 오른쪽 그림과 같이 네 개의 반이 모두 한 학생을 선택할 수 있어요. 그런데 한 학생이 네 개의 반에 동시에 배정될 수 없으므로 중복 가능한 것이 학생이면 문제를 해결할 수 없어요.

⊙ 세 명의 학생이 각자 네 개의 반 중 하나씩 선택하는 것이므로 네 개의 반 중 중복을 허용하여 세 개를 뽑는다.

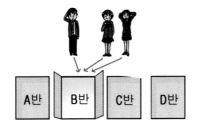
[중복 가능한 것이 학생일 때]

A 그렇지! 이번에는 중복 가능한 것을 반이라 생각해 보자. 그러면 오른쪽 그림과 같이 ⊙세 학생 모두 B반을 선택하는 것이 가능하겠지?

⊙ 세 명의 학생은 같은 반에 배정 가능하므로 중복순열을 이용하여 경우의 수를 구한다.

[중복 가능한 것이 반일 때]

Q 네~. 가능하고 문제의 뜻과도 어긋나지 않아요. 이때 중복 가능한 것은 반이 되고, 선택하는 것은 학생이 되네요. 따라서 세 명의 학생을 네 개의 반에 배정하는 중복순열의 수를 기호로 나타내면 $_4\Pi_3$이 돼요.

둘 중 어떤 것이 n이 되고 어떤 것이 r가 되는지 헷갈릴 때는 $4 \times 4 \times 4 = 4^3 = {}_4\Pi_3$ 과 같이 역으로 생각할 수도 있지.

A 맞아! 이때 중복순열의 수 $_4\Pi_3$은 첫 번째 학생은 A, B, C, D 네 개의 반 중 하나를 선택하고, 두 번째, 세 번째 학생도 마찬가지로 각각 네 개의 반 중 하나를 선택한다는 뜻이므로 곱의 법칙을 이용하면 $_4\Pi_3 = 4 \times 4 \times 4 = 4^3 = 64$야.

서로 다른 n개에서 중복을 허용하여 r개를 택하여 일렬로 나열할 때

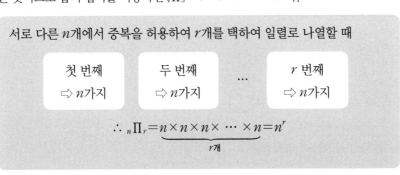

첫 번째	두 번째	...	r 번째
⇨ n가지	⇨ n가지		⇨ n가지

$$\therefore {}_n\Pi_r = \underbrace{n \times n \times n \times \cdots \times n}_{r개} = n^r$$

▶ 중복순열의 수 $_n\Pi_r$에서 n, r 중 항상 오른쪽 r가 움직이는 것으로 생각해도 된다. 즉, 반과 학생 중 움직이는 쪽이 학생이므로 학생 수 3을 오른쪽에 적는다.
$$\therefore {}_4\Pi_3 = 4^3 = 64$$

해법 04 중복순열의 수

PLUS ⊕

서로 다른 n개에서 중복을 허용하여 r개를 택하는 순열을 중복순열이라 하고, 이 중복순열의 수는

$$_n\Pi_r = n^r$$

이때 중복 가능한 것의 개수와 택하는 것의 개수를 바꾸어 나타내지 않도록 주의한다.

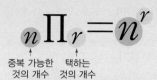

$$_n\Pi_r = n^r$$

중복 가능한 것의 개수   택하는 것의 개수

순열의 수 $_n\mathrm{P}_r$에서는 $0 \le r \le n$이어야 하지만 중복순열의 수 $_n\Pi_r$에서는 n개에서 중복하여 택할 수 있으므로 $r > n$일 수도 있다.

---

 1. 모스 부호 •, －를 사용하여 신호를 만들 때, 이 부호 4개를 사용하여 만들 수 있는 서로 다른 신호의 개수를 구하시오.

해법 코드

1. 중복 가능한 부호 2가지 중에서 4개를 택한다.

2. 흰색, 빨간색의 2가지 깃발을 한 번에 하나씩 1회 이상 4회 이하로 들어 올려서 만들 수 있는 서로 다른 신호의 개수를 구하시오.

2. 깃발을 1회, 2회, 3회, 4회 택하는 경우의 수를 모두 구한다.

셀파 중복순열의 수 ⇨ $_n\Pi_r = n^r$

풀이 **1.** ❶ 각 자리마다 2가지의 부호가 올 수 있으므로 2개의 모스 부호 중에서 4개를 택하는 중복순열의 수와 같다.

따라서 구하는 신호의 개수는 $_2\Pi_4 = 2^4 = \mathbf{16}$

❶ 중복 가능한 것은 부호 2가지이고, 4개를 택하므로 공식 $_n\Pi_r = n^r$에서 $n = 2$, $r = 4$인 경우이다.

2. ❷ 깃발을 1회 들어 올려서 만들 수 있는 신호의 개수는

$$_2\Pi_1 = 2^1 = 2$$

같은 방법으로 깃발을 2회, 3회, 4회 들어 올려서 만들 수 있는 신호의 개수는 각각 $_2\Pi_2$, $_2\Pi_3$, $_2\Pi_4$이다.

따라서 구하는 신호의 개수는

$$_2\Pi_1 + _2\Pi_2 + _2\Pi_3 + _2\Pi_4 = 2^1 + 2^2 + 2^3 + 2^4 = \mathbf{30}$$

❷ $r = 1$인 경우 흰색 깃발을 들거나 빨간색 깃발을 들 수 있으므로 깃발을 1회 들어 올려서 만들 수 있는 신호는 2가지이다.

확인 문제

정답과 해설 | **9**쪽

MY 셀파

04-1
(상⦁중⦁하) 3명의 학생이 오른쪽 달력에 색칠된 기간 중에 각자 하루만 도서 전시회를 관람하려고 할 때, 관람하는 날을 선택하는 모든 경우의 수를 구하시오.

10월						
일	월	화	수	목	금	토
			1	2	3	4	5
6	7	8	9	10	11	12
13	14	15	16	17	18	19

04-1
중복 가능한 날짜 5일 중에서 3명의 학생이 택하는 경우이다.

04-2
(상⦁중⦁하) 흰색, 빨간색, 검은색의 3가지 깃발을 들어 올려서 서로 다른 신호를 만든다. 깃발을 한 번에 하나씩 n회 들어 올려서 서로 다른 81개의 신호를 만들려고 할 때, n의 값을 구하시오.

04-2
중복 가능한 깃발 3개 중에서 n개를 택하는 경우이다.

해법 05 　자연수의 개수

PLUS ⊕

서로 다른 n개의 숫자로 중복을 허용하여 r자리 자연수를 만들 때, 만들 수 있는 r자리 자연수의 개수는 다음과 같다.

❶ 서로 다른 n개의 숫자 중 0이 포함되지 않은 경우

　⇨ 모든 자리에 n가지 숫자가 올 수 있으므로 $_n\Pi_r = n^r$

❷ 서로 다른 n개의 숫자 중 0이 포함된 경우

　⇨ 맨 앞자리에는 0을 제외한 $(n-1)$가지 숫자가 올 수 있고, 나머지 자리에는 n가지 숫자가 올 수 있으므로 $(n-1) \times {_n\Pi_{r-1}} = (n-1)n^{r-1}$

자리의 숫자가 달라지면 다른 자연수가 되므로 자연수의 개수를 구하는 문제는 순열을 이용하여 구한다. 이때 중복을 허용하지 않으면 순열의 수 $_n P_r$, 중복을 허용하면 중복순열의 수 $_n\Pi_r$를 이용한다.

(예제) 중복을 허용하여 5개의 숫자 0, 1, 2, 3, 4로 다음과 같이 만들 수 있는 자연수의 개수를 구하시오.

　(1) 세 자리 자연수　　　　　　　　(2) 네 자리 자연수 중에서 짝수

해법 코드
(1) 맨 앞자리에는 0이 올 수 없다.
(2) 짝수이므로 일의 자리의 숫자는 0, 2, 4이다.

(셀파) 숫자의 중복을 허용하여 만드는 자연수의 개수 ⇨ 중복순열 이용

(풀이) (1) 백의 자리에는 0을 제외한 1, 2, 3, 4가 올 수 있으므로 그 경우의 수는 4

십의 자리, 일의 자리에는 각각 0, 1, 2, 3, 4가 모두 올 수 있으므로 그 경우의 수는

$_5\Pi_2 = 5^2 = 25$

따라서 구하는 세 자리 자연수의 개수는

$4 \times 25 = \mathbf{100}$

(2) 천의 자리에는 0을 제외한 1, 2, 3, 4가 올 수 있으므로 그 경우의 수는 4

백의 자리, 십의 자리에는 각각 0, 1, 2, 3, 4가 모두 올 수 있으므로 그 경우의 수는

$_5\Pi_2 = 5^2 = 25$

일의 자리에는 0, 2, 4가 올 수 있으므로 그 경우의 수는 3

따라서 구하는 네 자리 자연수 중에서 짝수의 개수는

$4 \times 25 \times 3 = \mathbf{300}$

(다른 풀이)
(1) 5개의 숫자에서 중복을 허용하여 3개를 뽑아 일렬로 나열하는 경우의 수는 $_5\Pi_3 = 5^3 = 125$

이때 맨 앞자리에 0이 오는 경우의 수는 $_5\Pi_2 = 5^2 = 25$

따라서 구하는 세 자리 자연수의 개수는

$125 - 25 = 100$

중복 가능한 것은 자리 수가 아니라 숫자야!

확인 문제　　　　　　　　　　　　　　정답과 해설 | **9**쪽　　　　　　　　　　　　　　MY 셀파

05-1 중복을 허용하여 3개의 숫자 0, 1, 2로 만들 수 있는 네 자리 자연수의 개수를 구하시오.
(상)(중)(하)

05-1
천의 자리에 올 수 있는 숫자는 1, 2의 2가지이다.

05-2 중복을 허용하여 2개의 숫자 1, 2로 만들 수 있는 자연수 중에서 다섯 자리를 넘지 않는 자연수의 개수를 구하시오.
(상)(중)(하)

05-2
한 자리 자연수부터 다섯 자리 자연수까지의 개수를 구한다.

모양과 크기가 같은 3개의 빨간 공과 2개의 파란 공을 한 줄로 나열하는 경우의 수를 구하시오.

A 위 문제는 같은 것이 있는 순열의 수를 구하는 거야.

3개의 빨간 공을 구별하여 각각 ❶, ❷, ❸, 2개의 파란 공을 구별하여 각각 ❹, ❺라 하면 위 문제의 한 가지 배열인 ●●●●●에서 3개의 빨간 공과 2개의 파란 공을 모두 구별하여 나열하는 경우의 수는 어떻게 될까?

Q 빨간 공을 구별하여 나열하는 방법의 수는 3!이고,

파란 공을 구별하여 나열하는 방법의 수는 2!이에요.

따라서 $3! \times 2! = 6 \times 2 = 12$가 돼요.

A 맞았어! 이제 구하는 순열의 수를 k라 하면 k가지 각각의 배열에 대해서도 3개의 빨간 공과 2개의 파란 공을 구별하여 나열하면 마찬가지로 $3! \times 2!$의 경우가 생기겠지?

따라서 3개의 빨간 공과 2개의 파란 공을 구별하여 한 줄로 나열하는 경우의 수는 $k \times (3! \times 2!)$이 돼.

Q 아! 그런데 3개의 빨간 공과 2개의 파란 공을 구별하여 한 줄로 나열하는 경우는 서로 다른 5개의 공을 한 줄로 나열하는 경우랑 같고 그 경우의 수는 5!이에요. 따라서 $k \times (3! \times 2!) = 5!$이므로 구하는 경우의 수 k는 $k = \dfrac{5!}{3! \times 2!} = 10$이 돼요.

A 잘했어! 이와 같이 같은 것이 있는 순열의 수는 (전체 개수)!을 (같은 것의 개수)! 으로 나눠 주면 돼.

> n개 중에 같은 것이 각각 p개, q개, $\cdots$, r개씩 있을 때, 이들 n개를 모두 일렬로 나열하는 순열의 수는
>
> $$\dfrac{n!}{p! q! \cdots r!} \ (단, p+q+\cdots +r=n)$$

ⓐ 빨간 공을 구별하여 나열하는 방법이 3!가지, 파란 공을 구별하여 나열하는 방법이 2!가지이다. 이때 두 가지가 함께 일어나므로 곱의 법칙을 이용한다.

ⓔ ●●●●●에서 빨간 공과 파란 공을 각각 구별하여 나열하는 경우의 수가 12이므로 다른 배열인 ●●●●●에서 빨간 공과 파란 공을 각각 구별하여 나열하는 경우의 수도 마찬가지로 12이다. 따라서 k가지의 모든 배열에 대하여 공을 구별하여 나열하면 각각 12가지씩 경우가 생긴다.

확인 체크 01   정답과 해설 | **9**쪽

다음을 구하시오.

(1) 6개의 숫자 1, 2, 2, 3, 4, 4를 사용하여 만들 수 있는 여섯 자리 자연수의 개수

(2) banana에 있는 6개의 문자를 모두 일렬로 나열하는 경우의 수

ⓕ 6개의 문자 중 n이 2개, a가 3개 있다.

n개 중에서 같은 것이 각각 p개, q개, $\cdots$, r개씩 있을 때, 이들 n개를 모두 일렬로 나열하는 순열의 수는

$$\frac{n!}{p!q!\cdots r!} \ (단, p+q+\cdots+r=n)$$

(같은 것들의 총 개수)!으로 나누는 것이 아니라 (같은 것 각각의 개수)!으로 나누는 것이다.

예제 다음을 구하시오.

(1) 5개의 숫자 0, 2, 3, 4, 4를 모두 사용하여 만들 수 있는 다섯 자리 자연수 중에서 홀수의 개수

(2) SUCCESS에 있는 7개의 문자를 자음끼리 이웃하게 나열하는 경우의 수

해법 코드
(1) 맨 앞자리에 0이 오는 경우를 제외한다.
(2) 자음 S, C, C, S, S를 한 문자로 생각한다.

셀파 n개 중에서 같은 것이 r개 있는 순열의 수는 $\dfrac{n!}{r!}$이다.

풀이 (1) 일의 자리의 숫자가 3인 경우, 즉 □□□□3 꼴일 때, 홀수가 된다.

나머지 네 자리에 ❶ 0, 2, 4, 4를 일렬로 나열하는 경우의 수는 $\dfrac{4!}{2!}=12$

이때 ❷ 맨 앞자리에 0이 오는 경우의 수는 $\dfrac{3!}{2!}=3$

따라서 구하는 홀수의 개수는 $12-3=\mathbf{9}$

(2) 자음 S, C, C, S, S를 한 문자 A로 생각하여 A, U, E를 일렬로 나열하는 경우의 수는 $3!=6$

이때 자음 S, C, C, S, S끼리 자리를 바꾸는 경우의 수는 $\dfrac{5!}{3! \times 2!}=10$

따라서 구하는 경우의 수는 $6 \times 10 = \mathbf{60}$

❶ 같은 것이 2개 포함된 4개를 일렬로 나열하는 경우의 수와 같으므로 $\dfrac{4!}{2!}$이다.

❷ 2, 4, 4를 일렬로 나열하는 경우의 수는 같은 것이 2개 포함된 3개를 일렬로 나열하는 경우의 수와 같으므로 $\dfrac{3!}{2!}$이다.

확인 문제 정답과 해설 | **10**쪽 MY 셀파

06-1 5개의 숫자 1, 1, 2, 2, 3 중에서 4개를 택하여 만들 수 있는 네 자리 자연수의 개수를 구하시오.
(상●중●하)

06-1
1, 1, 2, 2, 3에서 4개의 숫자를 택하는 경우는 다음과 같다.
(1, 1, 2, 2), (1, 1, 2, 3), (1, 2, 2, 3)

06-2 0, 0, 1, 2, 2, 2, 3의 숫자가 각각 하나씩 적힌 7장의 카드를 모두 사용하여 만들 수 있는 일곱 자리 자연수 중에서 짝수의 개수를 구하시오.
(상●중●하)

06-2
짝수가 되려면 일의 자리에 0 또는 2가 와야 한다.

해법 07　순서가 정해진 순열의 수　　PLUS ⊕

특정한 것의 배열 순서가 정해져 있는 경우에는 순서가 정해진 것들을 모두 같은 문자로 생각하여 같은 것이 있는 순열의 수를 이용한다. 특히 서로 다른 n개 중에서 특정한 r개의 순서가 정해졌을 때, n개를 모두 일렬로 나열하는 순열의 수는 $\dfrac{n!}{r!}$ 이다.

a가 b보다 앞에 오도록 순서가 정해진 경우 a, b를 모두 A로 생각하고 일렬로 나열한다.

예제 apple에 있는 5개의 문자를 일렬로 나열할 때, 다음을 구하시오.

(1) a가 p보다 앞에 오도록 나열하는 경우의 수

(2) 모음은 알파벳 순서대로 오도록 나열하는 경우의 수

(3) a, l, e의 순서대로 나열하는 경우의 수

해법 코드

(1) a , p를 모두 같은 문자로 생각한다.

(2) a, e를 모두 같은 문자로 생각한다.

(3) a, l, e를 모두 같은 문자로 생각한다.

셀파 순서가 정해진 것들을 모두 한 문자로 생각하고 푼다.

풀이 (1) a, p의 순서가 정해져 있으므로 a, p를 모두 A로 생각하여 5개의 문자 A, A, A, l, e를 일렬로 나열한다.

따라서 구하는 경우의 수는 $\dfrac{5!}{3!}=20$

❶ a, p의 순서로 a, p, p, l, e를 일렬로 나열하는 것은 a, p를 모두 A로 고쳐 A, A, A, l, e를 일렬로 나열한 것에서 첫 번째 A는 a, 두 번째, 세 번째 A는 p로 바꾼 것과 같다.

(2) 모음 a, e를 순서대로 나열하려면 a, e를 모두 A로 생각하여 5개의 문자 A, p, p, l, A를 일렬로 나열한다.

따라서 구하는 경우의 수는 $\dfrac{5!}{2!\times 2!}=30$

❷ 모음이 알파벳 순서대로 오려면 a가 e보다 앞에 와야 한다.

(3) a, l, e의 순서대로 나열하려면 a, l, e를 모두 A로 생각하여 5개의 문자 A, p, p, A, A를 일렬로 나열한다.

따라서 구하는 경우의 수는 $\dfrac{5!}{2!\times 3!}=10$

❸ A, p, p, A, A를 일렬로 나열한 것에서 첫 번째 A는 a, 두 번째 A는 l, 세 번째 A는 e로 바꾼 것과 같다.

확인 문제　　　　　　　　정답과 해설 | **10**쪽　　　　　　　　**MY 셀파**

07-1 8개의 숫자 1, 1, 1, 2, 3, 4, 5, 6을 모두 사용하여 여덟 자리 자연수를 만들 때, 3, 4, 5, 6이 이 순서대로 나열되는 경우의 수를 구하시오.
(상⦁중⦁하)

07-1
3, 4, 5, 6은 순서가 정해졌으므로 모두 같은 문자로 생각한다.

07-2 ACCELERATE에 있는 10개의 문자를 일렬로 나열할 때, L이 R보다 앞에 오도록 나열하는 경우의 수를 구하시오.
(상⦁중⦁하)

07-2
L, R의 순서가 정해졌으므로 L, R를 모두 같은 문자로 생각한다.

오른쪽 그림과 같은 도로망에서 오른쪽으로 한 칸 가는 것을 a,
아래쪽으로 한 칸 가는 것을 b라 하자.
이때 A에서 출발하여 B까지 최단 거리로 가는 경우는 순서에
상관없이 오른쪽으로 3칸, 아래쪽으로 2칸 가는 것이므로 3개
의 a와 2개의 b를 일렬로 나열하면 된다.

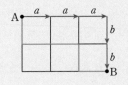

어떤 지점을 거쳐야 하는 경우의 수
는 다음과 같이 구한다.
①（출발 지점） → （중간 지점)까지
의 경우의 수를 구한다.
②（중간 지점） → （도착 지점)까지
의 경우의 수를 구한다.
③①, ②의 수를 곱한다.

참고　녹색선으로 표시한 경로 $baaba$는 최단 거리로 가는 경우 중 하나이다.

예제　오른쪽 그림과 같은 도로망에서 다음을 구하시오.

(1) A 지점에서 B 지점까지 최단 거리로 가는 경우의 수

(2) A 지점에서 C 지점을 거쳐 B 지점까지 최단 거리로
가는 경우의 수

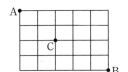

해법 코드

오른쪽으로 한 칸 가는 것을 a, 아래
쪽으로 한 칸 가는 것을 b라 하면 A
지점에서 B 지점까지 최단 거리로
가는 경우는 5개의 a와 4개의 b를
일렬로 나열한 것이다.

셀파　지나는 점이 주어진 최단 거리 문제는 그 점을 기준으로 나누어 생각한다.

풀이　오른쪽으로 한 칸 가는 것을 a, 아래쪽으로 한 칸 가는 것을 b라 하면

(1) A 지점에서 B 지점까지 최단 거리로 가는 경우의 수는 5개의 a와 4개의 b를 일렬
로 나열하는 경우의 수와 같다.

따라서 구하는 경우의 수는 $\dfrac{9!}{5! \times 4!} = 126$

(2) (i)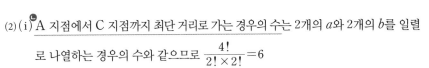 A 지점에서 C 지점까지 최단 거리로 가는 경우의 수는 2개의 a와 2개의 b를 일렬
로 나열하는 경우의 수와 같으므로 $\dfrac{4!}{2! \times 2!} = 6$

(ii) C 지점에서 B 지점까지 최단 거리로 가는 경우의 수는 3개의 a와 2개의 b를 일렬
로 나열하는 경우의 수와 같으므로 $\dfrac{5!}{3! \times 2!} = 10$

(i), (ii)에서 구하는 경우의 수는 $6 \times 10 = 60$

🅐 같은 것이 5개, 4개가 포함된 9개
를 일렬로 나열하는 것이므로 그 경

우의 수는 $\dfrac{9!}{5! \times 4!}$이다.

🅑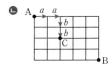

🅒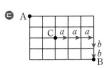

08-1
(상<u>중</u>하)
오른쪽 그림과 같은 도로망이 있다. A 지점에서 출발
하여 C 지점을 거쳐 B 지점까지 최단 거리로 가는 경
우의 수를 구하시오.

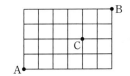

08-1
A 지점 → C 지점의 경우의 수와
C 지점 → B 지점의 경우의 수를 각
각 구한 다음 두 수를 곱한다.

오른쪽 그림과 같은 도로망이 있다. 집에서 학교까지 최단 거리로 가는 경우의 수를 구하시오.

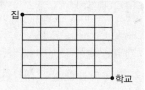

Q 오른쪽 그림과 같이 집을 A, 학교를 B로 놓고 지점 C와 D를 잡으면 C와 D는 어떤 최단 거리로 가든지 동시에 지날 수 없는 지점이에요. 그러면 구하는 경우의 수는 A → C → B로 가는 경우의 수와 A → D → B로 가는 경우의 수를 더하면 되나요?

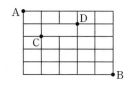

A 빠진 점들이 있어. 오른쪽 그림과 같이 지점 E와 F를 잡으면 ⓑA → E → B로 가는 경우와 같이 지점 C 또는 D를 지나지 않고도 A에서 B까지 최단 거리로 가는 경우가 있어. 모든 최단 거리로 가는 경우가 선택된 점 중 하나는 반드시 지나도록 모든 점을 꼼꼼히 찾아야 해. 여기서는 네 지점 C, D, E, F를 찾고, 각 지점을 지나면서 최단 거리로 가는 경우를 살펴봐야 해.

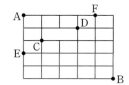

Q 네! 그러면 A 지점에서 B 지점까지 최단 거리로 가는 경우의 수는 다음과 같아요.

(i) A → C → B로 가는 경우의 수 ⇨ $\dfrac{3!}{2!} \times \dfrac{7!}{4! \times 3!} = 105$

(ii) A → D → B로 가는 경우의 수 ⇨ $\dfrac{4!}{3!} \times \dfrac{6!}{2! \times 4!} = 60$

(iii) A → E → B로 가는 경우의 수 ⇨ $1 \times \dfrac{7!}{5! \times 2!} = 21$

(iv) A → F → B로 가는 경우의 수 ⇨ $1 \times \dfrac{6!}{5!} = 6$

(i)~(iv)에서 구하는 경우의 수는
$105 + 60 + 21 + 6 = \mathbf{192}$

확인 체크 02 정답과 해설 | **11**쪽

오른쪽 그림과 같은 도로망이 있다. A 지점에서 출발하여 B 지점까지 최단 거리로 가는 경우의 수를 구하시오.

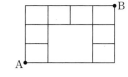

ⓐ (i) A → C → B

(ii) A → D → B

(i)과 (ii)의 최단 거리로 가는 경우는 서로 중복되는 경우가 없고, 그 경우의 수도 편리하게 구할 수 있다.

ⓑ

지점 E 대신 E′을 잡으면 A → E′ → B에는 지점 C를 지나가는 경우가 포함되어 있으므로 E′과 C를 동시에 지나는 경우가 생긴다. 따라서 지점 E′을 잡지 않도록 주의한다.

[다른 풀이]

다음 도로망과 같이 지나갈 수 없는 길을 점선으로 연결하고 지점 P, Q를 잡는다.

(구하는 경우의 수)
= (전체 경우의 수)
　 − (A → P → 점선 → Q → B로 가는 경우의 수)
= $\dfrac{10!}{5! \times 5!} - \left(\dfrac{3!}{2!} \times 1 \times \dfrac{6!}{3! \times 3!} \right)$
= $252 - 60 = 192$

같은 구슬 r개를 서로 다른 2개의 주머니에 중복을 허용하여 나누어 담는 경우의 수는 중복조합의 정의에 의하여 $_2H_r$이다. 이것은 r개의 구슬을 1개의 칸막이로 구분하는 경우의 수와 같고 다음과 같이 생각할 수 있다.

① 주머니에 담는 구슬의 나열 순서를 생각하지 않는다. 또 주머니를 중복해서 선택할 수 있으므로 중복조합으로 생각한다. 이때 첫 번째 주머니에 담은 구슬이 x개, 두 번째 주머니에 담은 구슬이 y개이면 $x+y=r$ (x, y는 음이 아닌 정수) 가 성립한다.

[1] 1개의 칸막이를 구슬로 생각하면 $(r+1)$개의 구슬이 있다고 할 수 있다.

[2] $(r+1)$개의 구슬 중에서 1개를 택한 다음 택한 구슬을 다시 칸막이로 바꾼다고 생각한다.

[3] $(r+1)$개의 구슬 중에서 1개의 구슬을 택하는 조합의 수는 ⑥$_{r+1}C_1={}_{r+1}C_r$이다. ⇨ $_2H_r={}_{r+1}C_r$

또 같은 구슬 r개를 서로 다른 3개의 주머니에 중복을 허용하여 나누어 담는 경우의 수는 중복조합의 정의에 의하여 $_3H_r$이다. 이것은 r개의 구슬을 2개의 칸막이로 구분하는 경우의 수와 같고 다음과 같이 생각할 수 있다.

[예]

3개의 구슬을 서로 다른 2개의 주머니에 나누어 담는 경우, 즉 1개의 칸막이로 구분하는 경우는 다음과 같이 4가지이다.

(i) ⭕⭕⭕ ▮

⇨ 첫 번째 주머니에만 3개

(ii) ⭕⭕ ▮ ⭕

⇨ 첫 번째 주머니에 2개, 두 번째 주머니에 1개

(iii) ⭕ ▮ ⭕⭕

⇨ 첫 번째 주머니에 1개, 두 번째 주머니에 2개

(iv) ▮ ⭕⭕⭕

⇨ 두 번째 주머니에만 3개

[1] 2개의 칸막이를 구슬로 생각하면 $(r+2)$개의 구슬이 있다고 할 수 있다.

[2] $(r+2)$개의 구슬 중에서 2개를 택한 다음 택한 구슬을 다시 칸막이로 바꾼다고 생각한다.

[3] $(r+2)$개의 구슬 중에서 2개의 구슬을 택하는 조합의 수는 $_{r+2}C_2={}_{r+2}C_r$이다. ⇨ $_3H_r={}_{r+2}C_r$

마찬가지로 같은 구슬 r개를 서로 다른 n개의 주머니에 중복을 허용하여 나누어 담는 경우의 수는 중복조합의 정의에 의하여 $_nH_r$이다. 이것은 r개의 구슬을 ⑥$(n-1)$개의 칸막이로 구분하는 경우의 수와 같고 다음과 같이 생각할 수 있다.

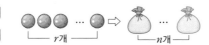

⑥ $_nC_r={}_nC_{n-r}$이므로
$_{r+1}C_1={}_{r+1}C_{r+1-1}={}_{r+1}C_r$

[1] $(n-1)$개의 칸막이를 구슬로 생각하면 $(r+n-1)$개의 구슬이 있다고 할 수 있다.

[2] $(r+n-1)$개의 구슬 중에서 $(n-1)$개를 택한 다음 택한 구슬을 다시 칸막이로 바꾼다고 생각한다.

[3] $(r+n-1)$개의 구슬 중에서 $(n-1)$개의 구슬을 택하는 조합의 수는 $_{r+n-1}C_{n-1}={}_{r+n-1}C_r$ ⇨ $_nH_r={}_{n+r-1}C_r$이다.

⑥ 서로 다른 2개의 주머니가 있을 때 1개의 칸막이가 필요하고, 서로 다른 3개의 주머니가 있을 때 2개의 칸막이가 필요하므로 서로 다른 n개의 주머니가 있다면 $(n-1)$개의 칸막이가 필요하다.

해법 09 중복조합의 수

서로 다른 n개에서 중복을 허용하여 r개를 택하는 조합을 중복조합이라 하고, 이 중복조합의 수는

$$_n\mathrm{H}_r = _{n+r-1}\mathrm{C}_r$$

이때 중복 가능한 것의 개수와 택하는 것의 개수를 바꾸어 나타내지 않도록 주의한다.

$$_n\mathrm{H}_r$$
중복 가능한 것의 개수　택하는 것의 개수

조합의 수 $_n\mathrm{C}_r$에서는 $0 \le r \le n$이어야 하지만 중복조합의 수 $_n\mathrm{H}_r$에서는 중복하여 택할 수 있으므로 $r > n$일 수도 있다.

예제 사과, 배, 감의 3종류의 과일 중에서 5개를 구입하려고 할 때, 다음을 구하시오.
(단, 각 과일은 5개 이상이고, 같은 종류의 과일은 서로 구별하지 않는다.)

(1) 5개를 구입하는 경우의 수

(2) 각 과일은 적어도 한 개씩 구입하는 경우의 수

(3) 사과는 2개 이상, 배는 2개 이상 구입하는 경우의 수

해법 코드

(1) 서로 다른 3개의 과일에서 중복을 허용하여 5개를 뽑는 경우이다.

셀파 서로 다른 n개에서 중복을 허용하여 뽑는 개수를 r로 생각하여 $_n\mathrm{H}_r$로 놓는다.

풀이 (1) 서로 다른 3종류의 과일 중에서 5개를 택하는 중복조합의 수와 같다.
따라서 구하는 경우의 수는
$$_3\mathrm{H}_5 = _{3+5-1}\mathrm{C}_5 = _7\mathrm{C}_5 = _7\mathrm{C}_2 = \mathbf{21}$$

ⓐ 조합의 성질 $_n\mathrm{C}_r = _n\mathrm{C}_{n-r}$에서
$_7\mathrm{C}_5 = _7\mathrm{C}_2$

(2) 먼저 사과, 배, 감을 각각 한 개씩 구입하고, 서로 다른 3종류의 과일 중에서 2개를 추가로 구입하면 된다.
따라서 서로 다른 3종류의 과일 중에서 2개를 택하는 중복조합의 수와 같으므로 구하는 경우의 수는
$$_3\mathrm{H}_2 = _{3+2-1}\mathrm{C}_2 = _4\mathrm{C}_2 = \mathbf{6}$$

ⓑ 사과, 배, 감을 한 개씩, 즉 모두 3개를 구입했으므로 5개의 과일을 구입하려면 2개의 과일만 추가로 구입하면 된다.

(3) 먼저 사과 2개와 배 2개를 구입하고, 서로 다른 3종류의 과일 중에서 1개를 추가로 구입하면 된다.
따라서 서로 다른 3종류의 과일 중에서 1개를 택하는 중복조합의 수와 같으므로 구하는 경우의 수는
$$_3\mathrm{H}_1 = _{3+1-1}\mathrm{C}_1 = _3\mathrm{C}_1 = \mathbf{3}$$

ⓒ 사과 2개, 배 2개, 즉 모두 4개를 구입했으므로 5개의 과일을 구입하려면 1개의 과일만 추가로 구입하면 된다.

확인 문제　　　　　　　　　　　　　　　　　　정답과 해설 | **11**쪽　　　　　　　　　**MY 셀파**

09-1 7개의 상품을 서로 다른 모양의 쇼핑백 A, B, C에 넣으려고 할 때, 다음을 구하시오.
(상·중·하)

(1) 빈 쇼핑백이 있을 수도 있도록 넣는 경우의 수

(2) 빈 쇼핑백이 없도록 넣는 경우의 수

09-1

(1) 서로 다른 3개의 쇼핑백에서 중복을 허용하여 7개를 뽑는다.

(2) 서로 다른 3개의 쇼핑백에서 중복을 허용하여 4개를 뽑는다.

1. 순열과 조합　**027**

❶ 기명 투표 : 투표 용지에 투표하는 사람의 이름을 적어서 하는 투표
   ⇨ 중복순열의 수 $_n\Pi_r$ 이용
❷ 무기명 투표 : 투표 용지에 투표하는 사람의 이름을 적지 않고서 하는 투표
   ⇨ 중복조합의 수 $_n\mathrm{H}_r$ 이용

❶ 중복순열 ($_n\Pi_r$) : 중복을 허용하고 순서를 생각한다.
❷ 중복조합 ($_n\mathrm{H}_r$) : 중복을 허용하고 순서를 생각하지 않는다.

예제 회원수가 12명인 동아리에서 오른쪽과 같은 대표 선출 공고가 났다. 12명의 회원이 한 명의 후보에게 투표할 때, 다음 경우의 수를 구하시오.
(단, 기권이나 무효는 없고, 후보자는 투표권이 없다.)

(1) 기명으로 투표하는 경우

(2) 무기명으로 투표하는 경우

동아리 대표 선출
후보 1 ○ ○ ○
후보 2 △ △ △
후보 3 □ □ □
일시 : ◇월 ◇일 ◇시
장소 : 대회의실

해법 코드
후보자는 투표권이 없으므로 12명 중에서 후보 3명을 제외한 9명이 투표를 한다.

셀파 기명투표 ⇨ 중복순열,   무기명 투표 ⇨ 중복조합

풀이 (1) 기명 투표는 어느 회원이 어느 후보를 뽑았는지 알 수 있으므로 3명의 후보 중에서 9개를 택하는 중복순열의 수와 같다.
   따라서 구하는 경우의 수는
   $_3\Pi_9 = 3^9 = \mathbf{19683}$

(2) 무기명 투표는 어느 회원이 어느 후보를 뽑았는지 알 수 없으므로 3명의 후보 중에서 9개를 택하는 중복조합의 수와 같다.
   따라서 구하는 경우의 수는
   $_3\mathrm{H}_9 = {}_{3+9-1}\mathrm{C}_9 = {}_{11}\mathrm{C}_9 = {}_{11}\mathrm{C}_2 = \mathbf{55}$

참고
기명 투표에서 후보 1이 총 2표를 받았을 때, 다음 두 가지 경우는 서로 다른 경우이다.
(i) 회원 1, 회원 2가 후보 1을 뽑았다.
(ii) 회원 1, 회원 3이 후보 1을 뽑았다.

무기명 투표는 투표 용지에 투표하는 사람의 이름을 적지 않으므로 각 후보가 몇 표를 받았는지의 결과만 알 수 있고, 누가 누구를 뽑았는지는 알 수 없어.

확인 문제 / 정답과 해설 | **11**쪽 / **MY 셀파**

10-1 6명의 선거인이 갑, 을, 병 세 명의 후보에 대하여 한 명의 후보에게 투표할 때, 다음 경우의 수를 구하시오. (단, 기권이나 무효는 없다.)

(1) 기명으로 투표하는 경우

(2) 무기명으로 투표하는 경우

10-1
3명의 후보 중에서 중복을 허용하여 6개를 택한다.

해법 11 | 다항식의 거듭제곱의 항의 개수 | PLUS ⊕

$(x+y+z)^n=\underbrace{(x+y+z)}_{❶}\underbrace{(x+y+z)}_{❷}\underbrace{(x+y+z)}_{❸}\times \cdots \times\underbrace{(x+y+z)}_{ⓝ}$ 이므로

$(x+y+z)^n$의 전개식에서 각 항은 ❶~ⓝ의 n개의 인수에서 x, y, z 중에 하나씩을 택하여 곱한 것이다.

따라서 $(x+y+z)^n$의 전개식에서 서로 다른 항의 개수는 x, y, z에서 n개를 택하는 중복조합의 수 $_3H_n$과 같다.

> $(a_1+a_2+a_3+\cdots+a_m)^n$의 전개식에서 서로 다른 항의 개수
> ⇨ $_mH_n$

예제 다음 식의 전개식에서 서로 다른 항의 개수를 구하시오.

   (1) $(x+y)^5$ (2) $(a+b+c)^7$

해법 코드
(1) 전개식의 각 항은 $x^k y^l$ 꼴이다.
(2) 전개식의 각 항은 $a^k b^l c^m$ 꼴이다.

셀파 $(x+y+z)^n$의 전개식에서 서로 다른 항의 개수 ⇨ $_3H_n$

풀이 (1) $(x+y)^5=(x+y)(x+y)(x+y)(x+y)(x+y)$이므로
$(x+y)^5$의 전개식에서 서로 다른 항의 개수는 2개의 문자 x, y 중에서 5개를 택하는 중복조합의 수와 같다.
따라서 구하는 서로 다른 항의 개수는
$$_2H_5=_{2+5-1}C_5=_6C_5=_6C_1=\mathbf{6}$$

> ㉠ $(x+y)^5$의 전개식에서 서로 다른 항은
> $x^5, x^4y, x^3y^2, x^2y^3, xy^4, y^5$
> 으로 모두 5차항이다.

(2) $(a+b+c)^7=\underbrace{(a+b+c)(a+b+c)(a+b+c)\times \cdots \times(a+b+c)}_{7개}$ 이므로
$(a+b+c)^7$의 전개식에서 서로 다른 항의 개수는 3개의 문자 a, b, c 중에서 7개를 택하는 중복조합의 수와 같다.
따라서 구하는 서로 다른 항의 개수는
$$_3H_7=_{3+7-1}C_7=_9C_7=_9C_2=\mathbf{36}$$

> ㉡ 전개식의 각 항은 $a^k b^l c^m$ 꼴이므로 $k+l+m=7$이 성립하는 음이 아닌 정수 k, l, m의 순서쌍 (k, l, m)의 개수를 구하는 것과 같다.

확인 문제   정답과 해설 | **11**쪽   **MY 셀파**

11-1 $(a+b+c+d)^5$의 전개식에서 서로 다른 항의 개수를 구하시오.
(상)(중)(하)

11-1
전개식의 각 항은 $a^k b^l c^m d^n$ 꼴이다.

11-2 $(a+b)^3(x+y+z)^4$의 전개식에서 서로 다른 항의 개수를 구하시오.
(상)(중)(하)

11-2
$(a+b)^3$의 전개식의 서로 다른 항의 개수와 $(x+y+z)^4$의 전개식의 서로 다른 항의 개수를 각각 구한다.

방정식 $x_1+x_2+\cdots+x_n=r$ (n, r는 자연수)에서

❶ 음이 아닌 정수해의 개수

⇨ 서로 다른 n개의 문자 x_1, x_2, $\cdots$, x_n 중에서 r개를 택하는 중복조합의 수

⇨ $_n\mathrm{H}_r$

❷ 양의 정수해의 개수

⇨ 서로 다른 n개의 문자 x_1, x_2, $\cdots$, x_n 중에서 $(r-n)$개를 택하는 중복조합의 수

⇨ $_n\mathrm{H}_{r-n}$ (단, $n\leq r$)

❷에서
$x_1=1+a_1$, $x_2=1+a_2$, $\cdots$,
$x_n=1+a_n$
으로 놓으면
$a_1+a_2+\cdots+a_n=r-n$에서 음이
아닌 정수해의 개수 $_n\mathrm{H}_{r-n}$과 같다.

예제 방정식 $x+y+z=6$에 대하여 다음을 구하시오.

(1) 음이 아닌 정수해의 개수 　　　　　 (2) 양의 정수해의 개수

해법 코드
서로 다른 3개의 문자 x, y, z 중에서 택하는 중복조합을 이용한다.

셀파 방정식의 정수해의 개수 ⇨ 중복조합 이용

풀이 (1) 방정식 $x+y+z=6$의 음이 아닌 정수해의 하나인 $x=2$, $y=2$, $z=2$의 경우는 $xxyyzz$와 같이 나타낼 수 있다.

따라서 구하는 해의 개수는^➊3개의 문자 x, y, z 중에서 6개를 택하는 중복조합의 수와 같으므로

$_3\mathrm{H}_6=_{3+6-1}\mathrm{C}_6=_8\mathrm{C}_6=_8\mathrm{C}_2=\mathbf{28}$

➊ 6개의 구슬을 2개의 칸막이로 구분하는 경우의 수와 같고, 이는 일렬로 늘어놓은 8개의 구슬 중 2개의 구슬을 택하는 조합의 수이므로
$_8\mathrm{C}_2=28$

(2) 방정식 $x+y+z=6$의 양의 정수해의 개수는^➋$x=1+a$, $y=1+b$, $z=1+c$로 놓으면 방정식 $a+b+c=3$의 음이 아닌 정수해의 개수와 같다.

따라서 구하는 해의 개수는 3개의 문자 a, b, c 중에서 3개를 택하는 중복조합의 수와 같으므로

$_3\mathrm{H}_3=_{3+3-1}\mathrm{C}_3=_5\mathrm{C}_3=_5\mathrm{C}_2=\mathbf{10}$

➋ 양의 정수해이므로 $x\geq1$, $y\geq1$, $z\geq1$에서 x, y, z를 적어도 1개씩 택해야 한다.

확인 문제 　　　　　　　　　　　　　　　　　　 정답과 해설 | **12**쪽　　　　　　　 **MY 셀파**

12-1 방정식 $x+y+z+w=8$에 대하여 다음을 구하시오.
상 중 하

(1) 음이 아닌 정수해의 개수 　　　　 (2) 양의 정수해의 개수

12-1
(2) $x=1+a$, $y=1+b$, $z=1+c$, $w=1+d$로 놓고
$a+b+c+d=4$의 음이 아닌 정수해의 개수를 구한다.

12-2 $x\geq1$, $y\geq2$, $z\geq1$일 때, 방정식 $x+y+z=10$을 만족시키는 정수해의 개수를
상 중 하 구하시오.

12-2
$x=1+a$, $y=2+b$, $z=1+c$로 놓고
$a+b+c=6$의 음이 아닌 정수해의 개수를 구한다.

함수 $f: X \longrightarrow Y$에 대하여 $n(X)=a$, $n(Y)=b$이고 $i, j \in X$일 때

❶ X에서 Y로의 함수의 개수 $\Rightarrow {}_b\Pi_a$

❷ X에서 Y로의 일대일함수의 개수 ($i \neq j$이면 $f(i) \neq f(j)$) $\Rightarrow {}_b\mathrm{P}_a$ (단, $b \geq a$)

❸ $i < j$이면 $f(i) < f(j)$인 함수의 개수 $\Rightarrow {}_b\mathrm{C}_a$ (단, $b \geq a$)

❹ $i < j$이면 $f(i) \leq f(j)$인 함수의 개수 $\Rightarrow {}_b\mathrm{H}_a$

01 함수 $f: X \longrightarrow Y$에 대하여 두 집합 $X=\{1, 2, 3\}$, $Y=\{1, 2, 3, 4, 5\}$일 때, 다음을 구하시오.

(단, $i, j \in X$)

(1) 함수 f의 개수

(2) $i \neq j$이면 $f(i) \neq f(j)$인 함수 f의 개수

(3) $i < j$이면 $f(i) < f(j)$인 함수 f의 개수

(4) $i < j$이면 $f(i) \leq f(j)$인 함수 f의 개수

02 함수 $f: X \longrightarrow Y$에 대하여 두 집합 $X=\{1, 2, 3, 4\}$, $Y=\{1, 2, 3, 4, 5, 6\}$일 때, 다음을 구하시오. (단, $i, j \in X$)

(1) 함수 f의 개수

(2) $i \neq j$이면 $f(i) \neq f(j)$인 함수 f의 개수

(3) $i < j$이면 $f(i) < f(j)$인 함수 f의 개수

(4) $i < j$이면 $f(i) \leq f(j)$인 함수 f의 개수

원순열의 수

01
(상)(중)(하)
부모와 자녀로 이루어진 6명의 가족이 원탁에 둘러앉을 때, 부모 사이에 한 명의 자녀가 앉는 경우의 수를 구하시오.

원순열의 수

02
(상)(중)(하)
오른쪽 그림과 같은 탁자에 A, B를 포함한 7명이 앉으려고 한다. 원의 들어간 부분의 탁자에 A, B가 앉고 나머지 부분에 5명이 앉는 경우의 수를 구하시오.

다각형 모양의 탁자에 둘러앉는 경우의 수

03
(상)(중)(하)
오른쪽 그림과 같은 직사각형 모양의 식탁에 8명이 둘러앉아 식사를 하려고 할 때, 8명이 식탁에 앉는 경우의 수는? (단, 회전하여 일치하는 것은 같은 것으로 본다.)

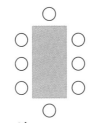

① $\dfrac{8!}{2}$ ② $\dfrac{8!}{3}$ ③ $\dfrac{8!}{4}$

④ $\dfrac{8!}{5}$ ⑤ $\dfrac{8!}{6}$

도형에 색칠하는 경우의 수

04
(상)(중)(하)
오른쪽 그림과 같은 정오각뿔의 옆면을 서로 다른 5가지 색을 모두 사용하여 칠하는 경우의 수를 구하시오. (단, 한 면에 한 가지의 색을 칠하고, 회전하여 일치하는 것은 같은 것으로 본다.)

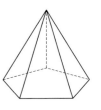

도형에 색칠하는 경우의 수   창의력

05
(상)(중)(하)
빨간색과 파란색을 포함한 서로 다른 6가지의 색을 모두 사용하여 오른쪽 그림과 같이 날개가 6개인 바람개비의 각 날개에 칠하려고 한다. 빨간색과 파란색을 서로 맞은편의 날개에 칠하는 경우의 수를 구하시오. (단, 각 날개에 한 가지의 색을 칠하고, 회전하여 일치하는 것은 같은 것으로 본다.)

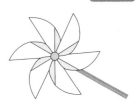

중복순열의 수

06
(상)(중)(하)
서로 다른 5통의 편지를 서로 다른 3개의 우체통에 넣는 경우의 수를 구하시오.
(단, 편지를 넣지 않는 우체통이 있을 수도 있다.)

함수의 개수 〔융합형〕

07 두 집합 $X=\{1, 2, 3, 4\}$, $Y=\{0, 1, 2\}$에 대하여 X에서 Y로의 함수 f 중에서 $f(1)=0$을 만족시키는 함수의 개수를 구하시오.

자연수의 개수

08 중복을 허용하여 3개의 숫자 1, 2, 3으로 만들 수 있는 네 자리 자연수 중에서 2300보다 작은 수의 개수를 구하시오.

같은 것이 있는 순열의 수

09 9개의 문자 h, a, p, p, i, n, e, s, s를 일렬로 나열할 때, 양쪽 끝에 s가 오고 모음끼리 이웃하게 나열하는 경우의 수를 구하시오.

순서가 정해진 순열의 수

10 A, B, C, D, E, F 6명이 달리기 시합을 한다. A가 B보다 먼저, B가 C보다 먼저 결승선을 통과하는 경우의 수를 구하시오. (단, 어떤 두 사람도 동시에 결승선을 통과하지 않는다.)

최단 거리로 가는 경우의 수 〔서술형〕

11 오른쪽 그림과 같이 정사각형을 이어서 만든 모양의 도로망이 있다. A 지점에서 B 점까지 최단 거리로 가는 경우의 수를 구하시오.

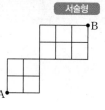

기명 투표와 무기명 투표

12 어떤 선거에서 10명의 유권자가 2명의 후보자 중 한 명에게 투표하려고 한다. 기명으로 투표하는 경우의 수를 a, 무기명으로 투표하는 경우의 수를 b라 할 때, $a-b$의 값을 구하시오. (단, 기권이나 무효는 없다.)

다항식의 거듭제곱의 항의 개수

13 $(a+b+c+d)^4(a+b+c+d+e)$의 전개식에서 서로 다른 항의 개수를 구하시오.

정수해의 개수

14 부등식 $x+y+z \leq 3$을 만족시키는 음이 아닌 정수해의 개수를 구하시오.

2

이항정리

☰ 2. 이항정리

개념1 이항정리

n이 자연수일 때, $^\circ(a+b)^n$을 전개하면 다음과 같다.

$$(a+b)^n={}_nC_0a^n+{}_nC_1a^{n-1}b+\cdots+{}_nC_ra^{n-r}b^r+\cdots+{}_nC_nb^n \leftarrow$$

a에 대한 내림차순 (b에 대한 오름차순)으로 정리한다.

이것을 $(a+b)^n$에 대한 **이항정리**라 하고, $_nC_ra^{n-r}b^r$을 **일반항**, 전개식에서 각 항의

⬜**❶**⬜인 $_nC_0, {}_nC_1, {}_nC_2, \cdots, {}_nC_r, \cdots, {}_nC_n$을 **이항계수**라 한다.

[예] 이항정리를 이용하여 $(a+b)^3$을 전개하면

$$(a+b)^3={}_3C_0a^3+{}_3C_1a^2b+\boxed{❷}\,ab^2+{}_3C_3b^3=a^3+3a^2b+3ab^2+b^3$$

[답] ❶ 계수 ❷ $_3C_2$

개념 플러스

이항정리라… 방정식을 풀 때 항을 옮기는 그 이항인가?

아니. 여기서 이항이란 항이 2개라는 뜻이야!

○ $(a+b)^n$의 전개식은 n개의 인수 $(a+b)$ 각각에서 a 또는 b를 하나씩 택하여 곱한 단항식을 모두 더한 것이다.

개념2 파스칼의 삼각형

$n=1, 2, 3, \cdots$일 때, $(a+b)^n$의 전개식에서 이항계수를 다음과 같이 ⬜**❶**⬜ 모양으로 배열한 것을 ○**파스칼의 삼각형**이라 한다.

이때 $_nC_r={}_{n-1}C_{r-1}+{}_{n-1}C_r$이므로 $(a+b)^n$의 전개식에서 계수는 $(a+b)^{n-1}$의 전개식에서 서로 이웃한 두 계수의 ⬜**❷**⬜으로 구할 수 있다.

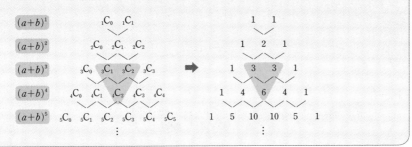

[답] ❶ 삼각형 ❷ 합

○ 파스칼의 삼각형의 성질
❶ 각 행의 양 끝 수는 1이다.
  ⇨ $_nC_0={}_nC_n=1$
❷ 각 행의 수는 중앙에 대하여 좌우 대칭이다.
  ⇨ $_nC_r={}_nC_{n-r}$
❸ 각 수는 그 수의 왼쪽 위와 오른쪽 위에 있는 두 수의 합과 같다.
  ⇨ $_nC_r={}_{n-1}C_{r-1}+{}_{n-1}C_r$

개념3 이항계수의 성질

❶ ${}_nC_0+{}_nC_1+{}_nC_2+\boxed{❶}+\cdots+{}_nC_n=2^n$

❷ ${}_nC_0-{}_nC_1+{}_nC_2-{}_nC_3+\cdots+(-1)^n{}_nC_n=0$

❸ ${}_nC_0+{}_nC_2+{}_nC_4+{}_nC_6+\cdots={}_nC_1+{}_nC_3+\boxed{❷}+{}_nC_7+\cdots=2^{n-1}$

[답] ❶ $_nC_3$ ❷ $_nC_5$

파스칼의 삼각형에서 기호 $\vee$는 위 줄의 두 수의 합이 아래 줄의 수와 같음을 나타내.

[보기] 다음 식의 값을 구하시오.

$${}_8C_0+{}_8C_1+{}_8C_2+\cdots+{}_8C_8$$

[연구] 이항정리를 이용하여 $(1+x)^8$을 전개하면

$$(1+x)^8={}_8C_0+{}_8C_1x+{}_8C_2x^2+\cdots+{}_8C_8x^8$$

이 식의 양변에 $x=1$을 대입하면

$${}_8C_0+{}_8C_1+{}_8C_2+\cdots+{}_8C_8=2^8$$

1-1 | 이항정리 |

이항정리를 이용하여 다음 식을 전개하시오.

(1) $(a+b)^4$ (2) $(a-b)^4$

연구

(1) $(a+b)^4$

$= {}_4C_0a^4 + {}_4C_1a^3b + {}_4C_2a^2b^2 + {}_4C_3\boxed{} + {}_4C_4b^4$

$= a^4 + 4a^3b + 6a^2b^2 + \boxed{} + b^4$

(2) $(a-b)^4$

$= \{a+(-b)\}^4$

$= {}_4C_0a^4 + {}_4C_1a^3(-b) + {}_4C_2a^2(-b)^2 + {}_4C_3a(-b)^3 + {}_4C_4(-b)^4$

$= a^4 - 4a^3b + \boxed{}a^2b^2 - 4ab^3 + b^4$

1-2 | 따라풀기 |

이항정리를 이용하여 다음 식을 전개하시오.

(1) $(3x+2)^4$ (2) $(1+2x)^5$

풀이

2-1 | 파스칼의 삼각형 |

파스칼의 삼각형을 이용하여 $(a+b)^5$을 전개하시오.

연구

파스칼의 삼각형을 이용하여 $(a+b)^5$을 전개하면

$$
\begin{array}{ccccccccccc}
 & & & & 1 & & 1 & & & & \\
 & & & 1 & & 2 & & 1 & & & \\
 & & 1 & & 3 & & 3 & & 1 & & \\
 & 1 & & 4 & & 6 & & 4 & & 1 & \\
1 & & 5 & & 10 & & 10 & & 5 & & 1 \\
\end{array}
$$

⬅ $(a+b)^1$의 계수
⬅ $(a+b)^2$의 계수
⬅ $(a+b)^3$의 계수
⬅ $(a+b)^4$의 계수
⬅ $(a+b)^5$의 계수

$\therefore (a+b)^5 = a^5 + \boxed{} + 10a^3b^2 + 10a^2b^3 + 5ab^4 + b^5$

2-2 | 따라풀기 |

파스칼의 삼각형을 이용하여 다음 식을 전개하시오.

(1) $(x+1)^6$ (2) $(x+1)^7$

풀이

A n이 자연수일 때, 조합을 이용하여 $(a+b)^n$의 전개식을 구하는 방법을 알아보자. 우선 $(a+b)^4$을 예로 들어보자.

Q $(a+b)^4$은 $(a+b)$를 네 번 곱하는 거니까 $(a+b)^4=(a+b)(a+b)(a+b)(a+b)$를 전개하면 돼요.

A 맞아. 그런데 여기서는 조합을 이용해야 하므로 다음과 같이 생각해 보자.

$$(a+b)^4=\underset{①}{(a+b)}\,\underset{②}{(a+b)}\,\underset{③}{(a+b)}\,\underset{④}{(a+b)}$$

이때 $(a+b)^4$의 전개식의 각 항은 ①, ②, ③, ④ 각각에서 a, b 중 하나를 택한 다음 그것들을 곱해서 만든 거야. 즉, 다음과 같이 나타낼 수 있어.

	a^4	a^3b	a^2b^2	ab^3	b^4
①	$(a+b)$	$(a+b)$	$(a+b)$	$(a+b)$	$(a+b)$
②	$(a+b)$	$(a+b)$	$(a+b)$	$(a+b)$	$(a+b)$
③	$(a+b)$	$(a+b)$	$(a+b)$	$(a+b)$	$(a+b)$
④	$(a+b)$	$(a+b)$	$(a+b)$	$(a+b)$	$(a+b)$
	$\Downarrow$	$\Downarrow$	$\Downarrow$	$\Downarrow$	$\Downarrow$
	㉠ $_4C_0$	㉡ $_4C_1$	㉢ $_4C_2$	㉣ $_4C_3$	㉤ $_4C_4$

따라서 a^4, a^3b, a^2b^2, ab^3, b^4의 계수는 각각 $_4C_0$, $_4C_1$, $_4C_2$, $_4C_3$, $_4C_4$가 돼.

Q 아하! 그럼 $(a+b)^4$의 전개식을 조합을 이용해 나타내면
$(a+b)^4=\,_4C_0a^4+\,_4C_1a^3b+\,_4C_2a^2b^2+\,_4C_3ab^3+\,_4C_4b^4$이에요.

A 잘했어. 이처럼 n이 자연수일 때, $(a+b)^n$의 전개식에서 $a^{n-r}b^r$은 n개의 인수 중 r개의 인수에서 b를 택하고, 남은 $(n-r)$개의 인수에서 a를 택하여 곱한 것이므로 $a^{n-r}b^r$의 계수는 n개의 인수 중 r개의 인수에서 b를 택하는 방법의 수인 $_nC_r$와 같아. 따라서 다음과 같은 전개식을 얻을 수 있지.

$$(a+b)^n=\,_nC_0a^n+\,_nC_1a^{n-1}b^1+\,_nC_2a^{n-2}b^2+\cdots+\,_nC_ra^{n-r}b^r+\cdots+\,_nC_nb^n$$

1씩 감소 →　　　(n−r)+r=n
1씩 증가

㉠ ①, ②, ③, ④에서 4개의 b를 모두 택하지 않는 경우의 수
　⇨ $_4C_0$

㉡ ①, ②, ③, ④에서 4개의 b 중 1개를 택하는 경우의 수
　⇨ $_4C_1$

㉢ ①, ②, ③, ④에서 4개의 b 중 2개를 택하는 경우의 수
　⇨ $_4C_2$

㉣ ①, ②, ③, ④에서 4개의 b 중 3개를 택하는 경우의 수
　⇨ $_4C_3$

㉤ ①, ②, ③, ④에서 4개의 b를 모두 택하는 경우의 수
　⇨ $_4C_4$

$a^{n-r}b^r$의 계수와 a^rb^{n-r}의 계수는 같아.

확인 체크 01　　　　　　정답과 해설 | **15**쪽

이항정리를 이용하여 다음 식을 전개하시오.

(1) $(a+b)^5$　　　　　　　　(2) $(a-b)^5$

n이 자연수일 때, $(a+b)^n$을 전개한 식, 즉 이항정리
$(a+b)^n={}_nC_0a^n+{}_nC_1a^{n-1}b+\cdots+{}_nC_ra^{n-r}b^r+\cdots+{}_nC_nb^n$에서
❶ 항의 개수는 $n+1$이고, 일반항 ${}_nC_ra^{n-r}b^r$은 $(r+1)$번째 항이다.
❷ 각 항에서 a의 지수와 b의 지수의 합은 n이다.
❸ ${}_nC_r={}_nC_{n-r}$이므로 $a^{n-r}b^r$의 계수와 a^rb^{n-r}의 계수는 같다.

> **PLUS ⊕**
> $(ax+b)^n$의 전개식의 일반항은 ${}_nC_r(ax)^{n-r}b^r$이고, $(b+ax)^n$의 전개식의 일반항은 ${}_nC_rb^{n-r}(ax)^r$이다. 경우에 따라 계산하기에 편리한 일반항을 사용한다.

예제

1. $\left(x^2+\dfrac{2}{x}\right)^8$의 전개식에서 x^{10}의 계수를 구하시오.

2. $(x^2-x)^5$의 전개식에서 x^7의 계수를 구하시오.

> **해법 코드**
> 1. $\dfrac{1}{x^k}=x^{-k}$임을 이용하여 정리한다.
> 2. 전개식의 일반항은
> ${}_5C_r(x^2)^{5-r}(-x)^r$

셀파 $(a+b)^n$의 전개식의 일반항은 ${}_nC_ra^{n-r}b^r$이다.

풀이 **1.** $\left(x^2+\dfrac{2}{x}\right)^8$의 전개식의 일반항은

$${}_8C_r(x^2)^{8-r}\left(\frac{2}{x}\right)^r={}_8C_r\times x^{16-2r}\times 2^r\times x^{-r}={}_8C_r\times 2^r\times x^{16-3r}$$

이때 x^{10}항은 $16-3r=10$에서 $3r=6$ $\therefore r=2$
따라서 x^{10}의 계수는 ${}_8C_2\times 2^2=\mathbf{112}$

2. $(x^2-x)^5$의 전개식의 일반항은
$${}_5C_r(x^2)^{5-r}(-x)^r={}_5C_r\times x^{10-2r}\times(-1)^r\times x^r={}_5C_r\times(-1)^r\times x^{10-r}$$
이때 x^7항은 $10-r=7$에서 $r=3$
따라서 x^7의 계수는 ${}_5C_3\times(-1)^3=\mathbf{-10}$

> $(x^2-x)^5$을 전개할 경우에는 $\{x^2+(-x)\}^5$으로 변형한 후 일반항을 구해.

확인 문제   정답과 해설 | **16**쪽   MY 셀파

01-1 (상)(중)(하) 다음을 구하시오.
(1) $(x-2y)^4$의 전개식에서 x^3y의 계수

(2) $\left(3x-\dfrac{2}{x}\right)^6$의 전개식에서 x^2의 계수

> **01-1**
> 전개식의 일반항은
> (1) ${}_4C_rx^{4-r}(-2y)^r$
> (2) ${}_6C_r(3x)^{6-r}\left(-\dfrac{2}{x}\right)^r$

01-2 (상)(중)(하) $(2x+1)^n$의 전개식에서 x^2의 계수가 84일 때, x^3의 계수를 구하시오.

> **01-2**
> 전개식의 일반항은 ${}_nC_r(2x)^r$

2
이항정리

$(a+b)(c+d)^n$과 같이 곱의 꼴로 이루어진 다항식의 전개식에서 일반항은 $(a+b)$와 $(c+d)^n$의 전개식의 일반항 $_nC_rc^{n-r}d^r$의 곱이다. 즉,

$$(a+b)(c+d)^n\text{의 전개식의 일반항} \Rightarrow (a+b) \times {}_nC_rc^{n-r}d^r$$

$(x+a)(x+b)^n$의 전개식에서 특정한 항 x^k의 계수를 구할 때, 이항정리의 일반항만 알면 모두 전개하지 않아도 된다.

예제 다음을 구하시오.

(1) $(x+2)(x+1)^4$의 전개식에서 x^2의 계수

(2) $(2x+3)\left(x-\dfrac{2}{x}\right)^5$의 전개식에서 상수항

해법 코드
전개식의 일반항은
(1) $(1+x)^4$은 $_4C_rx^r$
(2) $\left(x-\dfrac{2}{x}\right)^5$은 $_5C_rx^{5-r}\left(-\dfrac{2}{x}\right)^r$

셀파 $(x+a)(x+1)^n$의 전개식의 일반항 $\Rightarrow (x+a) \times {}_nC_rx^r$

풀이 (1) $(x+1)^4$의 전개식의 일반항은 $_4C_rx^r$

따라서 $(x+2)(x+1)^4$의 전개식의 일반항은

$(x+2) \times {}_4C_rx^r = {}_4C_rx^{r+1} + 2 \times {}_4C_rx^r$ ······㉠

㉠에서 x^2항은

(i) $_4C_rx^{r+1}$에서 $r+1=2$, 즉 ➊ $r=1$일 때이므로 $_4C_1x^2=4x^2$

(ii) $2 \times {}_4C_rx^r$에서 ➋ $r=2$일 때이므로 $2 \times {}_4C_2x^2=12x^2$

(i), (ii)에서 x^2의 계수는 $4+12=\mathbf{16}$

(2) $\left(x-\dfrac{2}{x}\right)^5$의 전개식의 일반항은 $_5C_rx^{5-r}\left(-\dfrac{2}{x}\right)^r = {}_5C_r(-2)^rx^{5-2r}$

따라서 $(2x+3)\left(x-\dfrac{2}{x}\right)^5$의 전개식의 일반항은

$(2x+3) \times {}_5C_r(-2)^rx^{5-2r} = 2 \times {}_5C_r(-2)^rx^{6-2r} + 3 \times {}_5C_r(-2)^rx^{5-2r}$ ······㉠

㉠에서 상수항은

x^{6-2r}에서 $6-2r=0$, 즉 $r=3$일 때이므로 $2 \times {}_5C_3 \times (-2)^3 = \mathbf{-160}$

➊ $r=1$을 ㉠에 대입하면
$_4C_1x^{1+1} + 2 \times {}_4C_1x = 4x^2 + 8x$
이때 구하는 값은 x^2의 계수이므로 $4x^2$만 생각하면 된다.

➋ $r=2$를 ㉠에 대입하면
$_4C_2x^{2+1} + 2 \times {}_4C_2x^2 = 6x^3 + 12x^2$
이때 구하는 값은 x^2의 계수이므로 $12x^2$만 생각하면 된다.

➌ $5-2r=0$을 만족시키는 음이 아닌 정수 r의 값은 존재하지 않는다.

확인 문제   정답과 해설 | **16**쪽   MY 셀파

02-1
(상)(중)(하)
$(2x-3)(x-2)^3$의 전개식에서 x의 계수를 구하시오.

02-2
(상)(중)(하)
$(x^2+1)\left(x+\dfrac{1}{x}\right)^6$의 전개식에서 상수항을 구하시오.

02-1
$(x-2)^3$의 전개식의 일반항은
$_3C_r(-2)^{3-r}x^r$

02-2
$\left(x+\dfrac{1}{x}\right)^6$의 전개식의 일반항은
$_6C_rx^{6-r}\left(\dfrac{1}{x}\right)^r$

$(a+b)^m(c+d)^n$의 전개식의 일반항은 $(a+b)^m$의 전개식의 일반항 $_mC_r a^{m-r}b^r$과 $(c+d)^n$의 전개식의 일반항 $_nC_s c^{n-s}d^s$의 곱이다. 즉,

$$(a+b)^m(c+d)^n의\ 전개식의\ 일반항\ \Rightarrow\ _mC_r a^{m-r}b^r \times _nC_s c^{n-s}d^s$$

$(x+a)^m(x+b)^n$의 전개식에서 특정한 항 x^k의 계수를 구할 때, 이항정리의 일반항만 알면 모두 전개하지 않아도 된다.

예제 $(x+1)^5(x+2)^2$의 전개식에서 x의 계수를 구하시오.

해법 코드
전개식의 일반항은
$(x+1)^5$은 $_5C_r x^r$,
$(x+2)^2$은 $_2C_s 2^{2-s}x^s$

셀파 $(x+1)^5(x+2)^2$의 전개식의 일반항 $\Rightarrow _5C_r x^r \times _2C_s 2^{2-s}x^s$

풀이 $(x+1)^5$의 전개식의 일반항은 $_5C_r x^r$

$(x+2)^2$의 전개식의 일반항은 $_2C_s 2^{2-s}x^s$

따라서 $(x+1)^5(x+2)^2$의 전개식의 일반항은

$_5C_r x^r \times _2C_s 2^{2-s}x^s = _5C_r \times _2C_s \times 2^{2-s}x^{r+s}$ ······㉠

㉠에서 x항은 $r+s=1$일 때이므로

(i) $r=0$, $s=1$일 때 $\Rightarrow _5C_0 \times _2C_1 \times 2^{2-1} = 1 \times 2 \times 2 = 4$

(ii) $r=1$, $s=0$일 때 $\Rightarrow _5C_1 \times _2C_0 \times 2^2 = 5 \times 1 \times 4 = 20$

(i), (ii)에서 x의 계수는 $4+20=$ **24**

❶ r과 s의 값은 음이 아닌 정수이므로 $r+s=1$인 순서쌍 (r, s)는 $(0, 1)$, $(1, 0)$이다.

다른 풀이 $(x+1)^5$의 전개식의 일반항은 $_5C_r x^r$

따라서 $(x+1)^5(x+2)^2$의 전개식의 일반항은

$_5C_r x^r \times (x^2+4x+4) = _5C_r x^{r+2} + 4 \times _5C_r x^{r+1} + 4 \times _5C_r x^r$ ······㉠

㉠에서 x항은

(i) $r+1=1$에서 $r=0$이므로 $4 \times _5C_0 = 4$

(ii) $r=1$에서 $4 \times _5C_1 = 20$

(i), (ii)에서 x의 계수는 $4+20=24$

❷ $r+2=1$을 만족시키는 음이 아닌 정수 r의 값은 존재하지 않는다.

두 식의 일반항이 다르므로 각 다항식의 일반항을 r, s와 같이 서로 다른 문자로 나타내.

확인 문제   정답과 해설 **16**쪽   MY 셀파

03-1 $(x-2)^2(x+3)^3$의 전개식에서 x^2의 계수를 구하시오.
(상)(중)(하)

03-1
$(x-2)^2=\{(-2)+x\}^2$의 전개식의 일반항은 $_2C_r(-2)^{2-r}x^r$, $(3+x)^3$의 전개식의 일반항은 $_3C_s 3^{3-s}x^s$

03-2 $(x+k)^3(x+1)^4$의 전개식에서 x의 계수가 44일 때, 실수 k의 값을 구하시오.
(상)(중)(하)

03-2
전개식의 일반항은
$(k+x)^3$은 $_3C_r k^{3-r}x^r$,
$(1+x)^4$은 $_4C_s x^s$

❶ $(ax+by)^n$의 전개식의 일반항 $\Rightarrow {}_nC_r(ax)^{n-r}(by)^r={}_nC_ra^{n-r}b^rx^{n-r}y^r$

❷ $(a+b)^m(c+d)^n$의 전개식의 일반항 $\Rightarrow {}_mC_r\times{}_nC_sa^{m-r}b^rc^{n-s}d^s$

01 다음 식을 전개하였을 때, [　] 안의 항의 계수를 구하시오.

(1) $(3x+y)^5$　　　　　$[x^3y^2]$

(2) $(x^2-1)^7$　　　　　$[x^6]$

(3) $(x-2y)^8$　　　　　$[x^6y^2]$

(4) $\left(3x^2+\dfrac{1}{x}\right)^6$　　　　$[x^3]$

(5) $\left(x-\dfrac{3}{x}\right)^6$　　　　　$[x^2]$

02 다음 식을 전개하였을 때, [　] 안의 항의 계수를 구하시오.

(1) $(1+2x)^6(1-x)$　　　$[x^4]$

(2) $(x+y)(2x+3y)^5$　　$[x^4y^2]$

(3) $(x^2+x)\left(x-\dfrac{1}{x}\right)^6$　　$[상수항]$

(4) $(1+2x)^4(1+x)^5$　　$[x^2]$

(5) $(3x+1)^3(1-x)^6$　　$[x]$

Q 파스칼의 삼각형에는 재미있는 성질이 많다던데요. 이항계수에 대한 문제를 푸는데 도움이 되는 것이 있으면 소개해 주세요.

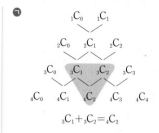

$$_3C_1 + _3C_2 = _4C_2$$

A 우선 가장 기본적인 것부터 확인하고 넘어가자. $(a+b)^n$의 전개식에서 $n=1, 2, 3,$ $\cdots$일 때, 이항계수만을 차례대로 배열한 삼각형을 파스칼의 삼각형이라고 하지? 이때 조합의 성질 $_{n-1}C_{r-1} + _{n-1}C_r = _nC_r$, $_nC_r = _nC_{n-r}$를 이용하여 알 수 있는 파스칼의 삼각형의 성질은 어떤 게 있을까?

Q 파스칼의 삼각형에서 <u>$_{n-1}C_{r-1} + _{n-1}C_r = _nC_r$</u>이므로 각 행의 수가 그 위 행의 이웃하는 두 수의 합과 같다는 것을 알 수 있고, $_nC_r = _nC_{n-r}$이므로 각 행의 수의 배열이 좌우 대칭이라는 것을 알 수 있어요.

A 맞아. 또한 다음 그림에서 색칠한 부분들의 합, 즉 대각선으로 나열된 조합의 수의 합도 편리하게 구할 수 있지.

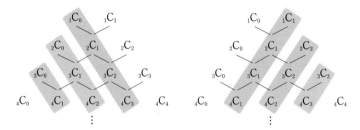

예를 들어 $_2C_0 + _3C_1 + _4C_2$의 값을 구한다고 하자. 이때 $_2C_0 = _3C_0$이고, $_3C_0 + _3C_1 = _4C_1$, $_4C_1 + _4C_2 = _5C_2$이므로 $_2C_0 + _3C_1 + _4C_2 = _5C_2 = 10$과 같이 구할 수 있어.

> 대각선으로 나열된 조합의 수의 합 $_2C_2 + _3C_2 + _4C_2$의 값을 구할 때 $_nC_r = _nC_{n-r}$를 이용하면 $_2C_2 = _2C_0$, $_3C_2 = _3C_1$ 이므로 주어진 식을 $_2C_0 + _3C_1 + _4C_2$와 같이 바꾸어 파스칼의 삼각형을 이용해.

Q 와~ 신기해요. 하나만 더 알려 주세요.

A 좋아. 이번엔 오른쪽 그림과 같이 파스칼의 삼각형에서 하키스틱 모양으로 배열된 이항계수 사이에 어떤 성질이 숨어 있는지 살펴보자. 예를 들어 오른쪽 그림에서 파란색으로 표시한 부분을 보면 1부터 시작하여 오른쪽 아래 대각선 방향으로 세 개의 수 1, 3, 6을 더한 값은 6의 왼쪽 아래에 있는 수 10이 돼.

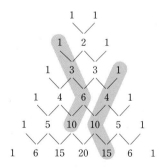

> ⓑ 마찬가지로 왼쪽 그림에서 빨간색으로 표시한 부분을 보면 1부터 시작하여 왼쪽 아래 대각선 방향으로 세 개의 수 1, 4, 10을 더한 값은 10의 오른쪽 아래에 있는 수 15가 된다. 이것을 이항계수로 나타내 보면 $_3C_3 + _4C_3 + _5C_3 = _6C_4$이다.

Q 아하, 그럼 이 결과를 이항계수로 나타내 보면 $_2C_0 + _3C_1 + _4C_2 = _5C_2$예요. 위에서는 대각선으로 나열된 조합의 수의 합을 $_{n-1}C_{r-1} + _{n-1}C_r = _nC_r$를 이용하여 구했었는데 <u>파스칼의 삼각형에서 하키스틱 모양을 이용하면 더 간단하게 구할 수 있네요!</u>

파스칼의 삼각형의 다음과 같은 성질을 이용하여 이항계수에 대한 식을 간단히 할 수 있다.

❶ 각 행의 양 끝 수는 1이다.

❷ 각 행의 수는 그 위의 행의 이웃하는 두 수의 합과 같다.

　즉, $_{n-1}C_{r-1} + {_{n-1}C_r} = {_nC_r}$

❸ 각 행의 수의 배열은 좌우 대칭이다.

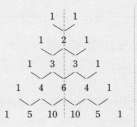

（예）❶ $_1C_0 = {_2C_0} = {_3C_0} = \cdots = 1$
$_1C_1 = {_2C_2} = {_3C_3} = \cdots = 1$
❷ $_1C_0 + {_1C_1} = {_2C_1}$
$_3C_1 + {_3C_2} = {_4C_2}$
❸ $_3C_1 = {_3C_2},\ {_4C_1} = {_4C_3}$

（예제）파스칼의 삼각형을 이용하여 $_2C_0 + {_3C_1} + {_4C_2} + \cdots + {_{20}C_{18}}$의 값을 구하시오.

해법 코드
$_2C_0 = {_3C_0},\ {_{n-1}C_{r-1}} + {_{n-1}C_r} = {_nC_r}$를 이용한다.

（셀파）$_{n-1}C_{r-1} + {_{n-1}C_r} = {_nC_r}$임을 이용하여 주어진 식을 변형한다.

（풀이）구하는 식의 값은 파스칼의 삼각형에서 $_2C_0$부터 오른쪽 아래 대각선 방향으로 나열된 이항계수를 더한 값과 같다.

이때 $_2C_0 = {_3C_0}$이고, $_{n-1}C_{r-1} + {_{n-1}C_r} = {_nC_r}$
이므로

$_2C_0 + {_3C_1} + {_4C_2} + \cdots + {_{20}C_{18}}$
$= ({_3C_0} + {_3C_1}) + {_4C_2} + \cdots + {_{20}C_{18}}$
$= ({_4C_1} + {_4C_2}) + {_5C_3} + \cdots + {_{20}C_{18}}$
　　$\llcorner\!\!\rightarrow {} = {_5C_2}$
$= ({_5C_2} + {_5C_3}) + {_6C_4} + \cdots + {_{20}C_{18}}$
　　　　　　⋮
$= {_{20}C_{17}} + {_{20}C_{18}}$
$= {_{21}C_{18}} = {_{21}C_3}$
$= \mathbf{1330}$

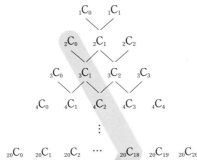

（참고）
다음 그림과 같이 파스칼의 삼각형에서 대각선 방향으로 나열된 이항계수를 더하면 꺾어진 곳의 이항계수와 같다.

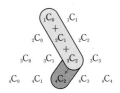

따라서 （예제）에서 $_2C_0$부터 오른쪽 아래 대각선 방향으로 나열된 이항계수를 $_{20}C_{18}$까지 더한 값은 $_{20}C_{18}$의 왼쪽 아래에 있는 수 $_{21}C_{18}(={_{21}C_3})$과 같다.

확인 문제　　　　　　　　　　　　　　정답과 해설 **18**쪽　　　　　　　**MY 셀파**

04-1 파스칼의 삼각형을 이용하여 다음 식의 값을 구하시오.
（상）（중）（하）

(1) $_1C_0 + {_2C_1} + {_3C_2} + {_4C_3} + {_5C_4} + {_6C_5}$

(2) $_3C_0 + {_4C_1} + {_5C_2} + \cdots + {_{11}C_8}$

(3) $_4C_4 + {_5C_4} + {_6C_4} + {_7C_4} + {_8C_4}$

04-1
파스칼의 삼각형을 그려 놓고, 주어진 식에 포함된 이항계수를 표시한 다음 파스칼의 삼각형의 성질을 이용해 간단히 한다.

파스칼의 삼각형에서 각 행에서 이웃하는 두 수의 합은
그 두 수의 아래 행의 중앙에 있는 수와 같다.

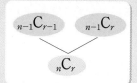

파스칼의 삼각형에서 각 행의 배열
이 좌우 대칭이므로
$_nC_r = {}_nC_{n-r}$

예제 $(1+x^2)+(1+x^2)^2+(1+x^2)^3+\cdots+(1+x^2)^{10}$의 전개식에서 x^4의 계수를 구하시오.

해법 코드
$(1+x^2)^n$의 전개식의 일반항은
$_nC_r(x^2)^r$

셀파 $(1+x^p)^n$의 전개식의 일반항 $\Rightarrow {}_nC_r x^{pr}$

풀이 $(1+x^2)^n$의 전개식의 일반항은 $_nC_r(x^2)^r$이므로 x^4의 계수는 $_nC_2$

$(1+x^2)^2$의 전개식에서 x^4의 계수는 ⓐ$_2C_2$

$(1+x^2)^3$의 전개식에서 x^4의 계수는 $_3C_2$

$\vdots$

$(1+x^2)^{10}$의 전개식에서 x^4의 계수는 $_{10}C_2$

따라서 x^4의 계수는

$_2C_2 + {}_3C_2 + {}_4C_2 + \cdots + {}_{10}C_2$

$= (\underline{{}_3C_3 + {}_3C_2}) + {}_4C_2 + \cdots + {}_{10}C_2 = ({}_4C_3 + {}_4C_2) + {}_5C_2 + \cdots + {}_{10}C_2$ ⓑ

$= ({}_5C_3 + {}_5C_2) + {}_6C_2 + \cdots + {}_{10}C_2 = \cdots$

$= {}_{10}C_3 + {}_{10}C_2 = {}_{11}C_3 = \mathbf{165}$

ⓐ $(1+x^2)^2$의 전개식의 일반항은
$_2C_r(x^2)^r = {}_2C_r \times x^{2r}$이므로
$2r=4$에서 $r=2$

ⓑ $_2C_2 = {}_3C_3$이므로
$_2C_2 + {}_3C_2$
$= {}_3C_3 + {}_3C_2$
$= {}_4C_3$

다른 풀이 $(1+x^2)+(1+x^2)^2+(1+x^2)^3+\cdots+(1+x^2)^{10}$ $\qquad$ ······㉠

㉠은 첫째항이 $1+x^2$, 공비가 $1+x^2$, 항수가 10인 등비수열의 합이므로

$$\frac{(1+x^2)\{(1+x^2)^{10}-1\}}{(1+x^2)-1} = \frac{(1+x^2)^{11}-(1+x^2)}{x^2}$$

㉠의 전개식에서 x^4의 계수는 $(1+x^2)^{11}$의 전개식에서 x^6의 계수와 같다.

$(1+x^2)^{11}$의 전개식의 일반항은 $_{11}C_r x^{2r}$

이때 x^6의 계수는 $2r=6$, 즉 $r=3$일 때이므로

구하는 계수는 $_{11}C_3 = 165$

확인 문제
정답과 해설 | **19**쪽

MY 셀파

05-1 다음을 구하시오.

(상)(중)(하)

(1) $(1+x)+(1+x)^2+(1+x)^3+\cdots+(1+x)^8$의 전개식에서 x^3의 계수

(2) $(1+x^3)+(1+x^3)^2+(1+x^3)^3+\cdots+(1+x^3)^{12}$의 전개식에서 x^6의 계수

05-1

(2) $(1+x^3)^n$의 전개식의 일반항은
$_nC_r(x^3)^r$이므로
x^6의 계수는 $_nC_2$

이항계수의 성질

❶ $_nC_0+_nC_1+_nC_2+_nC_3+\cdots+_nC_n=2^n$

❷ $_nC_0-_nC_1+_nC_2-_nC_3+\cdots+(-1)^n{}_nC_n=0$

❸ $_nC_0+_nC_2+_nC_4+\cdots=_nC_1+_nC_3+_nC_5+\cdots=2^{n-1}$

이항계수의 성질을 무작정 암기하지 말고 증명 과정을 통해 그 내용과 원리를 이해하도록 해.

이항정리

$$(a+b)^n=_nC_0a^n+_nC_1a^{n-1}b+\cdots+_nC_ra^{n-r}b^r+\cdots+_nC_nb^n$$

에서 $a=1$, $b=x$로 놓으면

$$(1+x)^n=_nC_0+_nC_1x+_nC_2x^2+_nC_3x^3+\cdots+_nC_nx^n \qquad \cdots\cdots ㉠$$

이때 $(1+x)^n$의 전개식을 이용하여 다음과 같이 이항계수의 성질을 증명할 수 있다.

❶ ㉠의 양변에 $x=1$을 대입하면

（이항계수의 총합)$=2^n$

$$_nC_0+_nC_1+_nC_2+_nC_3+\cdots+_nC_n=2^n \qquad \cdots\cdots ㉡$$

예 $\overset{㉠}{_5C_0}+_5C_1+_5C_2+_5C_3+_5C_4+_5C_5=2^5$

㉠ ㉡의 양변에 $n=5$를 대입한 것이다.

❷ ㉠의 양변에 $x=-1$을 대입하면

$$_nC_0-_nC_1+_nC_2-_nC_3+\cdots+(-1)^n{}_nC_n=0 \qquad \cdots\cdots ㉢$$

예 $\overset{㉡}{_6C_0}-_6C_1+_6C_2-_6C_3+_6C_4-_6C_5+_6C_6=0$

㉡ ㉢의 양변에 $n=6$을 대입한 것이다.

❸ ㉡+㉢을 하면

$$_nC_0+_nC_1+_nC_2+_nC_3+\quad\cdots\quad+_nC_n=2^n$$
$$+)_nC_0-_nC_1+_nC_2-_nC_3+\cdots+(-1)^n{}_nC_n=0$$
$$\overline{2{}_nC_0\quad+\quad2{}_nC_2\quad+\quad\cdots\quad=2^n}$$

$$2({}_nC_0+_nC_2+_nC_4+\cdots)=2^n$$

$$\therefore {}_nC_0+_nC_2+_nC_4+\cdots=2^{n-1} \qquad \cdots\cdots ㉣$$

또 ㉡-㉢을 하면

$$_nC_0+_nC_1+_nC_2+_nC_3+\quad\cdots\quad+_nC_n=2^n$$
$$-)_nC_0-_nC_1+_nC_2-_nC_3+\cdots+(-1)^n{}_nC_n=0$$
$$\overline{2{}_nC_1\quad+2{}_nC_3\quad+\quad\cdots\quad=2^n}$$

（짝수 번째 항의 합)
=(홀수 번째 항의 합)
$=2^{n-1}$

$$2({}_nC_1+_nC_3+_nC_5+\cdots)=2^n$$

$$\therefore {}_nC_1+_nC_3+_nC_5+\cdots=2^{n-1} \qquad \cdots\cdots ㉤$$

㉢ ㉣의 양변에 $n=8$을 대입한 것이다.

㉣ ㉤의 양변에 $n=7$을 대입한 것이다.

예 $\overset{㉢}{_8C_0}+_8C_2+_8C_4+_8C_6+_8C_8=2^{8-1}=2^7$

$\overset{㉣}{_7C_1}+_7C_3+_7C_5+_7C_7=2^{7-1}=2^6$

이항정리를 이용하여 $(1+x)^n$의 전개식을 구하면

$$(1+x)^n={}_nC_0+{}_nC_1x+{}_nC_2x^2+ \cdots +{}_nC_nx^n \qquad \cdots\cdots \text{㉠}$$

이 식의 x, n에 적당한 값을 대입하여 구하는 이항계수의 관계식을 만들어 낸다.

㉠은 x에 대한 항등식이므로 x 대신 어떤 값을 대입해도 등식은 성립한다.

[예제] **1.** 다음 식의 값을 구하시오.

(1) ${}_8C_0+2\times{}_8C_1+2^2\times{}_8C_2+ \cdots +2^8\times{}_8C_8$

(2) $\log_2({}_9C_0+3\times{}_9C_1+3^2\times{}_9C_2+ \cdots +3^9\times{}_9C_9)$

2. ${}_nC_0+{}_nC_1\times4+{}_nC_2\times4^2+ \cdots +{}_nC_n\times4^n=5^{30}$을 만족시키는 자연수 n의 값을 구하시오.

해법 코드

$(1+x)^n$
$={}_nC_0+{}_nC_1x+ \cdots +{}_nC_nx^n$에
1. (1) $x=2$, $n=8$을 대입한다.
(2) $x=3$, $n=9$를 대입한다.

2. $x=4$를 대입한다.

[셀파] $(1+x)^n={}_nC_0+{}_nC_1x+{}_nC_2x^2+ \cdots +{}_nC_nx^n$

[풀이] **1.** 이항정리에서 $(1+x)^n={}_nC_0+{}_nC_1x+{}_nC_2x^2+ \cdots +{}_nC_nx^n \qquad \cdots\cdots \text{㉠}$

(1) ㉠의 양변에 $x=2$, $n=8$을 대입하면

$$(1+2)^8={}_8C_0+{}_8C_1\times2+{}_8C_2\times2^2+ \cdots +{}_8C_8\times2^8$$

$$\therefore {}_8C_0+2\times{}_8C_1+2^2\times{}_8C_2+ \cdots +2^8\times{}_8C_8=\boldsymbol{3^8}$$

(2) ㉠의 양변에 $x=3$, $n=9$를 대입하면

$$(1+3)^9={}_9C_0+{}_9C_1\times3+{}_9C_2\times3^2+ \cdots +{}_9C_9\times3^9$$

$${}_9C_0+3\times{}_9C_1+3^2\times{}_9C_2+ \cdots +3^9\times{}_9C_9=4^9$$

$$\therefore \log_2({}_9C_0+3\times{}_9C_1+3^2\times{}_9C_2+ \cdots +3^9\times{}_9C_9)=\log_2 4^9\underset{\text{㉠}}{=}\log_2 2^{18}=\boldsymbol{18}$$

이항계수의 합을 구할 때, ${}_nC_r$에서 n의 값이 일정하고 r의 값이 규칙적으로 변할 경우 $(1+x)^n$의 전개식을 이용해.

㉠ $\log_2 2^{18}=18\log_2 2=18$

2. 이항정리에서 $(1+x)^n={}_nC_0+{}_nC_1x+{}_nC_2x^2+ \cdots +{}_nC_nx^n \qquad \cdots\cdots \text{㉠}$

㉠의 양변에 $x=4$를 대입하면

$$(1+4)^n={}_nC_0+{}_nC_1\times4+{}_nC_2\times4^2+ \cdots +{}_nC_n\times4^n$$

$$5^n=5^{30}\text{에서 } \boldsymbol{n=30}$$

확인 문제 정답과 해설 **19**쪽 MY 셀파

06-1 다음 식의 값을 구하시오.
상 중 하

(1) $\log_9({}_{10}C_0+2\times{}_{10}C_1+2^2\times{}_{10}C_2+ \cdots +2^{10}\times{}_{10}C_{10})$

(2) ${}_{11}C_0+{}_{11}C_1+{}_{11}C_2+{}_{11}C_3+{}_{11}C_4+{}_{11}C_5$

06-1

(1) $(1+x)^n$
$={}_nC_0+{}_nC_1x+ \cdots +{}_nC_nx^n$
에 $x=2$, $n=10$을 대입한다.
(2) ${}_nC_r={}_nC_{n-r}$를 이용한다.

❶ $_nC_0+_nC_1+_nC_2+_nC_3+\cdots+_nC_n=2^n$

❷ $_nC_0-_nC_1+_nC_2-_nC_3+\cdots+(-1)^n{_nC_n}=0$

❸ $_nC_0+_nC_2+_nC_4+_nC_6+\cdots=2^{n-1}$ ⇦ (❶의 좌변에서 홀수 번째 항의 합)

❹ $_nC_1+_nC_3+_nC_5+_nC_7+\cdots=2^{n-1}$ ⇦ (❶의 좌변에서 짝수 번째 항의 합)

이항계수의 성질은
$(1+x)^n=_nC_0+_nC_1x+\cdots+_nC_nx^n$
의 x에 적당한 값을 대입하여 만든다.

(예제) 다음을 구하시오.

(1) $100<_nC_0+_nC_1+_nC_2+_nC_3+\cdots+_nC_n<200$을 만족시키는 자연수 n의 값

(2) $_{100}C_1-_{100}C_2+_{100}C_3-_{100}C_4+\cdots+_{100}C_{99}$의 값

(3) $_nC_0+_nC_2+_nC_4+\cdots+_nC_n=512$를 만족시키는 자연수 n의 값

해법 코드
위 이항계수의 성질에서
(1) ❶을 이용한다.
(2) ❷를 이용한다.
(3) ❸을 이용한다.

(셀파) $_nC_0+_nC_1+_nC_2+\cdots+_nC_n=2^n$

(풀이) (1) $_nC_0+_nC_1+_nC_2+_nC_3+\cdots+_nC_n=2^n$이므로 $100<2^n<200$

이때 $2^6=64$, $2^7=128$, $2^8=256$이므로

구하는 자연수 n의 값은 **7**

(2) $(1+x)^n=_nC_0+_nC_1x+\cdots+_nC_nx^n$의 양변에 $x=-1$, $n=100$을 대입하면

$0=\overset{\text{㋐}}{\underline{_{100}C_0-_{100}C_1+_{100}C_2-\cdots+_{100}C_{98}-_{100}C_{99}+_{100}C_{100}}}$

$\therefore {_{100}C_1}-_{100}C_2+_{100}C_3-\cdots+_{100}C_{99}=_{100}C_0+_{100}C_{100}=1+1=$ **2**

(3) $_nC_0+_nC_2+_nC_4+\cdots+_nC_n=2^{n-1}$이므로 $2^{n-1}=512$

이때 $512=2^9$이므로 $n-1=9$ $\therefore n=10$

따라서 구하는 자연수 n의 값은 **10**

㋐ $_{100}C_0-_{100}C_1+_{100}C_2-\cdots$
   $-_{100}C_{99}+_{100}C_{100}=0$
을 이용하기 위하여 문제에서 주어진 식에 $_{100}C_0$, $_{100}C_{100}$을 더하고 빼주어도 된다.

확인 문제

정답과 해설 | **20**쪽

MY 셀파

07-1 다음을 구하시오.
(상)(중)(하)

(1) $2000<_nC_1+_nC_2+_nC_3+\cdots+_nC_n<3000$을 만족시키는 자연수 n의 값

(2) $_{99}C_{50}+_{99}C_{51}+_{99}C_{52}+\cdots+_{99}C_{99}$의 값

(3) $_{20}C_2+_{20}C_4+_{20}C_6+\cdots+_{20}C_{20}$의 값

07-1
(1) $_nC_1+_nC_2+\cdots+_nC_n$
   $=(_nC_0+_nC_1+\cdots+_nC_n)-_nC_0$
(2) $_{99}C_0=_{99}C_{99}$, $_{99}C_1=_{99}C_{98}$,
   $\cdots$, $_{99}C_{49}=_{99}C_{50}$
(3) $_nC_0+_nC_2+_nC_4+\cdots=2^{n-1}$

이항정리를 이용하여 $(1+x)^n$의 전개식을 구하면
$$(1+x)^n={}_nC_0+{}_nC_1x+{}_nC_2x^2+\cdots+{}_nC_nx^n$$
이 식의 x에 a를 대입하면
$$(1+a)^n={}_nC_0+{}_nC_1a+{}_nC_2a^2+\cdots+{}_nC_na^n$$

A를 B로 나눈 몫이 Q, 나머지가 R
이면
$A=BQ+R$ (단, $0\leq R<B$)

예제 31^{20}을 1000으로 나누었을 때의 나머지를 a, 21^5을 40으로 나누었을 때의 나머지를 b라 할 때, $a+b$의 값을 구하시오.

해법 코드
$31^{20}=(1+30)^{20}$
$21^5=(1+20)^5$

셀파 $(1+a)^{20}={}_{20}C_0+{}_{20}C_1a+{}_{20}C_2a^2+\cdots+{}_{20}C_{20}a^{20}$

풀이 (i) $31^{20}=(1+30)^{20}$
$\qquad\qquad={}_{20}C_0+{}_{20}C_1\times30+{}_{20}C_2\times30^2+\cdots+{}_{20}C_{20}\times30^{20}$
이때 ⓐ${}_{20}C_2\times30^2+\cdots+{}_{20}C_{20}\times30^{20}$은 1000으로 나누어떨어진다.
따라서 31^{20}을 1000으로 나누었을 때의 나머지는 ${}_{20}C_0+{}_{20}C_1\times30$을 1000으로 나누었을 때의 나머지와 같으므로 구하는 나머지는
$\qquad{}_{20}C_0+{}_{20}C_1\times30=1+20\times30=601\qquad\therefore a=601$
(ii) $21^5=(1+20)^5$
$\qquad\qquad={}_5C_0+{}_5C_1\times20+{}_5C_2\times20^2+{}_5C_3\times20^3+{}_5C_4\times20^4+{}_5C_5\times20^5$
이때 ⓑ${}_5C_2\times20^2+{}_5C_3\times20^3+{}_5C_4\times20^4+{}_5C_5\times20^5$은 40으로 나누어떨어진다.
따라서 21^5을 40으로 나누었을 때의 나머지는 ${}_5C_0+{}_5C_1\times20$을 40으로 나누었을 때의 나머지와 같으므로 구하는 나머지는
$\qquad{}_5C_0+{}_5C_1\times20=1+5\times20=101$
그런데 $101=40\times2+21\qquad\therefore b=21$
(i), (ii)에서 $a+b=601+21=\mathbf{622}$

ⓐ ${}_{20}C_3\times30^3,\ {}_{20}C_4\times30^4,\ \cdots,$
${}_{20}C_{20}\times30^{20}$은 모두 30^3을 인수로
가지므로 1000으로 나누어떨어진다. 또
$${}_{20}C_2\times30^2=\frac{20\times19}{2\times1}\times900$$
$$=19\times9\times1000$$
이므로 ${}_{20}C_2\times30^2$도 1000으로 나누어떨어진다.

ⓑ ${}_5C_2\times20^2,\ {}_5C_3\times20^3,\ {}_5C_4\times20^4,$
${}_5C_5\times20^5$은 모두 20^2을 인수로 가지므로 40으로 나누어떨어진다.

확인 문제   정답과 해설 | **20**쪽   **MY 셀파**

08-1 11^{10}을 100으로 나누었을 때의 나머지를 구하시오.
(상)(중)(하)

08-1
$11^{10}=(1+10)^{10}$으로 놓고 생각한다.

08-2 8^{20}을 98로 나누었을 때의 나머지를 구하시오.
(상)(중)(하)

08-2
$8^{20}=(1+7)^{20}$으로 놓고 생각한다.

$(a+b)^n$의 전개식

01 $(2x^2-3x)^4$의 전개식에서 x^7의 계수를 구하시오.

(상)(중)(하)

$(a+b)^n$의 전개식

02 $(1+ax)^5$의 전개식에서 x^2의 계수가 1440일 때, 양수 a의 값을 구하시오.

(상)(중)(하)

$(a+b)^n$의 전개식

03 $\left(\dfrac{x}{2}+\dfrac{2}{x}\right)^6$의 전개식에서 상수항을 구하시오.

(상)(중)(하)

$(a+b)^n$의 전개식

04 $\left(ax^3+\dfrac{2y}{x^2}\right)^4$의 전개식에서 x^2y^2의 계수가 24일 때, 상수 a의 값을 구하시오.

(상)(중)(하)

$(a+b)^n$의 전개식

05 $\left(x+\dfrac{1}{x^n}\right)^{10}$의 전개식에서 상수항이 존재하도록 하는 모든 자연수 n의 값의 합을 구하시오.

(상)(중)(하)

$(a+b)(c+d)^n$의 전개식

06 $(x+1)\left(x-\dfrac{1}{x}\right)^{10}$의 전개식에서 x^2의 계수를 구하시오.

(상)(중)(하)

$(a+b)^m(c+d)^n$의 전개식   서술형

07 $(1+2x)^3(1-x)^5$의 전개식에서 x^2의 계수를 구하시오.

(상)(중)(하)

파스칼의 삼각형

08 $(1-x)+(1-x)^2+(1-x)^3+\cdots+(1-x)^{12}$의 전개식에서 x^2의 계수를 구하시오.

(상)(중)(하)

파스칼의 삼각형

09 파스칼의 삼각형을 이용하여 다음 식의 값을 구하시오.

(상)(중)(하)

$$_2C_2 + {}_3C_2 + {}_4C_2 + \cdots + {}_{11}C_2$$

파스칼의 삼각형

10 다음 파스칼의 삼각형에서 색칠한 부분의 모든 수의 합을 구하시오.

(상)(중)(하)

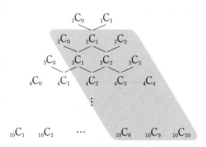

이항계수의 성질

11 다음을 만족시키는 자연수 n의 값을 구하시오.

(상)(중)(하)

(1) $_6C_0 + {}_6C_1 + {}_6C_2 + {}_6C_3 + {}_6C_4 + {}_6C_5 + {}_6C_6 = 2^n$

(2) $_nC_0 + {}_nC_1 + {}_nC_2 + {}_nC_3 + \cdots + {}_nC_n = 512$

이항계수의 성질

12 다음 식의 값을 구하시오.

(상)(중)(하)

$$\log_2({}_{99}C_0 + {}_{99}C_1 + {}_{99}C_2 + \cdots + {}_{99}C_{49})$$

이항계수의 성질

13 다음 식의 값을 구하시오.

(상)(중)(하)

$$\log_4({}_{10}C_0 - 3 \times {}_{10}C_1 + 3^2 \times {}_{10}C_2 - 3^3 \times {}_{10}C_3$$
$$+ \cdots + 3^{10} \times {}_{10}C_{10})$$

이항계수의 성질

14 $(1+x)^n$의 전개식을 x에 대한 오름차순으로 나타낼 때, 16번째 항의 계수와 26번째 항의 계수가 같다. 이 때 $_nC_0 + {}_nC_2 + {}_nC_4 + \cdots + {}_nC_n$의 값을 구하시오.

(상)(중)(하)

$(1+x)^n$의 전개식의 활용 〔창의력〕

15 21^{12}의 백의 자리, 십의 자리, 일의 자리 수를 각각 a, b, c라 할 때, $a+b+c$의 값을 구하시오.

(상)(중)(하)

〔 21^{12}을 $(1+20)^{12}$으로 놓아봐! 〕

3

확률의 뜻과 활용

3. 확률의 뜻과 활용

개념 1   시행과 사건

(1) 같은 조건에서 반복할 수 있으며, 그 결과가 우연에 의해 정해지는 실험이나 관찰을 **시행**이라 한다. 또 어떤 시행에서 일어날 수 있는 모든 결과의 집합을 **표본공간**이라 하고, ^ㄱ표본공간의 부분집합을 **사건**이라 한다. 이때 표본공간 S의 부분집합 중 한 개의 **❶**   로 이루어진 사건을 **근원사건**이라 한다.

(2) 표본공간 S의 두 사건 A, B에 대하여

   ❶ $A \cup B$: A 또는 B가 일어나는 사건

   ❷ $A \cap B$: A, B가 동시에 일어나는 사건

   ❸ ^ㄷ**배반사건** : 동시에 일어나지 않는 두 사건 A, B ⇨ $A \cap B=$ **❷**

   ❹ ^ㄹ**여사건** : A가 일어나지 않는 사건 ⇨ A^C

답 ❶ 원소   ❷ ∅

보기 한 개의 주사위를 던지는 시행에서 짝수의 눈이 나오는 사건을 A, 소수의 눈이 나오는 사건을 B라 할 때, 다음을 구하시오.

  (1) $A \cup B$ (2) $A \cap B$

연구 $A=\{2, 4, 6\}$, $B=\{2, 3, 5\}$

  (1) $A \cup B=\{2, 3, 4, 5, 6\}$ (2) $A \cap B=\{2\}$

개념 2   확률의 뜻

(1) 어떤 시행에서 사건 A가 일어날 가능성을 수로 나타낸 것을 사건 A가 일어날 **확률**이라 하고, 이것을 기호로 $P(A)$와 같이 나타낸다.

(2) 어떤 시행에서 각 근원사건이 일어날 가능성이 **❶**   정도로 기대될 때, 사건 A가 일어날 확률 $P(A)$는 $P(A)=\dfrac{n(A)}{n(S)}$로 정의하고, 이것을 사건 A가 일어날 **수학적 확률**이라 한다.

(3) 동일한 조건에서 같은 시행을 n번 반복하여 사건 A가 일어난 횟수를 r_n이라 할 때, n을 한없이 **❷**   하면 ^ㅂ상대도수 $\dfrac{r_n}{n}$은 일정한 값 p에 가까워진다. 이때 이 일정한 값 p를 사건 A가 일어날 **통계적 확률**이라 한다.

답 ❶ 같은   ❷ 크게

개념 3   확률의 기본 성질

표본공간 S의 임의의 사건 A에 대하여

  ❶ $0 \leq P(A) \leq$ **❶**   **❷** $P(S)=1$ **❸** $P(\varnothing)=$ **❷**

답 ❶ 1   ❷ 0

개념 플러스

ㄴ 근원사건은 더이상 쪼갤 수 없는 사건으로 생각한다.
예를 들어 표본공간 $S=\{1, 2, 3, 4\}$의 근원사건은 $\{1\}$, $\{2\}$, $\{3\}$, $\{4\}$이다.

▶ 표본공간(Sample space)은 보통 S로 나타내고 공집합이 아닌 경우만 생각한다.

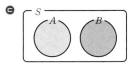

ㄹ $A \cap A^C=\varnothing$이므로 두 사건 A와 A^C은 서로 배반사건이다.

ㅁ $P(A)$의 P는 확률을 뜻하는 영어 단어인 Probability의 첫 글자이다. 또 $n(S)$는 표본공간 S의 원소의 개수, $n(A)$는 사건 A의 원소의 개수를 나타낸다.

ㅂ $P(A)=\lim\limits_{n \to \infty}\dfrac{r_n}{n}$, 이때 실제로 n을 한없이 크게 할 수 없으므로 n이 충분히 클 때의 $\dfrac{r_n}{n}$을 통계적 확률 p로 생각한다.

1-1 | 시행과 사건 |

한 개의 주사위를 던지는 시행에 대하여 다음을 구하시오.

(1) 표본공간 S

(2) 6 이하의 눈이 나오는 사건

연구

(1) $S = \{ \boxed{}, 2, 3, 4, 5, 6 \}$

(2) 한 개의 주사위를 던지면 항상 6 이하의 눈이 나오므로 6 이하의 눈이 나오는 사건은 $\{1, 2, 3, 4, 5, 6\}$

1-2 | 따라풀기 |

동전을 던져 앞면이 나오면 H, 뒷면이 나오면 T로 나타내기로 할 때, 서로 다른 두 개의 동전을 동시에 던지는 시행에서 다음을 구하시오.

(1) 표본공간 S

(2) 같은 면 또는 다른 면이 나오는 사건

풀이

2-1 | 여사건 |

한 개의 주사위를 던지는 시행에서 짝수의 눈이 나오는 사건을 A, 6의 약수의 눈이 나오는 사건을 B라 할 때, 다음을 구하시오.

(1) $A \cup B$ (2) $A \cap B$

(3) A^C (4) $A^C \cup B^C$

연구

한 개의 주사위를 던지는 시행에서 표본공간 S는

$S = \{1, 2, 3, 4, 5, 6\}$

$A = \{2, 4, 6\}$, $B = \{1, 2, 3, 6\}$이므로

(1) $A \cup B = \{1, 2, 3, \boxed{}, 6\}$

(2) $A \cap B = \{\boxed{}, 6\}$

(3) $A^C = \{1, 3, 5\}$

(4) $A^C = \{1, 3, 5\}$, $B^C = \{4, 5\}$이므로

　$A^C \cup B^C = \{1, 3, 4, 5\}$

2-2 | 따라풀기 |

1에서 12까지의 자연수가 하나씩 적힌 정십이면체 모양의 주사위를 던지는 시행에서 6의 약수가 나오는 사건을 A, 2의 배수가 나오는 사건을 B라 할 때, 다음을 구하시오.

(1) $A \cup B$ (2) $A \cap B$

(3) A^C (4) $A^C \cap B^C$

풀이

개념4 **확률의 덧셈정리**

❶ 두 사건 A, B에 대하여
$$P(A \cup B) = P(A) + \boxed{\text{❶}} - P(A \cap B)$$

❷ 두 사건 A, B가 서로 배반사건이면
$$P(A \cup B) = P(A) + P(B)$$

답 ❶ $P(B)$

- ㉠ $\dfrac{n(A \cup B)}{n(S)}$ $= P(A \cup B)$

해설 ❶ 표본공간 S의 두 사건 A, B에 대하여 $n(A \cup B) = n(A) + n(B) - n(A \cap B)$

이 식의 양변을 $n(S)$로 나누면

$$^{㉠}\frac{n(A \cup B)}{n(S)} = \frac{n(A)}{n(S)} + \frac{n(B)}{n(S)} - \frac{n(A \cap B)}{n(S)}$$

$$\therefore P(A \cup B) = P(A) + P(B) - P(A \cap B)$$

❷ 두 사건 A, B가 서로 배반사건이면 $n(A \cap B) = 0$, 즉 $P(A \cap B) = 0$이므로
$$P(A \cup B) = P(A) + P(B)$$

- ㉡ '적어도 ~인 사건', '~이상인 사건', '~이하인 사건' 등의 확률은 여사건의 확률을 이용하여 구하면 편리하다.

보기 두 사건 A, B에 대하여 $P(A) = \dfrac{1}{2}$, $P(B) = \dfrac{1}{3}$, $P(A \cap B) = \dfrac{1}{6}$일 때, $P(A \cup B)$를 구하시오.

연구 $P(A \cup B) = P(A) + P(B) - P(A \cap B) = \dfrac{1}{2} + \dfrac{1}{3} - \dfrac{1}{6} = \dfrac{2}{3}$

개념5 ㉡**여사건의 확률**

사건 A의 여사건 A^C의 확률은
$$P(A^C) = \boxed{\text{❶}} - P(A)$$

예 한 개의 주사위를 던질 때, 1이 아닌 눈이 나올 확률은 $1 - \dfrac{1}{6} = \dfrac{5}{6}$

답 ❶ 1

▶ 흰 공 4개, 검은 공 3개가 들어 있는 주머니에서 임의로 3개의 공을 동시에 꺼낼 때, 적어도 한 개가 흰 공이 나올 확률은 「3개 모두 검은 공이 나오는 사건의 여사건의 확률」이다.
흰 공을 ○, 검은 공을 ●로 나타내면
❶ ○○○ ⎫ 적어도 한 개가
❷ ○○● ⎬ 흰 공이 나오는
❸ ○●● ⎭ 사건
❹ ●●●
따라서 공을 꺼낼 때 적어도 한 개가 흰 공이 나오는 경우는 위의 그림에서 ❶, ❷, ❸을 통틀어서 가리키는 경우이다. 이것은 ❹의 여사건의 경우와 같다.

해설 사건 A와 그 여사건 A^C은 서로 배반사건이므로 확률의 덧셈정리에서
$$P(A \cup A^C) = P(A) + P(A^C)$$
이때 $P(A \cup A^C) = P(S) = 1$이므로 $P(A^C) = 1 - P(A)$

보기 흰 공 4개, 검은 공 3개가 들어 있는 주머니에서 임의로 3개의 공을 동시에 꺼낼 때, 적어도 한 개가 흰 공이 나올 확률을 구하시오.

연구 적어도 한 개가 흰 공이 나오는 사건을 A라 하면 A의 여사건 A^C은 흰 공이 하나도 나오지 않는 사건이다. 즉, 모두 검은 공이 나오는 사건이므로

$$P(A^C) = \frac{_3C_3}{_7C_3} = \frac{1}{35}$$

따라서 구하는 확률은

$$P(A) = 1 - P(A^C) = 1 - \frac{1}{35} = \frac{34}{35}$$

3-1 | 확률의 덧셈정리 |

한 개의 주사위를 던질 때, 짝수 또는 3의 배수의 눈이 나올 확률을 구하시오.

연구

한 개의 주사위를 던질 때, 일어나는 모든 사건을 S, 짝수의 눈이 나오는 사건을 A, 3의 배수의 눈이 나오는 사건을 B라 하면

$S = \{1, 2, 3, 4, 5, 6\}$, $A = \{2, 4, 6\}$, $B = \{3, 6\}$

이때 짝수이면서 3의 배수인 눈이 나오는 사건 $A \cap B$는

$A \cap B = \{\boxed{}\}$이므로

$\mathrm{P}(A) = \dfrac{n(A)}{n(S)} = \dfrac{3}{6}$

$\mathrm{P}(B) = \dfrac{n(B)}{n(S)} = \dfrac{2}{6}$

$\mathrm{P}(A \cap B) = \dfrac{n(A \cap B)}{n(S)} = \dfrac{\boxed{}}{6}$

따라서 구하는 확률은

$\mathrm{P}(A \cup B) = \mathrm{P}(A) + \mathrm{P}(B) - \mathrm{P}(A \cap B)$

$\qquad\qquad = \dfrac{3}{6} + \dfrac{2}{6} - \dfrac{\boxed{}}{6} = \dfrac{2}{3}$

3-2 | 따라풀기 |

1부터 9까지의 자연수가 하나씩 적힌 9장의 카드 중에서 임의로 한 장을 뽑을 때, 6 이하의 수가 적힌 카드를 뽑는 사건을 A, 홀수가 적힌 카드를 뽑는 사건을 B라 하자. 이때 $\mathrm{P}(A \cup B)$를 구하시오.

풀이

4-1 | 여사건의 확률 |

서로 다른 세 개의 동전을 동시에 던질 때, 앞면이 적어도 한 개 나올 확률을 구하시오.

연구

세 개의 동전을 동시에 던질 때, 앞면이 적어도 한 개 나오는 사건을 A라 하면 A의 여사건 A^C은 세 개 모두 뒷면이 나오는 사건이다.

세 개의 동전을 동시에 던질 때, 나오는 모든 경우의 수는

$2 \times 2 \times 2 = 8$

이때 세 개 모두 뒷면이 나오는 경우의 수는 1이므로

$\mathrm{P}(A^C) = \dfrac{1}{\boxed{}}$

따라서 구하는 확률은

$\mathrm{P}(A) = 1 - \mathrm{P}(A^C) = 1 - \dfrac{1}{8} = \dfrac{\boxed{}}{8}$

4-2 | 따라풀기 |

10개의 제비 중 당첨 제비가 4개 들어 있다. 이 제비 중에서 2개를 동시에 뽑을 때, 다음을 구하시오.

(1) 2개 모두 당첨 제비가 아닐 확률

(2) 적어도 1개가 당첨 제비일 확률

풀이

3 확률의 뜻과 활용

사건 A의 배반사건은 다음과 같이 찾는다.
❶ 사건 B가 주어진 경우 ⇨ $A \cap B = \varnothing$인지 확인한다.
❷ 표본공간 S가 주어진 경우 ⇨ A^C의 부분집합을 구한다.

$A \cap B = \varnothing$이면 두 사건 A, B는 서로 배반사건이다.

예제 1. 세 사건 $X = \{2, 3, 5\}$, $Y = \{1, 3, 6\}$, $Z = \{4, 7\}$ 중에서 서로 배반사건인 두 사건을 모두 구하시오.

2. 표본공간 S가 $S = \{1, 2, 3, 4, 5, 6, 7\}$일 때, 두 사건 $A = \{x \mid x$는 소수$\}$, $B = \{x \mid x \le 3$인 자연수$\}$에 대하여 사건 A와도 배반이고 사건 B와도 배반인 사건 C의 개수를 구하시오.

해법 코드

1. $X \cap Y$, $Y \cap Z$, $X \cap Z$ 중에서 $\varnothing$인 것을 찾는다.

2. 사건 C가 사건 A, 사건 B와 각각 배반이므로 사건 C는 A^C의 부분집합이면서 B^C의 부분집합이다.

셀파 두 사건 A, B가 서로 배반사건 ⇨ A는 B^C의 부분집합, B는 A^C의 부분집합

풀이 1. $X = \{2, 3, 5\}$, $Y = \{1, 3, 6\}$, $Z = \{4, 7\}$에서
$X \cap Y = \{3\}$, $Y \cap Z = \varnothing$, $X \cap Z = \varnothing$
따라서 서로 배반사건인 것은 **Y와 Z, X와 Z**

집합 사이의 관계를 벤다이어그램으로 나타내면 서로 배반인 사건을 분명하게 알 수 있어.

2. $A = \{2, 3, 5, 7\}$, $B = \{1, 2, 3\}$
사건 A와 배반인 사건은 A^C의 부분집합이고, 사건 B와 배반인 사건은 B^C의 부분집합이다. 즉, 사건 C는 A^C의 부분집합이면서 동시에 B^C의 부분집합이므로 $\underline{A^C \cap B^C = \{4, 6\}}$의 부분집합이다.
따라서 사건 C의 개수는 $\{4, 6\}$의 부분집합인
$\varnothing$, $\{4\}$, $\{6\}$, $\{4, 6\}$으로 **4**

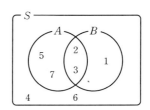

❶ $A^C \cap B^C$의 부분집합은 모두 사건 A, 사건 B와 각각 배반이다.

확인 문제

정답과 해설 | **24**쪽

MY 셀파

01-1
㊤㊥㊦ 한 개의 주사위를 던지는 시행에서 4의 약수의 눈이 나오는 사건을 A라 할 때, 다음을 구하시오.
　(1) 사건 A의 여사건　　　　　(2) 사건 A와 서로 배반인 사건

01-1
(1) 사건 A가 일어나지 않는 경우이다.
(2) A^C의 부분집합은 모두 A와 서로 배반인 사건이다.

01-2
㊤㊥㊦ 서로 다른 두 개의 동전을 동시에 던지는 시행에서 두 개 모두 앞면이 나오는 사건을 A, 두 개 모두 뒷면이 나오는 사건을 B라 할 때, 다음 두 사건이 서로 배반사건인지 말하시오.
　(1) A와 B　　　　　(2) A^C과 B^C

01-2
사건을 집합으로 생각한다. 이때 사건 A, B, A^C, B^C을 각각 구한다.

표본공간 S에서 각각의 근원사건이 일어날 가능성이 모두 같은 정도로 기대될 때, 사건 A가 일어날 확률 $P(A)$는

⇨ $P(A) = \dfrac{(\text{사건 } A \text{의 원소의 개수})}{(\text{표본공간 } S \text{의 원소의 개수})} = \dfrac{n(A)}{n(S)}$

어떤 시행에서 일어날 수 있는 모든 경우가 n가지이고, n가지 경우 중 사건 A가 일어날 경우가 r가지이면 사건 A가 일어날 수학적 확률 $P(A)$는 $P(A) = \dfrac{r}{n}$이다.

예제 **1.** 서로 다른 두 개의 주사위를 동시에 던질 때, 나오는 눈의 수의 차가 3 이상일 확률을 구하시오.

2. 집합 $\{1, 2, 3, 4, 5\}$의 부분집합 중에서 임의로 한 개를 택할 때, 원소 2, 4를 포함하지 않는 부분집합을 택할 확률을 구하시오.

해법 코드

1. 나오는 눈의 수의 차가 3, 4, 5인 경우의 수를 각각 구한다.

2. 집합 A의 원소의 개수가 k일 때, A의 부분집합의 개수는 2^k이다.

셀파 사건 A의 수학적 확률 ⇨ $\dfrac{n(A)}{n(S)} = \dfrac{(\text{사건 } A \text{가 일어나는 경우의 수})}{(\text{일어날 수 있는 모든 경우의 수})}$

풀이 **1.** 표본공간을 S라 하면

$S = \{(1, 1), (1, 2), (1, 3), \cdots, (6, 5), (6, 6)\}$이므로 $n(S) = 36$

나오는 눈의 수의 차가 3 이상인 사건을 A라 하면

❶ 눈의 수의 차가 3, 4, 5인 경우의 수는 각각 6, 4, 2이므로 $n(A) = 12$

따라서 구하는 확률은

$P(A) = \dfrac{n(A)}{n(S)} = \dfrac{12}{36} = \dfrac{1}{3}$

2. 표본공간을 S라 하면

집합 $\{1, 2, 3, 4, 5\}$의 부분집합의 개수는 $2^5 = 32$이므로 $n(S) = 32$

원소 2, 4를 포함하지 않는 부분집합을 택하는 사건을 A라 하면

원소 2, 4를 포함하지 않는 부분집합의 개수는 $2^{5-2} = 8$이므로 $n(A) = 8$

따라서 구하는 확률은

$P(A) = \dfrac{n(A)}{n(S)} = \dfrac{8}{32} = \dfrac{1}{4}$

❶ 서로 다른 두 개의 주사위를 동시에 던질 때, 나오는 눈의 수를 각각 a, b라 하고 순서쌍 (a, b)로 나타내면 눈의 수의 차가 3, 4, 5인 경우는 각각 다음과 같다.

$|a-b| = 3$
⇨ $(1, 4), (2, 5), (3, 6), (4, 1), (5, 2), (6, 3)$

$|a-b| = 4$
⇨ $(1, 5), (2, 6), (5, 1), (6, 2)$

$|a-b| = 5$ ⇨ $(1, 6), (6, 1)$

따라서 모두 $6+4+2 = 12$(가지)

확인 문제

정답과 해설 | **24**쪽

MY 셀파

02-1 다음을 구하시오.
(상)(중)(하)

(1) 한 개의 주사위를 던질 때, 나오는 눈의 수가 4 이상일 확률

(2) 1에서 10까지의 자연수가 하나씩 적힌 10장의 카드 중에서 임의로 한 장을 뽑을 때, 10과 서로소인 수가 적힌 카드를 뽑을 확률

02-1

(2) 1에서 10까지의 자연수 중에서 10과 서로소인 수는 1, 3, 7, 9

주사위를 던지는 경우 다음을 이용하여 여러 가지 확률을 구할 수 있다.

(1) 두 개의 주사위를 동시에 던질 때

❶ 두 주사위의 눈의 수의 합은 2 이상 12 이하이고, 눈의 수의 차는 0 이상 5 이하이다.

❷ 나오는 전체 경우의 수는 $6 \times 6 = 36$이다.

(2) 세 개의 주사위를 동시에 던질 때

❶ 세 주사위의 눈의 수의 합은 3 이상 18 이하이다.

❷ 나오는 전체 경우의 수는 $6 \times 6 \times 6 = 216$이다.

01 서로 다른 두 개의 주사위를 동시에 던질 때, 다음을 구하시오.

(1) 나오는 눈의 수의 합이 10 이상일 확률

(2) 나오는 눈의 수의 차가 0 이상 2 이하일 확률

(3) 나오는 눈의 수 중 큰 수가 짝수일 확률
(단, 눈의 수가 같은 경우도 포함한다.)

02 서로 다른 두 개의 주사위를 동시에 던져서 나온 눈의 수를 각각 a, b라 할 때, 다음을 구하시오.

(1) 두 수의 곱 ab가 제곱수일 확률

(2) b가 a의 배수일 확률

03 서로 다른 세 개의 주사위를 동시에 던질 때, 다음을 구하시오.

(1) 나오는 눈의 수의 합이 5의 배수일 확률

(2) 나오는 눈의 수 중 가장 큰 수가 3일 확률

(3) 같은 눈이 두 번만 나올 확률

04 서로 다른 세 개의 주사위를 동시에 던져서 나온 눈의 수를 각각 a, b, c라 할 때, 다음을 구하시오.

(1) $(a-b)(b-c) = 0$일 확률

(2) a, b, c를 세 변의 길이로 하는 삼각형이 정삼각형이 아닌 이등변삼각형이 될 확률

순열의 수와 관련된 다음 공식을 이용하여 확률을 구한다.

❶ $_nP_r = n(n-1)(n-2)\cdots(n-r+1)$ (단, $0 < r \leq n$)

❷ $_nP_r = \dfrac{n!}{(n-r)!}$ (단, $0 \leq r \leq n$)　　　　❸ $_nP_n = n!$, $_nP_0 = 1$

순열의 수 $_nP_r$는 서로 다른 n개에서 중복되지 않게 r개를 택하여 일렬로 배열하는 경우의 수이다.

예제 남학생 4명, 여학생 4명이 일렬로 설 때, 다음을 구하시오.

(1) 여학생끼리 이웃하여 설 확률

(2) 남학생과 여학생이 교대로 설 확률

해법 코드

(1) $\dfrac{(여학생끼리 \ 이웃하여 \ 서는 \ 경우의 \ 수)}{(8명이 \ 일렬로 \ 서는 \ 경우의 \ 수)}$

(2) $\dfrac{(남녀가 \ 교대로 \ 서는 \ 경우의 \ 수)}{(8명이 \ 일렬로 \ 서는 \ 경우의 \ 수)}$

셀파 이웃하는 경우 ➡ 이웃하는 것을 한 묶음으로 생각

풀이 8명이 일렬로 서는 경우의 수는 8!

(1) 여학생끼리 이웃하여 서는 경우의 수는 ⓐ여학생 4명을 한 묶음으로 생각하여 5명을 일렬로 배열하는 경우의 수와 같으므로 5!

또 여학생 4명이 자리를 바꾸어 서는 경우의 수는 4!

따라서 구하는 확률은

$$\dfrac{5! \times 4!}{8!} = \dfrac{4 \times 3 \times 2}{8 \times 7 \times 6} = \dfrac{1}{14}$$

(2) 남학생 수와 여학생 수가 같으므로 ⓑ남학생과 여학생이 교대로 서는 경우의 수는

남 여 남 여 남 여 남 여 또는 여 남 여 남 여 남 여 남

즉, $2 \times 4! \times 4!$이다.

따라서 구하는 확률은

$$\dfrac{2 \times 4! \times 4!}{8!} = \dfrac{4 \times 3 \times 2 \times 2}{8 \times 7 \times 6 \times 5} = \dfrac{1}{35}$$

ⓐ 여학생 4명을 한 묶음으로 생각하여 다음 그림처럼 놓을 수 있다.

여 여 여 여 남 남 남 남

ⓑ 남학생이 앞에 서는 경우와 여학생이 앞에 서는 경우를 모두 생각한다.

확인 문제　　　　　　　　　정답과 해설 | **26**쪽　　　　　　　　　**MY 셀파**

03-1 blanket의 7개의 문자를 일렬로 나열할 때, 모음끼리 이웃할 확률을 구하시오.
(상 중 하)

03-1
모음끼리 이웃하는 경우의 수는 모음 a와 e를 한 묶음으로 생각한다.

03-2 A, B, C를 포함한 7명이 일렬로 설 때, 다음을 구하시오.
(상 중 하)

(1) A, B, C가 이웃하여 설 확률

(2) A와 B가 양쪽 끝에 설 확률

03-2
(2) A와 B가 양쪽 끝에 서는 경우는 2가지이고, 이때 가운데에 나머지 5명을 일렬로 세운다.

① **중복순열의 수** 서로 다른 n개에서 중복을 허용하여 r개를 택하는 순열의 수 ⇨ $_n\Pi_r = n^r$

② **같은 것이 있는 순열의 수** n개 중에서 같은 것이 각각 p개, q개, $\cdots$, r개씩 있을 때,

n개를 일렬로 나열하는 경우의 수 ⇨ $\dfrac{n!}{p!q!\cdots r!}$ (단, $p+q+\cdots+r=n$)

③ **원순열의 수** 서로 다른 n개를 원형으로 배열하는 경우의 수 ⇨ $(n-1)!$

> 배열하는 것들 중에 같은 것이 여러 개 있으면 같은 것이 있는 순열의 수를 이용해.

01 네 개의 숫자 1, 2, 3, 4로 중복을 허용하여 세 자리 수를 만들 때, 다음을 구하시오.

(1) 짝수일 확률

(2) 320보다 클 확률

02 5개의 문자 a, a, b, b, c를 일렬로 나열할 때, 다음을 구하시오.

(1) 맨 앞에 자음이 올 확률

(2) 문자 a가 서로 이웃하지 않을 확률

(3) 같은 문자가 서로 이웃하지 않을 확률

03 남학생 3명과 여학생 3명이 원탁에 둘러앉을 때, 다음을 구하시오.

(1) 남학생끼리 이웃하여 앉을 확률

(2) 남학생과 여학생이 교대로 앉을 확률

04 A, B를 포함한 학생 6명이 원탁에 둘러앉을 때, 다음을 구하시오.

(1) A, B가 이웃하여 앉을 확률

(2) A, B가 마주 보고 앉을 확률

(3) A, B 사이에 한 명만 앉을 확률

조합의 수와 관련된 다음 공식을 이용하여 확률을 구한다.

❶ $_n\mathrm{C}_r = \dfrac{_n\mathrm{P}_r}{r!} = \dfrac{n(n-1)(n-2)\cdots(n-r+1)}{r!}$ (단, $0 < r \le n$)

❷ $_n\mathrm{C}_r = \dfrac{n!}{r!(n-r)!}$ (단, $0 \le r \le n$)

❸ $_n\mathrm{C}_0 = 1$, $_n\mathrm{C}_n = 1$, $_n\mathrm{C}_r = _n\mathrm{C}_{n-r}$

> 자격이 같은 대표를 뽑거나 공을 꺼낼 때는 순서를 생각하지 않으므로 조합을 이용한다.

예제 남자와 여자를 합하여 회원이 9명인 모임에서 대표 2명을 뽑는다. 뽑힌 2명이 모두 남자이거나 모두 여자일 확률이 $\dfrac{1}{2}$일 때, 이 모임의 회원 중 남자의 수를 구하시오.

해법 코드
남자의 수를 n이라 하면 여자의 수는 $(9-n)$이다.

셀파 서로 다른 n개에서 r개를 택하는 경우의 수 ⇨ $_n\mathrm{C}_r$

풀이 회원 9명 중에서 대표 2명을 뽑는 경우의 수는 $_9\mathrm{C}_2 = 36$

9명 중 남자가 n명, 여자가 $(9-n)$명이라 하면 남자 2명을 뽑는 경우의 수는 $_n\mathrm{C}_2$이고, 여자 2명을 뽑는 경우의 수는 $_{9-n}\mathrm{C}_2$이다.

따라서 뽑힌 2명이 모두 남자 또는 모두 여자인 경우의 수는

❶ $_n\mathrm{C}_2 + _{9-n}\mathrm{C}_2 = n^2 - 9n + 36$

이때 뽑힌 2명이 모두 남자이거나 모두 여자일 확률이 $\dfrac{1}{2}$이므로

$\dfrac{n^2 - 9n + 36}{36} = \dfrac{1}{2}$, $n^2 - 9n + 18 = 0$

$(n-3)(n-6) = 0$ ∴ $n = 3$ 또는 $n = 6$

따라서 구하는 남자의 수는 **3 또는 6**

❶ $_n\mathrm{C}_2 + _{9-n}\mathrm{C}_2$

$= \dfrac{n(n-1)}{2} + \dfrac{(9-n)(8-n)}{2}$

$= \dfrac{n^2 - n}{2} + \dfrac{n^2 - 17n + 72}{2}$

$= \dfrac{2n^2 - 18n + 72}{2}$

$= n^2 - 9n + 36$

3 확률의 뜻과 활용

확인 문제 정답과 해설 | **28**쪽

MY 셀파

04-1 다음을 구하시오.
(상)(중)(하)

(1) 흰 공 3개, 검은 공 5개가 들어 있는 주머니에서 임의로 3개의 공을 동시에 꺼낼 때, 모두 검은 공이 나올 확률

(2) 6권의 서로 다른 공책 A, B, C, D, E, F 중에서 3권을 살 때, 공책 A는 사고, 공책 F는 사지 않을 확률

(3) 갑, 을을 포함한 10명 중에서 4명을 뽑을 때, 갑, 을 중에서 1명만 뽑힐 확률

04-1
(2) 공책 A와 F를 제외하고 나머지 4권 중에서 2권만 사는 경우의 수를 구한다.

(3) 갑, 을 중에서 한 명만 뽑고, 갑, 을을 제외한 나머지 8명 중에서 3명을 뽑는다.

PLUS ⊕

경우의 수를 구할 때, '~이고'의 경우는 곱의 법칙을 이용한다.

서로 다른 $(a+b)$개에서 $(m+n)$개를 택할 때,

a개에서 m개, b개에서 n개를 택할 확률 $\Rightarrow \dfrac{{}_aC_m \times {}_bC_n}{{}_{a+b}C_{m+n}}$ (단, $a \geq m$, $b \geq n$)

예제 다음을 구하시오.

(1) 흰 공 4개와 검은 공 6개가 들어 있는 주머니에서 임의로 5개의 공을 동시에 꺼낼 때, 흰 공 2개와 검은 공 3개가 나올 확률

(2) 1부터 9까지의 자연수 중에서 서로 다른 4개의 수를 택하여 앞에서부터 큰 순서로 나열할 때, 앞에서부터 세 번째에 5가 올 확률

해법 코드

(1) 흰 공 2개와 검은 공 3개가 동시에 나오는 경우의 수는 곱의 법칙을 이용한다.

(2) 앞에서부터 세 번째에 5를 먼저 배열한다.

셀파 조합을 이용하여 각 사건의 경우의 수를 계산한다.

풀이 (1) 흰 공 4개와 검은 공 6개 중에서 5개의 공을 동시에 꺼내는 경우의 수는 ${}_{10}C_5 = 252$

흰 공 4개 중에서 2개, 검은 공 6개 중에서 3개를 꺼내는 경우의 수는

${}_4C_2 \times {}_6C_3 = 6 \times 20 = 120$

따라서 구하는 확률은

$\dfrac{120}{252} = \dfrac{10}{21}$

(2) 1부터 9까지의 자연수 중에서 서로 다른 4개의 수를 택하는 경우의 수는

${}_9C_4 = 126$

뽑은 4개의 수를 앞에서부터 큰 순서로 나열할 때, 세 번째에 오는 수가 5이므로 5보다 큰 수 중 2개, 5보다 작은 수 중 1개를 뽑는 경우의 수는 ${}_4C_2 \times {}_4C_1 = 6 \times 4 = 24$

따라서 구하는 확률은

$\dfrac{24}{126} = \dfrac{4}{21}$

(i) 5보다 큰 수인 6, 7, 8, 9 중 2개를 뽑아 큰 순서로 나열한다.

⑦ ○ ○ ⑤ ○

(ii) 5보다 작은 수인 1, 2, 3, 4 중 1개를 뽑는다.

(i) 6, 7, 8, 9 중 2개를 뽑는 경우의 수 $\Rightarrow {}_4C_2$

(ii) 1, 2, 3, 4 중 1개를 뽑는 경우의 수 $\Rightarrow {}_4C_1$

(i), (ii)가 동시에 일어나므로 경우의 수 $\Rightarrow {}_4C_2 \times {}_4C_1$

확인 문제   정답과 해설 | **28**쪽   **MY 셀파**

05-1 다음을 구하시오.

(상)(중)(하)

(1) 쌀강정 8개, 보리강정 2개가 들어 있는 강정 봉지에서 임의로 3개를 동시에 꺼낼 때, 쌀강정 2개, 보리강정 1개가 나올 확률

(2) 1부터 15까지의 자연수가 하나씩 적힌 15장의 카드 중에서 임의로 3장의 카드를 동시에 뽑을 때, 뽑힌 카드에 적혀 있는 세 수의 합이 짝수가 될 확률

05-1

(2) 3장의 카드에 적혀 있는 숫자가 모두 짝수인 경우와 한 개는 짝수, 두 개는 홀수인 경우를 생각한다.

Q 한 개의 윷짝을 던질 때, 둥근 면이 나올 확률을 구할 수 있나요? 둥근 면이 나올 사건과 평평한 면이 나올 사건이 일어날 가능성을 같은 정도로 기대할 수 없어서 못 구할 것 같은데요.

A 윷을 던지는 경우 뿐 아니라 연령별 생존율, 야구 선수의 타율, 농구 선수의 자유투 성공률, 강수 확률 등 일상생활에서 일어나는 현상 중에는 각각의 근원사건이 일어날 확률이 같은 경우가 거의 없어. 따라서 수학적 확률을 구할 수 없으니까 여러 차례 시행을 되풀이해서 통계적으로 확률을 구할 수 밖에 없지.

Q 그럼 직접 윷을 한없이 던져 봐서 둥근 면이 나온 횟수를 조사해야 돼요?

A 수학적 확률을 이용할 수 없는 사건마다 무한히 여러 차례 그 시행을 되풀이하기란 불가능하지 않겠어? 그래서 수학자들이 통계적 확률과 수학적 확률의 관계를 밝혀 놓았지. 다음 예를 보자.

> 오른쪽 표는 한 개의 윷짝을 n번 던졌을 때, 둥근 면이 나온 횟수 r를 조사하여 ⊙상대도수로 나타낸 것이다. 이 결과에 따르면 윷짝의 둥근 면이 나오는 경우의 상대도수는 시행 횟수 n이 커짐에 따라 약 0.4에 가까워진다. 따라서 윷짝 한 개를 던질 때, 둥근 면이 나올 확률은 0.4라고 말할 수 있다.

n	r	$\dfrac{r}{n}$
50	24	0.48
200	84	0.42
500	199	0.398
1000	401	0.401

Q 아! 그러니까 어떤 시행을 n번 반복하여 사건 A가 r번 일어났다면 사건 A가 일어나는 상대도수 $\dfrac{r}{n}$는 n이 한없이 커짐에 따라 일정한 값 p에 가까워지고, 이때 p를 사건 A의 통계적 확률이라 한다는 말이군요.

A 맞아. 다시 말해 통계 조사의 시행 횟수가 커지면 ⓛ통계적 확률 p가 결정되는데, 현실적으로 시행 횟수 n을 한없이 크게 할 수 없으므로 통계적 확률 p는 n이 충분히 클 때의 상대도수 $\dfrac{r}{n}$와 같다고 보는 거지.

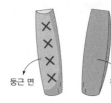

둥근 면   평평한 면

⊙ (어떤 사건의 상대도수)

$= \dfrac{(\text{어떤 사건이 일어난 횟수})}{(\text{시행의 총 횟수})}$

▶ 상대도수는 전체 도수에 대한 각 계급의 도수의 비율이므로

(상대도수)

$= \dfrac{(\text{그 계급의 도수})}{(\text{도수의 총합})}$

▶ 문제의 표와 같이 시행 횟수 n과 사건 A가 일어난 횟수 r에 대한 여러 개의 자료가 주어지지 않고, 특정한 시행 횟수에 대한 사건 A가 일어난 횟수 하나만 주어진 경우가 있다. 이때 시행 횟수가 충분히 크다면 주어진 하나의 자료만으로 구한 상대도수를 사건 A의 통계적 확률로 생각해도 된다.

ⓛ 수학적 확률은 시행에서 각 결과가 일어날 가능성이 모두 같은 정도로 기대된다는 조건에서 정의되지만, 통계적 확률은 시행 횟수가 충분히 클 때 각 결과의 상대도수로 정의된다.

3

확률의 뜻과 활용

확인 체크 01   정답과 해설 | **29**쪽

어떤 단추를 1600번 던져 그 중에서 860번은 앞면이 나왔다고 할 때, 이 단추를 한 번 던져 앞면이 나올 확률을 구하시오.

일정한 조건에서 같은 시행을 n번 반복하여 사건 A가 r번 일어났다면 사건 A의 통계적 확률은 $\dfrac{r}{n}$이다.

$$(\text{사건 } A\text{의 통계적 확률}) = \frac{(\text{사건 } A\text{가 일어난 횟수})}{(\text{전체 시행 횟수})}$$

'근원사건이 일어날 가능성이 같은 정도로 기대된다.'는 가정이 어려운 경우 통계적 확률을 이용한다.

예제 현재까지 60번의 자유투 시도에서 성공률이 0.65인 농구 선수가 20번 자유투를 더 시도하여 최종 성공률을 0.7 이상으로 끌어올리려고 할 때, 최소한 몇 번 성공해야 하는지 구하시오.

해법 코드

$$(\text{통계적 확률}) = \frac{(\text{사건이 일어난 횟수})}{(\text{전체 시행 횟수})}$$

셀파 사건 A의 통계적 확률 $\Rightarrow \dfrac{(\text{사건 } A\text{가 일어난 횟수})}{(\text{전체 시행 횟수})}$

풀이 60번의 자유투 시도에서 r번 성공했다고 하면

$\dfrac{r}{60} = 0.65$에서 $r = 60 \times 0.65 = 39$

이 선수가 20번의 자유투를 더 시도하여 그 중 x번 성공한다고 할 때,

❶최종 성공률이 0.7 이상이 되려면 $\dfrac{39+x}{60+20} \geq 0.7$

$39 + x \geq 0.7 \times 80 = 56$ $\therefore x \geq 17$

따라서 이 선수는 20번의 자유투를 더 시도할 때, 최소한 **17번** 성공해야 한다.

참고

통계적 확률의 예
- 공장에서 생산되는 제품이 불량품일 확률
- 기차가 연착할 확률
- 암 수술이 성공할 확률

❶ (최종 성공률)
$= \dfrac{(\text{전체 자유투 성공 횟수})}{(\text{전체 자유투 시도 횟수})}$
$= \dfrac{39+x}{60+20}$

확인 문제   정답과 해설 | **29**쪽   **MY 셀파**

06-1 다음 표는 어느 학교의 전체 학생 1000명을 대상으로 교복 디자인의 만족도를
(상)(중)(하) 조사한 것이다. 이 학교 학생 중에서 임의로 1명을 택할 때, 이 학생이 교복 디자인에 불만을 갖고 있을 확률을 구하시오.

(단위: 명)

구분	매우 만족	만족	보통	불만	매우 불만
학생 수	134	272	412	110	72

06-1

교복 디자인에 불만을 갖고 있는 학생은 불만 또는 매우 불만으로 답한 학생이므로 $110 + 72 = 182$(명)이다.

06-2 어느 부화장에서 달걀을 부화시키면 5000개 중에서 4450개가 부화한다고 한다.
(상)(중)(하) 같은 조건에서 50개 이상의 달걀을 부화시키기 위해서 필요한 최소한의 달걀의 개수를 구하시오.

06-2

달걀 하나가 부화할 확률은
$\dfrac{4450}{5000} = 0.89$이므로
x개의 달걀 중에서 50개 이상을 부화시킨다고 놓고 $0.89 \times x \geq 50$에서 x의 값의 범위를 구한다.

오른쪽 그림과 같이 중심이 O이고, 반지름의 길이가 5인 원판이 있다. 이 원판의 둘레 또는 안쪽에 임의로 한 점 A를 택할 때, $2 \leq \overline{OA} \leq 3$일 확률을 구하시오.

원판의 둘레 또는 안쪽에 한 점 A를 잡는 경우 점 A가 될 수 있는 점이 무수히 많으므로 표본공간을 셀 수 없어.

Q 이 경우는 표본공간과 사건의 개수를 셀 수 없는데 어떻게 확률을 구해요?

A 기하적 확률을 말하는구나. 그래, 이 문제는 표본공간과 사건을 유한집합으로 나타낼 수 없어. 그러니 당연히 원소의 개수를 셀 수 없고, 우리가 알고 있는 수학적 확률이나 통계적 확률로는 답을 구할 수가 없지.

맞아. 하지만 점 A가 될 수 있는 영역, 즉 표본공간이라 할 수 있는 영역의 넓이는 구할 수 있지.

Q 기하적 확률이요?

A 일단 기하적 확률의 정의부터 알아보자. 기하적 확률이란 어떤 영역 안에서 한 점을 정할 확률이 같은 정도로 기대될 때, 표본공간과 사건을 나타내는 집합의 원소의 개수 대신 점의 집합이 나타내는 <u>길이나 영역의 넓이</u>를 이용해서 확률을 계산하는거야. 즉, 사건 A가 일어날 확률 $\mathrm{P}(A)$는 다음과 같이 생각해.

$$\mathrm{P}(A) = \frac{(\text{사건 } A\text{가 일어나는 부분의 길이나 영역의 넓이})}{(\text{사건이 일어날 수 있는 전체 길이나 영역의 넓이})}$$

ⓐ 주어진 영역이 선분이면 길이를, 주어진 영역이 평면도형이면 넓이를 생각한다.

Q 아! 이제 제가 할 수 있을 것 같아요. 주어진 문제에서 사건이 일어날 수 있는 전체 영역의 넓이는 반지름의 길이가 5인 원판의 넓이이므로 $\pi \times 5^2 = 25\pi$이고, 점 A에 대하여 <u>$2 \leq \overline{OA} \leq 3$</u>이 성립하는 부분은 오른쪽 그림의 색칠한 부분과 같으므로 그 넓이는

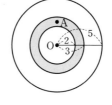

$\pi \times 3^2 - \pi \times 2^2 = 9\pi - 4\pi$, 즉 5π이네요.

따라서 구하는 확률은 $\dfrac{5\pi}{25\pi} = \dfrac{1}{5}$

ⓑ $\overline{OA}=2$이면 점 A는 반지름의 길이가 2인 원 위에 있다.
또 $\overline{OA}=3$이면 점 A는 반지름의 길이가 3인 원 위에 있다.
그런데 주어진 조건이 $2 \leq \overline{OA} \leq 3$이므로 점 A는 반지름의 길이가 2인 원과 반지름의 길이가 3인 원의 경계와 그 사이의 영역에 존재한다.

ⓒ (확률)
$$= \frac{(6 \text{ 이하가 적힌 영역의 넓이})}{(\text{정사각형 과녁 전체 영역의 넓이})}$$

확인 체크 02   정답과 해설 | **29**쪽

오른쪽 그림과 같은 정사각형 모양의 과녁에 화살을 쏠 때, ⓒ 6 이하의 숫자가 적힌 영역을 맞힐 확률을 구하시오. (단, 각 숫자가 적힌 영역의 넓이는 모두 같고, 화살이 과녁을 벗어나거나 경계선에 맞는 경우는 없다.)

1	2	3
4	5	6
7	8	9

3
확률의 뜻과 활용

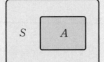
영역 S 안에서 각각의 점을 잡을 가능성이 같은 정도로 기대될 때, 영역 S에 포함되어 있는 영역 A에 대하여 영역 S에서 임의로 잡은 점이 영역 A에 속할 확률 $\mathrm{P}(A)$는

$$\mathrm{P}(A)=\frac{(\text{영역 }A\text{의 넓이})}{(\text{영역 }S\text{의 넓이})}$$

주어진 영역이 선분이면 길이를 생각하고, 주어진 영역이 평면도형이면 넓이를 생각한다.

 ∠A=90°인 직각이등변삼각형 ABC에서 빗변이 아닌 한 변의 길이가 $2a$이고, 삼각형 ABC의 둘레 및 안쪽에 임의의 한 점 P를 잡을 때, $\overline{\mathrm{AP}}\leq a$일 확률을 구하시오.

해법 코드
점 P가 위치할 수 있는 영역을 생각한다.

 셀파 $\mathrm{P}(A)=\dfrac{(\text{사건 }A\text{가 일어나는 부분의 길이나 영역의 넓이})}{(\text{사건이 일어날 수 있는 전체 길이나 영역의 넓이})}$

풀이 삼각형 ABC는 $\overline{\mathrm{AB}}=\overline{\mathrm{AC}}=2a$이고 ∠A=90°인 직각이등변 삼각형이므로 삼각형 ABC의 넓이는

$$\frac{1}{2}\times 2a\times 2a=2a^2$$

$\overline{\mathrm{AP}}\leq a$를 만족시키는 점 P는 반지름의 길이가 a인 사분원의 안쪽과 경계에 있으므로 그 넓이는 $\dfrac{1}{4}a^2\pi$

따라서 ^❶구하는 확률은

$$\frac{\dfrac{1}{4}a^2\pi}{2a^2}=\frac{\pi}{8}$$

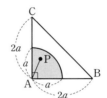

❶ (구하는 확률)

$=\dfrac{(\text{사분원의 넓이})}{(\text{삼각형 ABC의 넓이})}$

확인 문제

정답과 해설 | **29**쪽

MY 셀파

07-1
(상)(중)**하**

수직선 위의 네 점 A(0), P(1), Q(3), B(5)에 대하여 선분 AB 위에 임의의 한 점 T를 잡을 때, 그 점이 선분 PQ 위에 있을 확률을 구하시오.

◄————————►
A(0)P(1)　　Q(3)　　B(5)

07-1

$(\text{확률})=\dfrac{(\overline{\mathrm{PQ}}\text{의 길이})}{(\overline{\mathrm{AB}}\text{의 길이})}$

07-2
(상)**중**(하)

오른쪽 그림과 같이 한 변의 길이가 2인 정사각형 ABCD의 내부에 한 점 P를 임의로 잡을 때, 네 꼭짓점으로부터 점 P까지의 거리가 모두 1 이상일 확률을 구하시오.

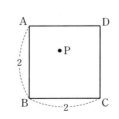

07-2

점 P가 위치할 수 있는 영역을 그림에 나타낸다.

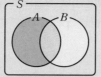 **해법 08** 확률의 덧셈정리

PLUS ⊕

두 사건 A, B에 대하여
❶ $P(A \cup B)$
　$= P(A) + P(B) - P(A \cap B)$
❷ 특히 두 사건 A, B가 서로 배반사
　건이면
　$P(A \cup B) = P(A) + P(B)$

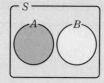

A, B가 서로 배반사건이
아닌 경우　　A, B가 서로 배반사건인
　　　　　　　경우

두 사건 A, B가 서로 배반사건이면
$A \cap B = \varnothing$이므로 $P(A \cap B) = 0$이
다.

예제 **1.** 1부터 100까지의 자연수가 하나씩 적힌 100장의 카드 중에서 임의로 한 장을
뽑을 때, 카드에 적힌 수가 4의 배수 또는 5의 배수일 확률을 구하시오.

2. 흰 공 2개와 검은 공 3개가 들어 있는 주머니에서 임의로 2개의 공을 동시에 꺼
낼 때, 꺼낸 공이 모두 같은 색의 공일 확률을 구하시오.

해법 코드

1. 4의 배수인 동시에 5의 배수인
수는 20의 배수이다.
2. 흰 공 2개가 나오는 경우와 검은
공 2개가 나오는 경우를 따로 생
각한다.

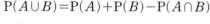 **셀파** $P(A \cup B) = P(A) + P(B) - P(A \cap B)$

풀이 **1.** 4의 배수가 나오는 사건을 A, 5의 배수가 나오는 사건을 B라 하면
$A = \{4, 8, 12, \cdots, 100\}$, $B = \{5, 10, 15, \cdots, 100\}$
$A \cap B = \{20, 40, 60, 80, 100\}$이므로 $n(A) = 25$, $n(B) = 20$, $n(A \cap B) = 5$
따라서 구하는 확률은
$$P(A \cup B) = P(A) + P(B) - P(A \cap B)$$
$$= \frac{25}{100} + \frac{20}{100} - \frac{5}{100} = \frac{40}{100} = \frac{2}{5}$$

사건 A 또는 사건 B가 일어나는
사건 $A \cup B$의 확률을 구하는 식을
확률의 덧셈정리라고 해.

2. 5개의 공이 들어 있는 주머니에서 2개의 공을 동시에 꺼내는 경우의 수는 $_5C_2 = 10$
이때 꺼낸 공이 모두 흰 공인 사건을 A, 모두 검은 공인 사건을 B라 하면
$n(A) = {_2}C_2 = 1$, $n(B) = {_3}C_2 = 3$이고 두 사건은 서로 배반사건이다.
따라서 구하는 확률은
$$P(A \cup B) = P(A) + P(B) = \frac{1}{10} + \frac{3}{10} = \frac{4}{10} = \frac{2}{5}$$

❶ 꺼낸 공이 모두 같은 색의 공인 경
우는 모두 흰 공이거나 모두 검은
공일 때이다.
이때 두 사건 A, B는 서로 배반사
건이므로 $A \cap B = \varnothing$이다.
따라서 $P(A \cap B) = 0$이므로
$P(A \cup B) = P(A) + P(B)$

확인 문제　　　　　　　　　　　　　　　　　　　정답과 해설 **30**쪽　　　　　**MY 셀파**

08-1 1부터 40까지의 자연수가 하나씩 적힌 40장의 카드 중에서 임의로 한 장을 뽑을
상중하 때, 카드에 적힌 수가 2의 배수 또는 3의 배수일 확률을 구하시오.

08-1
2의 배수인 동시에 3의 배수인 수는 6
의 배수이다.

08-2 파란색 구슬 5개, 노란색 구슬 3개가 들어 있는 상자에서 임의로 3개의 구슬을
상중하 동시에 꺼낼 때, 노란색 구슬이 1개 이하로 나올 확률을 구하시오.

08-2
꺼낸 3개의 구슬 중 노란색 구슬이 0
개인 경우와 1개인 경우로 나누어 구
한다.

사건 A와 그 여사건 A^C은 서로 배반사건이므로 확률의 덧셈정리에 의하여
$P(A \cup A^C) = P(A) + P(A^C)$이 성립한다. 이때 $P(A \cup A^C) = P(S) = 1$이므로
$P(A) + P(A^C) = 1$에서 $P(A) = 1 - P(A^C)$

'적어도 ~'라는 말이 나오면 여사건 의 확률을 이용한다.

예제 다음을 구하시오.

(1) 서로 다른 4개의 주사위를 동시에 던질 때, 적어도 2개의 주사위의 눈의 수가 서로 같을 확률

(2) 1부터 20까지의 자연수가 하나씩 적힌 20장의 카드 중에서 임의로 한 장을 꺼낼 때, 카드에 적힌 수가 2의 배수도 아니고 3의 배수도 아닐 확률

해법 코드
(1) 4개의 주사위의 눈의 수 모두 다를 확률을 이용한다.
(2) 2의 배수 또는 3의 배수일 확률을 구해 여사건의 확률을 이용한다.

셀파 $P(A) = 1 - P(A^C)$

풀이 (1) 서로 다른 4개의 주사위를 동시에 던질 때, 적어도 2개의 주사위의 눈의 수가 같은 사건을 A라 하면 A의 여사건은 <u>4개의 주사위의 눈의 수가 모두 다른 사건</u>이다.

이때 $P(A^C) = \dfrac{{}_6P_4}{6^4} = \dfrac{5}{18}$이므로

$P(A) = 1 - P(A^C) = 1 - \dfrac{5}{18} = \boldsymbol{\dfrac{13}{18}}$

Ⓐ 1, 2, 3, 4, 5, 6 중에서 4개를 뽑아 일렬로 나열하는 경우의 수와 같으므로 ${}_6P_4$이다.

(2) 카드에 적힌 수가 <u>2의 배수인 사건을 A, 3의 배수인 사건을 B</u>라 하면

$P(A) = \dfrac{10}{20}$, $P(B) = \dfrac{6}{20}$, $P(A \cap B) = \dfrac{3}{20}$

$\therefore P(A \cup B) = P(A) + P(B) - P(A \cap B) = \dfrac{10}{20} + \dfrac{6}{20} - \dfrac{3}{20} = \dfrac{13}{20}$

따라서 구하는 확률은

$\overset{\text{Ⓒ}}{\underline{P(A^C \cap B^C)}} = P((A \cup B)^C) = 1 - P(A \cup B) = 1 - \dfrac{13}{20} = \boldsymbol{\dfrac{7}{20}}$

Ⓑ 1부터 20까지의 자연수 중에서 2의 배수는 10개, 3의 배수는 6개이고, 2의 배수이면서 3의 배수, 즉 6의 배수는 3개이다.

Ⓒ 드모르간의 법칙에 따라
$A^C \cap B^C = (A \cup B)^C$이므로
$P(A^C \cap B^C) = P((A \cup B)^C)$

확인 문제   정답과 해설 | **30**쪽   MY 셀파

09-1
(상)(중)(하) 3개의 불량품이 포함된 9개의 제품 중에서 임의로 4개를 동시에 꺼낼 때, 불량품이 적어도 하나 있을 확률을 구하시오.

09-1
불량품이 적어도 하나 있는 사건의 여사건은 불량품이 하나도 없는 사건이다.

09-2
(상)(중)(하) 1이 적힌 카드가 1장, 2가 적힌 카드가 2장, 3이 적힌 카드가 3장, 4가 적힌 카드가 4장, 5가 적힌 카드가 5장 있다. 이 카드 중에서 임의로 2장의 카드를 동시에 뽑을 때, 2장의 카드에 적혀 있는 수가 서로 다를 확률을 구하시오.

09-2
여사건의 확률, 즉 뽑은 2장의 카드에 적힌 수가 서로 같을 확률을 이용한다.

시행과 사건

01 5개의 숫자 1, 2, 3, 4, 5가 하나씩 적힌 5장의 카드 중
(상)(중)(하) 에서 임의로 1장을 꺼낼 때, 다음 중 서로 배반사건끼리 짝지어진 것은?

> A : 짝수가 나오는 사건
> B : 소수가 나오는 사건
> C : 6의 약수가 나오는 사건
> D : 제곱수가 나오는 사건

① A, B ② A, C ③ B, C
④ B, D ⑤ C, D

수학적 확률

02 1, 2, 3, 4, 5의 숫자를 한 번씩 사용하여 다섯 자리 수
(상)(중)(하) 를 만들 때, 그 수가 15로 나누어떨어질 확률을 구하시오.

수학적 확률

03 같은 반 친구인 A, B, C, D, E 다섯 명이 같이 영화
(상)(중)(하) 를 보러 갔다. 좌석 번호가 F3, F4, F5, F6, F7인 5장의 표를 구입한 후 좌석 배치도를 확인하였더니 다음 그림과 같았다. A, B 두 사람이 이웃하여 앉게 될 확률을 구하시오.

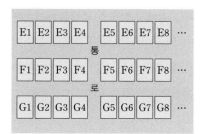

수학적 확률   [융합형]

04 주사위를 두 번 던져 나온 눈의 수를 차례로 p, q라 할
(상)(중)(하) 때, 이차방정식 $x^2+2px+q=0$이 허근을 가질 확률을 구하시오.

순열을 이용한 확률

05 1, 2, 3, 4, 5 중에서 서로 다른 숫자 3개로 세 자리 수
(상)(중)(하) 를 만들 때, 그 수가 342보다 클 확률을 구하시오.

순열을 이용한 확률

06 남학생 4명과 여학생 2명이 원탁에 둘러앉을 때, 여학
(상)(중)(하) 생끼리는 이웃하지 않게 앉을 확률을 구하시오.

순열을 이용한 확률

07 오른쪽 그림과 같이 8등분한 원판
(상)(중)(하) 의 각 영역을 빨간색과 파란색을 포함한 서로 다른 8가지 색을 모두 사용하여 칠하려고 한다. 빨간색의 맞은편에 파란색을 칠할 확률을 구하시오.

(단, 각 영역에는 1가지 색만 칠한다.)

3

확률의 뜻과 활용

조합을 이용한 확률

08 투수 1명과 포수 1명이 포함된 10명의 야구 선수 중에서 4명을 뽑을 때, 투수와 포수가 모두 포함될 확률을 구하시오.

(상)(중)(하)

조합을 이용한 확률 　　　　　　　　　　　　　`융합형`

09 집합 $A = \{1, 2, 3, 4, 5\}$이고, 집합 A에서 A로 정의된 일대일대응 중에서 한 개를 택할 때, 자기 자신으로 대응되는 원소의 개수가 3인 함수일 확률을 구하시오.

(상)(중)(하)

조합을 이용한 확률

10 집합 $X = \{1, 2, 3, 4, 5\}$의 부분집합 중에서 한 개를 택할 때, 4를 포함하고 원소의 개수가 3일 확률을 구하시오.

(상)(중)(하)

조합을 이용한 확률 　　　　　　　　　　　　　`서술형`

11 흰 공 4개, 검은 공 3개가 들어 있는 주머니에서 임의로 3개의 공을 동시에 꺼낼 때, 공의 색이 모두 같을 확률을 구하시오.

(상)(중)(하)

조합을 이용한 확률 　　　　　　　　　　　　　`창의·융합`

12 1에서 9까지의 번호가 하나씩 적힌 9개의 공이 들어 있는 주머니에서 임의로 2개의 공을 동시에 꺼낼 때, 다음을 구하시오.

(상)(중)(하)

(1) 1, 2가 적힌 공 중 하나의 공만 꺼낼 확률

(2) 꺼낸 두 공에 적힌 번호의 합이 홀수일 확률

(3) 꺼낸 두 공에 적힌 번호로 분수를 만들 때, 정수가 될 확률

조합을 이용한 확률

13 한 모서리의 길이가 1인 정육면체에서 임의의 두 꼭짓점을 택하여 이은 선분의 길이가 $\sqrt{2}$일 확률을 구하시오.

(상)(중)(하)

조합을 이용한 확률

14 주머니 속에 n개의 흰 바둑돌과 3개의 검은 바둑돌이 있다. 이 주머니에서 임의로 2개의 바둑돌을 동시에 꺼낼 때, 2개 모두 검은 바둑돌일 확률이 $\dfrac{1}{12}$이다. 이때 자연수 n의 값을 구하시오.

(상)(중)(하)

통계적 확률

15 어느 프로야구 선수의 지난 시즌까지의 통산 타율이
0.285이었다. 이 선수가 이번 시즌에 200번의 타석에
서 칠 수 있는 안타의 개수를 구하시오. (단, 타율은
안타를 칠 통계적 확률이고, 이 선수의 타율은 일정하
다고 가정한다.)

기하적 확률

16 주사위 한 개를 세 번 던져서 나온 눈의 수를 차례로
a, b, c라 하자. 이때 함수 $f(x)=ax^2+bx-c$의 그래
프가 점 $(1, 0)$을 지나고, 꼭짓점의 x좌표가 -1이 될
확률을 구하시오.

확률의 덧셈정리

17 두 사건 A, B는 서로 배반사건이고
$$P(A \cup B)=4P(B)=1$$
일 때, $P(A)$의 값을 구하시오.

확률의 덧셈정리

18 주머니 안에 1, 2, 3, 4의 숫자가 하나씩 적힌 4장의
카드가 있다. 이 주머니에서 갑이 2장의 카드를 임의
로 뽑고 을이 남은 2장의 카드 중에서 1장의 카드를
임의로 뽑을 때, 갑이 뽑은 2장의 카드에 적힌 수의 곱
이 을이 뽑은 카드에 적힌 수보다 작을 확률을 구하시
오.

확률의 덧셈정리　　　　　　　　　　　　　　　서술형

19 흰 공 6개, 붉은 공 3개가 들어 있는 주머니에서 임의
로 6개의 공을 동시에 꺼낼 때, 흰 공이 붉은 공보다
많을 확률을 구하시오.

여사건의 확률

20 두 사건 A, B는 서로 배반사건이고
$$P(A)=\frac{1}{2}, P(A^C \cap B^C)=\frac{1}{4}$$
일 때, $P(B)$의 값을 구하시오.

여사건의 확률

21 흰 구슬 n개와 검은 구슬 6개가 들어 있는 주머니에서
임의로 2개의 구슬을 동시에 꺼낼 때, 흰 구슬이 적어
도 한 개 이상 나올 확률이 $\frac{2}{3}$이다. 이때 n의 값을 구
하시오.

여사건의 확률

22 오른쪽 그림과 같이 한 변의
길이가 1인 정사각형 6개를
붙여 놓은 도형이 있다. 12개
의 꼭짓점 중에서 임의의 두
점을 골라 연결할 때, 선분의 길이가 무리수일 확률을
구하시오.

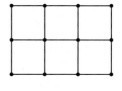

4

조건부확률

4. 조건부확률

개념 1 **조건부확률**

(1) 표본공간 S의 두 사건 A, B에 대하여 확률이 **❶**이 아닌 사건 A가 일어났을 때, 사건 B가 일어날 확률을 사건 A가 일어났을 때의 사건 **❷**의 **조건부확률**이라 하고, 기호로 $\mathrm{P}(B|A)$와 같이 나타낸다.

(2) 사건 A가 일어났을 때의 사건 B의 조건부확률은

$$\mathrm{P}(B|A)=\frac{\mathrm{P}(A\cap B)}{\mathrm{P}(A)} \ (단, \mathrm{P}(A)>0)$$

답 ❶ 0 ❷ B

개념 플러스

㉠ 조건부확률의 공식
$$\mathrm{P}(B|A)=\frac{\mathrm{P}(A\cap B)}{\mathrm{P}(A)}$$
에서 $B|A$를 사건 A가 일어났을 때, 사건 B가 일어나는 경우로 생각한다. 즉, 사건 A가 일어나는 것이 먼저이므로 분모가 $\mathrm{P}(A)$이다.

해설 표본공간 S에서 사건 A가 일어났을 때의 사건 B의 조건부확률은

$\mathrm{P}(B|A)=\dfrac{n(A\cap B)}{n(A)}$이다. 이때 이 식의 분자와 분모를 각각 $n(S)$로 나누면

$$\mathrm{P}(B|A)=\frac{n(A\cap B)}{n(A)}=\frac{\dfrac{n(A\cap B)}{n(S)}}{\dfrac{n(A)}{n(S)}}=\frac{\mathrm{P}(A\cap B)}{\mathrm{P}(A)}$$

㉡ $\mathrm{P}(B|A)$는 새로운 표본공간 A에서 사건 B, 즉 $A\cap B$가 일어날 확률이므로 $\dfrac{n(A\cap B)}{n(A)}$를 이용하여 계산하면 편리하다.

보기 두 사건 A, B에 대하여 $\mathrm{P}(A)=\dfrac{1}{3}$, $\mathrm{P}(B)=\dfrac{2}{5}$, $\mathrm{P}(A\cap B)=\dfrac{2}{15}$일 때, 다음을 구하시오.

(1) $\mathrm{P}(B|A)$ (2) $\mathrm{P}(A|B)$

연구 (1) $\mathrm{P}(B|A)=\dfrac{\mathrm{P}(A\cap B)}{\mathrm{P}(A)}=\dfrac{\dfrac{2}{15}}{\dfrac{1}{3}}=\dfrac{2}{5}$

(2) $\mathrm{P}(A|B)=\dfrac{\mathrm{P}(A\cap B)}{\mathrm{P}(B)}=\dfrac{\dfrac{2}{15}}{\dfrac{2}{5}}=\dfrac{1}{3}$

> 사건 A가 일어났다는 조건이 적용되면 A 이외의 사건은 일어나지 않은 것이므로 A를 새로운 표본공간으로 생각해!

개념 2 **확률의 곱셈정리**

두 사건 A, B에 대하여 $\mathrm{P}(A)>0$, $\mathrm{P}(B)>0$일 때
$$\mathrm{P}(A\cap B)=\mathrm{P}(A)\mathrm{P}(B|A)=\mathrm{P}(B)\mathrm{P}(A|B)$$

㉢ $\mathrm{P}(A\cap B)$는 두 사건 A, B가 동시에 일어날 확률을 뜻한다.

해설 $\mathrm{P}(A)>0$, $\mathrm{P}(B)>0$인 두 사건 A, B에 대하여

$\mathrm{P}(B|A)=\dfrac{\mathrm{P}(A\cap B)}{\mathrm{P}(A)}$, $\mathrm{P}(A|B)=\dfrac{\mathrm{P}(A\cap B)}{\mathrm{P}(B)}$이므로

$\mathrm{P}(A\cap B)=\mathrm{P}(A)\mathrm{P}(B|A)=\mathrm{P}(B)\mathrm{P}(A|B)$

이와 같이 두 사건 A, B가 동시에 일어나는 사건 $A\cap B$의 확률을 구하는 방법을 확률의 곱셈정리라 한다.

보기 두 사건 A, B에 대하여 $\mathrm{P}(A)=0.2$, $\mathrm{P}(B)=0.5$, $\mathrm{P}(B|A)=0.4$일 때, $\mathrm{P}(A\cap B)$를 구하시오.

연구 $\mathrm{P}(A\cap B)=\mathrm{P}(A)\mathrm{P}(B|A)=0.2\times 0.4=\mathbf{0.08}$

> $\mathrm{P}(A\cap B)$를 구할 때 사건 A가 먼저 일어난 경우와 사건 B가 먼저 일어난 경우를 구분해야 해!

1-1 | 조건부확률 |

한 개의 주사위를 던지는 시행에서 홀수의 눈이 나오는 사건을 A, 소수의 눈이 나오는 사건을 B라 할 때, 다음을 구하시오.

(1) $P(A)$　　　　(2) $P(A \cap B)$　　　　(3) $P(B|A)$

연구

표본공간을 S라 하면 $S = \{1, 2, 3, 4, 5, 6\}$

$A = \{1, 3, 5\}$, $B = \{\boxed{}, 3, 5\}$이므로

$A \cap B = \{3, \boxed{}\}$

(1) $P(A) = \dfrac{3}{6} = \dfrac{1}{2}$

(2) $P(A \cap B) = \dfrac{2}{6} = \dfrac{1}{3}$

(3) $P(B|A) = \dfrac{P(A \cap B)}{\boxed{}} = \dfrac{\frac{1}{3}}{\frac{1}{2}} = \dfrac{2}{3}$

1-2 | 따라풀기 |

한 개의 주사위를 던지는 시행에서 짝수의 눈이 나오는 사건을 A, 3의 배수의 눈이 나오는 사건을 B라 할 때, 다음을 구하시오.

(1) $P(A)$　　　　(2) $P(A \cap B)$　　　　(3) $P(B|A)$

풀이

2-1 | 확률의 곱셈정리 |

흰 구슬 4개와 검은 구슬 2개가 들어 있는 주머니에서 임의로 구슬을 한 개씩 두 번 꺼낼 때, 첫 번째에 꺼낸 구슬이 흰 구슬인 사건을 A, 두 번째에 꺼낸 구슬이 흰 구슬인 사건을 B라 하자. 다음을 구하시오.

(단, 꺼낸 구슬은 다시 넣지 않는다.)

(1) $P(A)$　　　　(2) $P(B|A)$　　　　(3) $P(A \cap B)$

연구

(1) 첫 번째에 꺼낸 구슬이 흰 구슬일 확률은

$P(A) = \dfrac{4}{6} = \dfrac{\boxed{}}{3}$

(2) 첫 번째에 꺼낸 구슬이 흰 구슬일 때, 두 번째에 꺼낸 구슬도 흰 구슬일 확률은

$P(B|A) = \dfrac{3}{\boxed{}}$

(3) $P(A \cap B) = \boxed{} P(B|A) = \dfrac{2}{3} \times \dfrac{3}{5} = \dfrac{2}{5}$

2-2 | 따라풀기 |

흰 구슬 6개와 검은 구슬 10개가 들어 있는 주머니에서 임의로 구슬을 한 개씩 두 번 꺼낼 때, 첫 번째에 꺼낸 구슬이 검은 구슬인 사건을 A, 두 번째에 꺼낸 구슬이 검은 구슬인 사건을 B라 하자. 다음을 구하시오.

(단, 꺼낸 구슬은 다시 넣지 않는다.)

(1) $P(A)$　　　　(2) $P(B|A)$　　　　(3) $P(A \cap B)$

풀이

4 조건부확률

개념 3 사건의 독립과 종속

(1) 두 사건 A, B에 대하여 한 사건이 일어나는 것이 다른 사건이 일어날 **❶ [　　]**에 아무런 영향을 주지 않을 때, 즉 $P(B|A)=P(B)$ 또는 $P(A|B)=P(A)$일 때, 두 사건 A, B는 서로 **독립**이라 한다.

(2) 두 사건 A, B가 서로 **❷ [　　]**이 아닐 때, 즉 $P(B|A)\neq P(B)$, $P(A|B)\neq P(A)$일 때, 두 사건 A, B는 서로 **종속**이라 한다.

답 **❶** 확률 **❷** 독립

개념 플러스

두 사건 A, B가 서로 독립임을 보이려면 어떻게 해야 할까?

$P(A\cap B)$, $P(A)$, $P(B)$를 각각 구해서 $P(A\cap B)=P(A)P(B)$의 성립 여부를 따져 보면 돼.

개념 4 두 사건이 서로 독립일 조건

두 사건 A, B가 서로 독립이기 위한 **❶ [　　]**충분조건은

$$P(A\cap B)=P(A)P(B) \ (\text{단, } P(A)>0, P(B)>0)$$

예 $P(A)=\dfrac{1}{2}$, $P(B)=\dfrac{1}{3}$, $P(A\cap B)=\dfrac{1}{6}$이면 $P(A)P(B)=P(\boxed{❷}\ )$이므로 두 사건 A, B는 서로 독립이다.

답 **❶** 필요 **❷** $A\cap B$

해설 $P(A)>0$, $P(B)>0$인 두 사건 A, B가 서로 독립이면 $P(B|A)=P(B)$이므로
$P(A\cap B)=P(A)P(B|A)=P(A)P(B)$가 성립한다.
역으로 $P(A)>0$, $P(B)>0$이고 $P(A\cap B)=P(A)P(B)$이면
$P(B|A)=\dfrac{P(A\cap B)}{P(A)}=\dfrac{P(A)P(B)}{P(A)}=P(B)$이므로 두 사건 A, B는 서로 독립이다.

▶세 사건 A, B, C가 서로 독립이면
$\Leftrightarrow P(A\cap B\cap C)$
$\quad =P(A)P(B)P(C)$

개념 5 독립시행의 확률

(1) 독립시행
주사위나 동전을 여러 번 던지는 시행과 같이 어떤 시행을 **❶ [　　]**하는 경우 각 시행의 결과가 다른 시행의 결과에 아무런 영향을 주지 않을 때, 즉 각 시행마다 일어나는 사건이 서로 독립일 때, 이러한 시행을 **독립시행**이라 한다.

(2) 독립시행의 확률
1회의 시행에서 <u>사건 A가 일어날 확률이 p $(0<p<1)$</u>일 때, n회의 독립시행에서 사건 A가 r회 일어날 확률은
❶ $_nC_r p^r(1-p)^{n-r}$ (단, $r=1, 2, 3, \cdots, n-1$)
❷ $r=0$일 때 $(1-p)^n$
❸ $r=\boxed{❷}$ 일 때 p^n

답 **❶** 반복 **❷** n

⊜ 사건 A가 일어날 확률이 p이므로 사건 A가 일어나지 않을 확률 q는 $q=1-p$이다.

보기 한 개의 동전을 4번 던질 때, 앞면이 2번 나올 확률을 구하시오.

연구 한 개의 동전을 던져서 앞면이 나오는 사건을 A, 사건 A가 일어날 확률을 p라 하면
$p=\dfrac{1}{2}$이므로 4번의 시행에서 사건 A가 2번 일어날 확률은 $_4C_2\left(\dfrac{1}{2}\right)^2\left(1-\dfrac{1}{2}\right)^{4-2}=\dfrac{6}{2^4}=\dfrac{3}{8}$

개념 익히기

3-1 | 독립과 종속 |

다음을 만족시키는 두 사건 A, B가 서로 독립인지 종속인지 말하시오.

(1) $P(A)=0.15$, $P(B)=0.2$, $P(A \cap B)=0.03$

(2) $P(A)=0.31$, $P(B)=0.1$, $P(A \cap B)=0.03$

연구

(1) $P(A)P(B)=0.15 \times 0.2=0.03=P(A \cap B)$

이므로 두 사건 A, B는 서로 □□□이다.

(2) $P(A)P(B)=0.31 \times 0.1=0.031 \neq P(A \cap B)$

이므로 두 사건 A, B는 서로 □□□이다.

3-2 | 따라풀기 |

다음을 만족시키는 두 사건 A, B가 서로 독립인지 종속인지 말하시오.

(1) $P(A)=0.4$, $P(B)=0.5$, $P(A \cap B)=0.02$

(2) $P(A)=0.7$, $P(B)=0.3$, $P(A \cap B)=0.21$

풀이

4-1 | 독립시행의 확률 |

한 개의 주사위를 5번 던질 때, 다음을 구하시오.

(1) 짝수의 눈이 4번 나올 확률

(2) 소수의 눈이 2번 나올 확률

연구

(1) 1회의 시행에서 짝수의 눈이 나올 확률은 $\dfrac{1}{2}$이므로

$${}_5C_4\left(\dfrac{1}{2}\right)^{\square}\left(\dfrac{1}{2}\right)^1=\dfrac{5}{\square}$$

(2) 1회의 시행에서 소수의 눈이 나올 확률은 $\dfrac{1}{2}$이므로

$${}_5C_2\left(\dfrac{1}{2}\right)^2\left(\dfrac{1}{2}\right)^{\square}=\dfrac{5}{\square}$$

4-2 | 따라풀기 |

한 개의 주사위를 6번 던질 때, 다음을 구하시오.

(1) 홀수의 눈이 3번 나올 확률

(2) 6의 약수의 눈이 2번 나올 확률

풀이

4 조건부확률

사건 A가 일어났을 때, 사건 B가 일어날 조건부확률 $P(B|A)$는 다음과 같이 구한다.

① $P(A)$, $P(A \cap B)$를 구한다.

② $P(B|A) = \dfrac{P(A \cap B)}{P(A)}$ $(P(A) \neq 0)$를 구한다.

조건부확률을 계산할 때는 확률의 덧셈정리, 여사건의 확률 등을 이용한다.

예제 두 사건 A, B에 대하여 다음을 구하시오.

(1) $P(A) = 0.4$, $P(A \cup B) = 0.6$일 때, $P(B^C | A^C)$

(2) $P(A) = 0.4$, $P(B) = 0.5$, $P(A \cup B) = 0.8$일 때, $P(B|A)P(A|B)$

해법 코드

(1) $P(A^C \cap B^C) = P((A \cup B)^C)$

(2) $P(A \cup B)$
$= P(A) + P(B) - P(A \cap B)$

셀파 $P(B|A) = \dfrac{P(A \cap B)}{P(A)}$, $P(A|B) = \dfrac{P(A \cap B)}{P(B)}$

풀이 (1) $P(B^C | A^C) = \dfrac{P(A^C \cap B^C)}{P(A^C)} = \dfrac{\overset{❶}{P((A \cup B)^C)}}{P(A^C)}$

$= \dfrac{1 - P(A \cup B)}{1 - P(A)} = \dfrac{1 - 0.6}{1 - 0.4} = \dfrac{4}{6} = \dfrac{2}{3}$

$\overset{❷}{(2) P(A \cup B) = P(A) + P(B) - P(A \cap B)}$에서

$P(A \cap B) = P(A) + P(B) - P(A \cup B)$

$= 0.4 + 0.5 - 0.8 = 0.1$

$\therefore P(B|A)P(A|B) = \dfrac{P(A \cap B)}{P(A)} \times \dfrac{P(A \cap B)}{P(B)}$

$= \dfrac{0.1}{0.4} \times \dfrac{0.1}{0.5} = \dfrac{1}{4} \times \dfrac{1}{5} = \dfrac{1}{20}$

❶ $(A \cup B)^C$은 사건 $A \cup B$의 여사건이므로 여사건의 확률에 의하여 $P((A \cup B)^C) = 1 - P(A \cup B)$

❷ 두 사건 A, B가 서로 배반사건이면 $P(A \cap B) = 0$이므로 $P(B|A)$와 $P(A|B)$는 모두 0이다.
따라서 조건부확률의 값을 구할 때 $P(A \cap B) \neq 0$으로 생각하여 $P(A \cup B)$
$= P(A) + P(B) - P(A \cap B)$
에서 필요한 값을 구한다.

확인 문제　　　　　　　　　　　　　　　　정답과 해설 | **36**쪽　　　　　　　**MY 셀파**

01-1 두 사건 A, B에 대하여 $P(A) = 0.2$, $P(B) = 0.4$, $P(A^C \cap B^C) = 0.5$일 때,
(상)(중)(하) $P(B|A)$를 구하시오.

01-1
$P(A^C \cap B^C) = 1 - P(A \cup B)$

01-2 두 사건 A, B에 대하여 $P(A) = \dfrac{3}{4}$, $P(A \cap B^C) = \dfrac{1}{3}$일 때, $P(B|A)$를 구하
(상)(중)(하) 시오.

01-2
$A \cap B^C = A - B$
$= A - (A \cap B)$

가판대에 A 신문 500부, B 신문 300부가 쌓여 있다. A 신문 중에서 잉크가 번진 신문이 2 %, B 신문 중에서 잉크가 번진 신문이 1%이다. 가판대의 신문더미에서 임의로 산 한 부의 신문이 잉크가 번져 있을 때, 이 신문이 A 신문일 확률을 구하시오.

조건부확률 $P(B|A)$는 사건 A를 새로운 표본공간으로 생각했을 때, 사건 $A \cap B$가 일어날 확률이야.

A 이 문제는 하나의 대상을 뽑았을 때, 그 대상이 A, B 중 어느 하나에 속할 확률을 구하는 경우, 즉 조건부확률을 구하는 문제야.

> ~이었을 때 (■), ~일 확률 (★) ⇨ $P(★|■)$

(잉크 번짐) (A 신문)

$■ \cap ★$
(잉크가 번진 A 신문)

Q 그럼 ■, ★에 해당하는 것이 각각 무엇인지부터 파악해야겠네요.
'한 부의 신문을 샀는데 그 신문이 잉크가 번져 있을 때, / 이 신문이 A 신문일 확률'
에서 잉크가 번진 신문을 사는 사건을 ■, A 신문을 사는 사건을 ★이라 해요.

A 신문 500부 중에서 잉크가 번진 신문이 2 %이므로 그 부수는
$500 \times 0.02 = 10$
B 신문 300부 중에서 잉크가 번진 신문이 1 %이므로 그 부수는
$300 \times 0.01 = 3$

A 맞아. 조건부확률의 정의에 따라 $P(★|■) = \dfrac{P(■ \cap ★)}{P(■)}$ 이므로 사건 ■가 일어나는 경우의 수 $n(■)$, 사건 $■ \cap ★$이 일어나는 경우의 수 $n(■ \cap ★)$을 구하고
$P(★|■) = \dfrac{P(■ \cap ★)}{P(■)} = \dfrac{n(■ \cap ★)}{n(■)}$를 이용하여 $P(★|■)$를 구할 수 있어.
이때 다음 풀이 방법과 같이 주어진 정보를 표로 나타내면 $n(■)$, $n(■ \cap ★)$을 쉽게 구할 수 있지. 한 번 구해 볼까?

구하는 확률은 잉크가 번진 신문의 총부수 13과 잉크가 번진 A 신문의 부수 10을 이용하여 구할 수 있다.

Q A 신문을 사는 사건을 A, B 신문을 사는 사건을 B, 잉크가 번지지 않은 신문을 사는 사건을 C, 잉크가 번진 신문을 사는 사건을 D라 하고 각 부수를 조사하면 오른쪽 표와 같아요.
이때 구하는 확률은

(단위: 부)

	C	D	합계
A	490	10	500
B	297	3	300
합계	787	13	800

이런 문제는 자주 나오는 중요한 유형이니까 표를 이용하여 나타내는 연습을 충분히 해 두도록 해!

$P(A|D) = \dfrac{n(A \cap D)}{n(D)} = \dfrac{10}{13}$

4
조건부확률

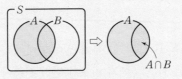
조건부확률 $P(B|A)$는 사건 A를 표본공간으로 생각했을 때, 사건 $A\cap B$가 일어날 확률이다.

$$P(B|A)=\frac{n(A\cap B)}{n(A)}$$

사건 A가 일어났을 때, 사건 B의 조건부 확률
⟹ $P(B|A)$

예제 오른쪽 표는 A, B 두 반의 학생 50명에 대한 남학생 수와 여학생 수를 나타낸 것이다. 이 중에서 임의로 한 명을 뽑았더니 B반 학생이었을 때, 이 학생이 남학생일 확률을 구하시오.

(단위: 명)

	남자	여자	합계
A	17	13	30
B	12	8	20
합계	29	21	50

해법 코드
B반 학생은 모두 20명이고, 이 중에서 남학생은 12명이다.

셀파 사건 A가 일어났을 때, 사건 B가 일어날 확률 ⟹ $P(B|A)$

풀이 임의로 뽑은 한 명이 B반 학생인 사건을 B, 남학생인 사건을 M이라 하면 임의로 뽑은 한 명이 B반 학생이었을 때, 이 학생이 남학생일 확률은 $P(M|B)$이다.

주어진 조건에서 $P(B)=\frac{20}{50}=\frac{2}{5}$, $P(B\cap M)=\frac{12}{50}=\frac{6}{25}$

따라서 구하는 확률은

$$P(M|B)=\frac{P(B\cap M)}{P(B)}=\frac{\frac{6}{25}}{\frac{2}{5}}=\frac{3}{5}$$

주어진 표에서 $n(B)$, $n(B\cap M)$의 값을 바로 구할 수 있으므로
$$P(M|B)=\frac{n(B\cap M)}{n(B)}$$
을 이용해도 돼.

다른 풀이 $P(M|B)=\frac{n(B\cap M)}{n(B)}=\frac{12}{20}=\frac{3}{5}$

확인 문제

정답과 해설 | **36**쪽

MY 셀파

02-1 오른쪽 표는 A, B 두 동아리에 새로 등록한 회원 30명에 대하여 남녀의 수를 조사한 것이다. 이 중에서 임의로 택한 한 사람이 여자 회원이었을 때, 이 회원이 동아리 A의 회원일 확률을 구하시오.

(단위: 명)

	남자	여자	합계
A	8	4	12
B	10	8	18
합계	18	12	30

02-1
임의로 택한 한 사람이 여자 회원인 사건을 E, 동아리 A의 회원인 사건을 A로 놓고 $P(A|E)$를 구한다.

02-2 A반 32명, B반 33명을 대상으로 안경을 낀 학생 수를 조사하였더니, A반에서는 안경을 낀 학생이 12명, B반에서는 안경을 낀 학생이 19명이었다. A, B 두 반에서 임의로 뽑은 한 명이 안경을 끼지 않은 학생일 때, 그 학생이 A반 학생일 확률을 구하시오.

02-2
임의로 뽑은 한 학생이 안경을 끼지 않은 학생인 사건을 E, A반 학생인 사건을 A로 놓고 $P(A|E)$를 구한다.

❶ $P(B|A)=\dfrac{P(A\cap B)}{P(A)}$의 양변에 $P(A)$를 곱하면 $P(A\cap B)=P(A)P(B|A)$

❷ $P(A|B)=\dfrac{P(A\cap B)}{P(B)}$의 양변에 $P(B)$를 곱하면 $P(A\cap B)=P(B)P(A|B)$

사건 A가 먼저 일어나면
$P(A\cap B)=P(A)P(B|A)$
를 이용한다.

예제 두 사건 A, B에 대하여 다음을 구하시오.

(1) $P(A)=\dfrac{1}{3}$, $P(A|B)=\dfrac{1}{4}$, $P(A^C\cap B^C)=\dfrac{1}{2}$일 때, $P(B)$, $P(A\cap B)$

(2) $P(A^C)=\dfrac{1}{6}$, $P(B^C|A)=\dfrac{1}{3}$일 때, $P(A\cap B^C)$, $P(A\cap B)$

해법 코드
(1) $P(A\cap B)$를 $P(B)$를 이용하여 나타낸다.
(2) $P(A\cap B^C)$
    $=P(A)P(B^C|A)$

셀파 $P(A\cap B)=P(A)P(B|A)=P(B)P(A|B)$

풀이 (1) 확률의 곱셈정리에서 $P(A\cap B)=P(B)P(A|B)=\dfrac{1}{4}P(B)$ $\quad\cdots\cdots\bigcirc$

이때 $\underset{\bullet}{P(A^C\cap B^C)}=1-P(A\cup B)=\dfrac{1}{2}$에서 $P(A\cup B)=\dfrac{1}{2}$

또 $\underset{\bullet}{P(A\cup B)}=P(A)+P(B)-P(A\cap B)$에서 $P(B)=\dfrac{2}{9}$

한편 $\bigcirc$에서 $P(A\cap B)=\dfrac{1}{4}P(B)=\dfrac{1}{4}\times\dfrac{2}{9}=\dfrac{1}{18}$

$\therefore P(B)=\dfrac{2}{9}$, $P(A\cap B)=\dfrac{1}{18}$

(2) $P(A)=1-P(A^C)=1-\dfrac{1}{6}=\dfrac{5}{6}$이고, 확률의 곱셈정리에서

$\underset{\bullet}{P(A\cap B^C)}=P(A)P(B^C|A)=\dfrac{5}{6}\times\dfrac{1}{3}=\dfrac{5}{18}$

이때 $\underset{\bullet}{P(A\cap B)}=P(A)-P(A\cap B^C)=\dfrac{5}{6}-\dfrac{5}{18}=\dfrac{5}{9}$

$\therefore P(A\cap B^C)=\dfrac{5}{18}$, $P(A\cap B)=\dfrac{5}{9}$

❶ $A^C\cap B^C=(A\cup B)^C$이므로
$P(A^C\cap B^C)=P((A\cup B)^C)$
$\qquad\qquad\quad=1-P(A\cup B)$

❷ $\dfrac{1}{2}=\dfrac{1}{3}+P(B)-\dfrac{1}{4}P(B)$
$\dfrac{3}{4}P(B)=\dfrac{1}{6}$

❸ 조건부확률의 정의에 의하여
$P(B^C|A)=\dfrac{P(A\cap B^C)}{P(A)}$이므로
$P(A\cap B^C)=P(A)P(B^C|A)$

❹ $A\cap B^C=A-B$
$\qquad\quad=A-(A\cap B)$
에서
$P(A\cap B^C)=P(A)-P(A\cap B)$

4
조
건
부
확
률

확인 문제

정답과 해설 | 36쪽

MY 셀파

03-1 두 사건 A, B에 대하여 다음을 구하시오.

(상)(중)(하)

(1) $P(A)=0.6$, $P(A|B)=0.4$, $P(A\cup B)=0.9$일 때, $P(B)$, $P(A\cap B)$

(2) $P(A)=\dfrac{1}{2}$, $P(A|B)=\dfrac{1}{4}$, $P(A^C\cap B^C)=\dfrac{1}{3}$일 때, $P(B)$

03-1
$P(A|B)=\dfrac{P(A\cap B)}{P(B)}$에서
$P(A\cap B)=P(B)P(A|B)$
를 이용한다.

두 사건 A, B가 동시에 일어날 확률 $P(A \cap B)$를 확률의 곱셈정리

$$P(A \cap B) = P(A)P(B|A) = P(B)P(A|B)$$

를 이용하여 구한다.

두 사건 A, B가 동시에 일어날 확률은 확률의 곱셈정리를 이용한다.

예제 흰 공 2개, 검은 공 3개가 들어 있는 주머니에서 임의로 공을 한 개씩 두 번 꺼낼 때, 다음을 구하시오. (단, 꺼낸 공은 다시 넣지 않는다.)

(1) 꺼낸 공 2개가 모두 흰 공일 확률

(2) 꺼낸 공 2개가 모두 검은 공일 확률

해법 코드
(1) 첫 번째에 흰 공, 두 번째에 흰 공을 꺼낸다.
(2) 첫 번째에 검은 공, 두 번째에 검은 공을 꺼낸다.

셀파 두 사건이 동시에 일어날 확률 ⇨ 확률의 곱셈정리 이용

풀이 (1) 첫 번째에 흰 공이 나오는 사건을 A, 두 번째에 흰 공이 나오는 사건을 B라 하면

첫 번째에 흰 공이 나올 확률은 $P(A) = \dfrac{2}{5}$

첫 번째에 흰 공이 나왔을 때, 두 번째에도 흰 공이 나올 확률은

ㄱ$P(B|A) = \dfrac{1}{4}$

따라서 구하는 확률은 $P(A \cap B) = P(A)P(B|A) = \dfrac{2}{5} \times \dfrac{1}{4} = \dfrac{1}{10}$

ㄱ 첫 번째에 흰 공을 꺼냈으므로 흰 공 1개, 검은 공 3개가 들어 있는 주머니에서 흰 공을 꺼낼 확률이다.

(2) 첫 번째에 검은 공이 나오는 사건을 A, 두 번째에 검은 공이 나오는 사건을 B라 하면

첫 번째에 검은 공이 나올 확률은 $P(A) = \dfrac{3}{5}$

첫 번째에 검은 공이 나왔을 때, 두 번째에도 검은 공이 나올 확률은

ㄴ$P(B|A) = \dfrac{2}{4} = \dfrac{1}{2}$

따라서 구하는 확률은 $P(A \cap B) = P(A)P(B|A) = \dfrac{3}{5} \times \dfrac{1}{2} = \dfrac{3}{10}$

ㄴ 첫 번째에 검은 공을 꺼냈으므로 흰 공 2개, 검은 공 2개가 들어 있는 주머니에서 검은 공을 꺼낼 확률이다.

확인 문제 정답과 해설 | **37**쪽

MY 셀파

04-1 10개의 제비 중 3개의 행운권이 들어 있는 상자에서 제비뽑기를 하려고 한다. 지영이와 선미가 한 개씩 차례로 뽑을 때, 다음을 구하시오.
(상)(중)(하) (단, 뽑은 제비는 다시 넣지 않는다.)

(1) 2명 모두 행운권을 뽑을 확률

(2) 선미만 행운권을 뽑을 확률

04-1
(1) 지영이가 먼저 행운권을 뽑은 다음 선미가 행운권을 뽑는다.
(2) 지영이는 행운권을 뽑지 못하고 선미가 행운권을 뽑는다.

표본공간 S의 두 사건 A, B에 대하여 오른쪽 벤다이어그램에서 사건 B가 일어날 확률은

$$P(B)=P(A\cap B)+P(A^c\cap B)$$
$$=P(A)P(B|A)+P(A^c)P(B|A^c)$$

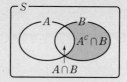

$$P(A)=P(A\cap B)+P(A\cap B^c)$$
$$=P(B)P(A|B)$$
$$+P(B^c)P(A|B^c)$$

예제 C사 제품 한 봉지에는 노란 파프리카 2개, 빨간 파프리카 1개가 들어 있고, P사 제품 한 봉지에는 노란 파프리카 3개, 빨간 파프리카 1개가 들어 있다. 두 제품 중 임의로 한 봉지를 택하여 동시에 2개의 파프리카를 꺼낼 때, 모두 노란 파프리카일 확률을 구하시오. (단, C사 제품, P사 제품을 택할 확률은 서로 같다.)

해법 코드
(i) C사 제품 한 봉지를 택한 경우
(ii) P사 제품 한 봉지를 택한 경우
로 나누어 구한다.

셀파 $P(B)=P(A\cap B)+P(A^c\cap B)$

풀이 C사 제품을 택하는 사건을 A, 노란 파프리카 2개를 뽑는 사건을 B라 하자.

(i) C사 제품 한 봉지를 택한 경우

C사 제품 한 봉지에서 2개의 파프리카를 꺼낼 때, 2개 모두 노란 파프리카를 뽑을 확률은

❶$P(B|A)=\dfrac{{}_2C_2}{{}_3C_2}=\dfrac{1}{3}$

(ii) ❷P사 제품 한 봉지를 택한 경우

P사 제품 한 봉지에서 2개의 파프리카를 꺼낼 때, 2개 모두 노란 파프리카를 뽑을 확률은

$P(B|A^c)=\dfrac{{}_3C_2}{{}_4C_2}=\dfrac{3}{6}=\dfrac{1}{2}$

(i), (ii)에서 구하는 확률은

$P(B)=P(A\cap B)+P(A^c\cap B)=P(A)P(B|A)+P(A^c)P(B|A^c)$

$=\dfrac{1}{2}\times\dfrac{1}{3}+\dfrac{1}{2}\times\dfrac{1}{2}=\dfrac{1}{6}+\dfrac{1}{4}=\dfrac{5}{12}$

참고 C사 제품을 택하여 2개의 노란 파프리카를 뽑는 사건 $A\cap B$와
P사 제품을 택하여 2개의 노란 파프리카를 뽑는 사건 $A^c\cap B$는
서로 배반사건이므로 $P(B)=P(A\cap B)+P(A^c\cap B)$이다.

❶ $P(B|A)$는 C사 제품을 택했다는 조건에서 C사 제품 한 봉지에서 2개의 파프리카를 뽑을 때, 모두 노란 파프리카가 나올 확률이다. 이때 C사 제품 한 봉지에는 노란 파프리카 2개, 빨간 파프리카 1개로 모두 3개의 파프리카가 들어 있으므로 구하는 확률은

$P(B|A)=\dfrac{{}_2C_2}{{}_3C_2}$이다.

❷ C사 제품을 택하는 사건이 A이므로 P사 제품을 택하는 사건은 A^c이다.

4 조건부확률

확인 문제   정답과 해설 **37**쪽   MY 셀파

05-1
(상)(중)(하)
천재 축구팀은 다음 시즌 경기에서 비가 내리면 이길 확률이 0.7, 비가 내리지 않으면 이길 확률이 0.4라 한다. 다음 시즌 경기가 열리는 날의 30 %는 비가 내릴 것으로 예상될 때, 다음 시즌에서 천재 축구팀의 승률을 예상하시오.

05-1
천재 축구팀이 경기하는 날 비가 오는 사건을 A, 천재 축구팀이 경기에서 이기는 사건을 B로 놓는다.

A 제비뽑기에서 먼저 뽑는 것이 당첨 확률이 높을까, 아니면 나중에 뽑는 것이 당첨 확률이 높을까?

Q 당연히 먼저 뽑는 것이 더 유리하지 않아요?

A 다음 문제를 보면서 생각해 보자.

> 당첨 제비가 2개 포함된 10개의 제비가 있다. 이 중에서 동호, 민수가 이 순서로 하나씩 제비를 뽑는다고 할 때, 동호, 민수가 당첨 제비를 뽑을 확률을 각각 구하시오. (단, 한 번 뽑은 제비는 다시 넣지 않는다.)

Q 동호가 당첨 제비를 뽑을 확률은 $\frac{2}{10}=\frac{1}{5}$ 이고요, 그럼 민수가 당첨 제비를 뽑을 확률은 $\frac{1}{9}$ 이잖아요, 아닌가요?

A 동호가 당첨 제비를 뽑았다면 민수가 당첨 제비를 뽑을 확률은 $\frac{1}{9}$ 이 맞아.
그런데 만약 동호가 당첨 제비를 뽑지 않았다면 어떻게 될까?

Q 그렇다면 남은 9개의 제비 중 당첨 제비는 2개이므로 민수가 당첨 제비를 뽑을 확률은 $\frac{2}{9}$ 예요. 그렇다면 민수가 당첨 제비를 뽑을 확률을 얼마라고 해야 해요?

A 민수가 당첨 제비를 뽑을 확률은 동호가 당첨 제비를 뽑았다는 조건에서 구한 확률과 동호가 당첨 제비를 뽑지 않았다는 조건에서 구한 확률을 모두 생각해야 해.
따라서 동호가 당첨 제비를 뽑고 민수가 당첨 제비를 뽑을 확률은 $\frac{2}{10}\times\frac{1}{9}=\frac{2}{90}$ 이고,
동호가 당첨 제비를 뽑지 않고 민수가 당첨 제비를 뽑을 확률은 $\frac{8}{10}\times\frac{2}{9}=\frac{16}{90}$ 이므로
민수가 당첨 제비를 뽑을 확률은 두 경우의 확률을 더한 값인 $\frac{2}{90}+\frac{16}{90}=\frac{18}{90}=\frac{1}{5}$ 이 되는 거지.

Q 아하, 그럼 결국 제비를 먼저 뽑거나 나중에 뽑거나 당첨 확률은 같네요.

A 맞아. 그러니까 서로 먼저 뽑겠다고 싸울 필요가 없겠지.

◯ 보통 제비뽑기에서는 뽑은 제비를 다시 넣지 않으므로 뽑은 제비를 다시 넣지 않는다는 가정에서 어느 쪽이 유리한지 살펴보기로 한다.

ⓛ 10개의 제비 중 당첨 제비가 2개이므로 동호가 하나의 제비를 뽑을 때, 당첨 제비를 뽑을 확률은 $\frac{2}{10}$ 이다.

ⓒ 동호가 당첨 제비를 뽑았다면 남은 9개의 제비 중 당첨 제비는 1개이므로 민수가 하나의 제비를 뽑을 때, 당첨 제비를 뽑을 확률은 $\frac{1}{9}$ 이다.

> 동호가 당첨 제비를 뽑았는지 뽑지 않았는지에 따라 남은 당첨 제비 수가 달라지네요.

> 그러니까 동호가 제비를 뽑는 사건과 민수가 제비를 뽑는 사건은 서로 종속이지.

확인 체크 01

정답과 해설 | **37**쪽

선우와 미연이를 포함한 12명의 친구들이 캠프를 가서 간식을 사러갈 4명을 뽑기 위해 쪽지뽑기를 하였다. 4장에만 '간식'이라고 적혀 있는 12장의 쪽지를 준비하여 제일 먼저 선우, 두 번째로 미연이가 쪽지를 뽑을 때, 미연이가 '간식'이 적힌 쪽지를 뽑을 확률을 구하시오. (단, 한 번 뽑은 쪽지는 다시 넣지 않는다.)

▶ 서로 종속인 두 사건 A, B가 동시에 일어날 확률은
$$P(A\cap B)=P(A)P(B|A)$$
$$=P(B)P(A|B)$$

표본공간 S에서 두 사건 A, B에 대하여

$$P(A|B)=\frac{P(A\cap B)}{P(B)}=\frac{P(A\cap B)}{P(A\cap B)+P(A^c\cap B)}$$

$P(A|B)$는 사건 B가 일어난 것을 전제로 하여 사건 A가 일어나는 조건부확률이다.

예제 A시에 있는 천재 고등학교 졸업생을 조사하였더니 모두 대학교에 진학하였고 오른쪽과 같은 통계 결과가 나왔다. 조사 대상자 중 임의로 한 학생을 선택하였더니 이 학생은 다른 도시에 있는 대학교에 진학한 학생일 때, 이 학생이 A시 출신일 확률을 구하시오.

- 천재 고등학교 졸업생의 70 %가 A시 출신이다.
- A시 출신인 천재 고등학교 졸업생의 60 %는 A시에 있는 대학교에 진학했다.
- A시 출신이 아닌 천재 고등학교 졸업생 중 90 %는 다른 도시에 있는 대학교에 진학했다.

해법 코드

A시 출신인 사건을 A, 천재 고등학교 졸업생이 다른 도시에 있는 대학교에 진학한 사건을 B라 하자. 이때 선택된 학생은 A시 출신일 수도 있고, A시 출신이 아닐 수도 있다.

셀파 $P(A|B)=\dfrac{P(A\cap B)}{P(B)}=\dfrac{P(A\cap B)}{P(A\cap B)+P(A^c\cap B)}$

풀이 천재 고등학교 졸업생 중 A시 출신인 사건을 A, 천재 고등학교 졸업생이 다른 도시에 있는 대학교에 진학한 사건을 B라 하자.

이때 다른 도시에 있는 대학교에 진학한 경우는 A시 출신이면서 다른 도시에 있는 대학에 진학했거나 A시 출신이 아니면서 다른 도시에 있는 대학에 진학한 두 가지 경우가 있다.

(i) A시 출신인 학생이 다른 도시에 있는 대학교에 진학할 확률은

$$P(A\cap B)=P(A)P(B|A)=\frac{7}{10}\times\frac{4}{10}=\frac{28}{100}$$

(ii) A시 출신이 아닌 학생이 다른 도시에 있는 대학교에 진학할 확률은

$$P(A^c\cap B)=P(A^c)P(B|A^c)=\frac{3}{10}\times\frac{9}{10}=\frac{27}{100}$$

(i), (ii)에서 천재 고등학교 졸업생이 다른 도시에 있는 대학교에 진학할 확률은

$$P(B)=P(A\cap B)+P(A^c\cap B)=\frac{28}{100}+\frac{27}{100}=\frac{55}{100}$$

따라서 구하는 확률은 $P(A|B)=\dfrac{P(A\cap B)}{P(B)}=\dfrac{\dfrac{28}{100}}{\dfrac{55}{100}}=\dfrac{28}{55}$

참고

주어진 조건으로 확률을 계산하여 표로 나타내면 다음과 같다.

	A	A^c	합계
B	$\frac{28}{100}$	$\frac{27}{100}$	$\frac{55}{100}$
B^c	$\frac{42}{100}$	$\frac{3}{100}$	$\frac{45}{100}$
합계	$\frac{70}{100}$	$\frac{30}{100}$	1

이때 구하는 확률은 사건 B가 일어난 조건에서 다음 그림의 색칠한 부분이 일어날 확률이다.

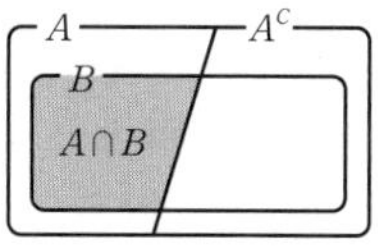

4 조건부확률

정답과 해설 | **38**쪽

확인 문제

MY 셀파

06-1 우진이가 받은 전자우편의 10 %는 '여행'이라는 단어를 포함한다. 한편 '여행'을 포함한 전자우편의 50 %와 '여행'을 포함하지 않은 전자우편의 20 %가 광고이다. 우진이가 받은 한 전자우편이 광고일 때, 이 전자우편이 '여행'을 포함할 확률을 구하시오.

06-1
우진이가 받은 전자우편이 '여행'이라는 단어를 포함하는 사건을 A, 광고인 사건을 B라 하면 구하는 확률은 $P(A|B)$이다.

A 표본공간 S의 두 사건 A, B에 대하여 조건부확률을 다음과 같이 정의했어.

❶ $\mathrm{P}(B|A)=\dfrac{\mathrm{P}(A\cap B)}{\mathrm{P}(A)}$

❷ $\mathrm{P}(A|B)=\dfrac{\mathrm{P}(A\cap B)}{\mathrm{P}(B)}$ (단, $\mathrm{P}(A)>0$, $\mathrm{P}(B)>0$)

❶에서 $\mathrm{P}(A\cap B)=\mathrm{P}(A)\mathrm{P}(B|A)$, **❷**에서 $\mathrm{P}(A\cap B)=\mathrm{P}(B)\mathrm{P}(A|B)$

두 사건 A, B가 서로 독립이면

$\mathrm{P}(B|A)=\mathrm{P}(B|A^C)=\mathrm{P}(B)$, $\mathrm{P}(A|B)=\mathrm{P}(A|B^C)=\mathrm{P}(A)$이므로

독립인 두 사건 A, B가 동시에 일어날 확률은 $\mathrm{P}(A\cap B)=\mathrm{P}(A)\mathrm{P}(B)$가 돼.

Q 아! 그럼 두 사건 A, B가 서로 독립인지 종속인지는 다음과 같이 판단할 수 있군요.

> • $\mathrm{P}(A\cap B)=\mathrm{P}(A)\mathrm{P}(B)$ ⇨ 두 사건 A, B는 서로 독립
> • $\mathrm{P}(A\cap B)\neq\mathrm{P}(A)\mathrm{P}(B)$ ⇨ 두 사건 A, B는 서로 종속

그런데 두 사건 A, B가 서로 독립일 때, 사건 A, B, A^C, B^C 중에서 서로 독립인 사건은 어떤 것들이 있나요?

A 두 사건 A, B가 서로 독립이면 A와 B^C, A^C과 B, A^C과 B^C도 각각 서로 독립이야. 이것을 다음과 같이 확인할 수 있어.

> **❶** 두 사건 A, B가 서로 독립 ⇨ 두 사건 A와 B^C도 서로 독립
> 두 사건 A, B가 서로 독립이면 $\mathrm{P}(A\cap B)=\mathrm{P}(A)\mathrm{P}(B)$이므로
> $$\begin{aligned}\mathrm{P}(A\cap B^C)&=\mathrm{P}(A-B)=\mathrm{P}(A)-\mathrm{P}(A\cap B)\\&=\mathrm{P}(A)-\mathrm{P}(A)\mathrm{P}(B)=\mathrm{P}(A)\{1-\mathrm{P}(B)\}\\&=\mathrm{P}(A)\mathrm{P}(B^C)\end{aligned}$$
> 따라서 두 사건 A와 B^C은 서로 독립이다.
>
> **❷** 두 사건 A, B가 서로 독립 ⇨ 두 사건 A^C과 B^C도 서로 독립
> 두 사건 A, B가 서로 독립이면 $\mathrm{P}(A\cap B)=\mathrm{P}(A)\mathrm{P}(B)$이므로
> $$\begin{aligned}\mathrm{P}(A^C\cap B^C)&=\mathrm{P}((A\cup B)^C)=1-\mathrm{P}(A\cup B)\\&=1-\{\mathrm{P}(A)+\mathrm{P}(B)-\mathrm{P}(A\cap B)\}\\&=1-\{\mathrm{P}(A)+\mathrm{P}(B)-\mathrm{P}(A)\mathrm{P}(B)\}\\&=1-\mathrm{P}(A)-\mathrm{P}(B)+\mathrm{P}(A)\mathrm{P}(B)\\&=\{1-\mathrm{P}(A)\}\{1-\mathrm{P}(B)\}=\mathrm{P}(A^C)\mathrm{P}(B^C)\end{aligned}$$
> 따라서 두 사건 A^C과 B^C은 서로 독립이다.

㉠ 두 사건 A, B가 서로 독립이면 사건 A가 일어난 조건에서 사건 B가 일어날 확률 $\mathrm{P}(B|A)$와 사건 A가 일어나지 않은 조건에서 사건 B가 일어날 확률 $\mathrm{P}(B|A^C)$이 서로 같다는 뜻이므로 사건 A가 일어나든 일어나지 않든 상관없이 사건 B가 일어날 확률은 $\mathrm{P}(B)$라 할 수 있다. 따라서 $\mathrm{P}(B|A)=\mathrm{P}(B|A^C)=\mathrm{P}(B)$ 마찬가지로 생각하면 $\mathrm{P}(A|B)=\mathrm{P}(A|B^C)=\mathrm{P}(A)$ 이다.

㉡ 두 사건 A, B가 서로 독립이므로 $\mathrm{P}(B|A)=\mathrm{P}(B)$에서
$$\begin{aligned}\mathrm{P}(A\cap B)&=\mathrm{P}(A)\mathrm{P}(B|A)\\&=\mathrm{P}(A)\mathrm{P}(B)\end{aligned}$$

㉢ 마찬가지 방법으로 두 사건 A, B가 서로 독립이면
$$\begin{aligned}&\mathrm{P}(A^C\cap B)\\&=\mathrm{P}(B-A)\\&=\mathrm{P}(B)-\mathrm{P}(A\cap B)\\&=\mathrm{P}(B)-\mathrm{P}(A)\mathrm{P}(B)\\&=\mathrm{P}(B)\{1-\mathrm{P}(A)\}\\&=\mathrm{P}(B)\mathrm{P}(A^C)\end{aligned}$$
따라서 두 사건 A^C과 B도 서로 독립이다.

---

❶ 두 사건 A, B가 서로 독립이면 ⇨ $\mathrm{P}(A \cap B) = \mathrm{P}(A)\mathrm{P}(B)$

❷ 두 사건 A, B가 서로 독립이면 ⇨ A^C과 B, A와 B^C, A^C과 B^C도 각각 서로 독립이다.

❸ 사건 A의 여사건의 확률은 ⇨ $\mathrm{P}(A^C) = 1 - \mathrm{P}(A)$

❹ $\mathrm{P}(A \cup B) = \mathrm{P}(A) + \mathrm{P}(B) - \mathrm{P}(A \cap B)$ ← 두 사건 A, B가 서로 독립이면 $\mathrm{P}(A \cup B) = \mathrm{P}(A) + \mathrm{P}(B) - \mathrm{P}(A)\mathrm{P}(B)$

---

01 두 사건 A, B가 서로 독립이고 $\mathrm{P}(A) = \dfrac{1}{2}$, $\mathrm{P}(B) = \dfrac{1}{3}$일 때, 다음을 구하시오.

(1) $\mathrm{P}(B \mid A)$

(2) $\mathrm{P}(A \mid B)$

(3) $\mathrm{P}(A^C \mid B)$

(4) $\mathrm{P}(A \mid B^C)$

(5) $\mathrm{P}(A \cap B)$

(6) $\mathrm{P}(A \cap B^C)$

02 두 사건 A, B가 서로 독립일 때, 다음을 구하시오.

(1) $\mathrm{P}(A^C) = \dfrac{2}{3}$, $\mathrm{P}(B) = \dfrac{1}{3}$일 때,

   $\mathrm{P}(A \cap B)$

(2) $\mathrm{P}(A) = \dfrac{1}{3}$, $\mathrm{P}(A \cap B) = \dfrac{1}{4}$일 때,

   $\mathrm{P}(A \cup B)$

(3) $\mathrm{P}(A) = 0.5$, $\mathrm{P}(A \cap B^C) = 0.3$일 때,

   $\mathrm{P}(B)$

(4) $\mathrm{P}(A^C \cap B) = \dfrac{1}{5}$, $\mathrm{P}(A \cup B) = \dfrac{3}{5}$일 때,

   $\mathrm{P}(B)$

4

조건부확률

두 사건 A, B가 서로 독립인지 확인하려면 $\mathrm{P}(A)$, $\mathrm{P}(B)$, $\mathrm{P}(A \cap B)$를 각각 구한 다음 $\mathrm{P}(A \cap B) = \mathrm{P}(A)\mathrm{P}(B)$가 성립하는지 확인한다.

❶ $\mathrm{P}(A \cap B) = \mathrm{P}(A)\mathrm{P}(B)$ ⇨ 두 사건 A, B는 서로 독립

❷ $\mathrm{P}(A \cap B) \neq \mathrm{P}(A)\mathrm{P}(B)$ ⇨ 두 사건 A, B는 서로 종속

두 사건 A, B가 서로 독립이면 A^c과 B, A와 B^c, A^c과 B^c도 각각 서로 독립이다.

예제 100 이하의 자연수 중에서 임의로 하나의 수를 택할 때, 4의 배수인 사건을 A, 5의 배수인 사건을 B, 6의 배수인 사건을 C라 하자. 다음 두 사건이 서로 독립인지 종속인지 말하시오.

(1) A와 B (2) A와 C

해법 코드
$A = \{4, 8, 12, \cdots, 100\}$
$B = \{5, 10, 15, \cdots, 100\}$
$C = \{6, 12, 18, \cdots, 96\}$

셀파 두 사건 A, B가 서로 종속이면 $\mathrm{P}(A \cap B) \neq \mathrm{P}(A)\mathrm{P}(B)$이고, 서로 독립이면 $\mathrm{P}(A \cap B) = \mathrm{P}(A)\mathrm{P}(B)$이다.

풀이 $A = \{4, 8, 12, \cdots, 100\}$, $B = \{5, 10, 15, \cdots, 100\}$, $C = \{6, 12, 18, \cdots, 96\}$이므로
$n(A) = 25$, $n(B) = 20$, $n(C) = 16$

$\therefore \mathrm{P}(A) = \dfrac{25}{100} = \dfrac{1}{4}$, $\mathrm{P}(B) = \dfrac{20}{100} = \dfrac{1}{5}$, $\mathrm{P}(C) = \dfrac{16}{100} = \dfrac{4}{25}$

이때 ❶$A \cap B = \{20, 40, 60, 80, 100\}$, ❷$A \cap C = \{12, 24, \cdots, 96\}$이므로
$n(A \cap B) = 5$, $n(A \cap C) = 8$

$\therefore \mathrm{P}(A \cap B) = \dfrac{5}{100} = \dfrac{1}{20}$, $\mathrm{P}(A \cap C) = \dfrac{8}{100} = \dfrac{2}{25}$

(1) $\mathrm{P}(A)\mathrm{P}(B) = \dfrac{1}{4} \times \dfrac{1}{5} = \dfrac{1}{20} = \mathrm{P}(A \cap B)$

따라서 두 사건 A와 B는 서로 **독립**이다.

(2) $\mathrm{P}(A)\mathrm{P}(C) = \dfrac{1}{4} \times \dfrac{4}{25} = \dfrac{1}{25} \neq \mathrm{P}(A \cap C)$

따라서 두 사건 A와 C는 서로 **종속**이다.

❶ $A \cap B$는 4의 배수의 집합과 5의 배수의 집합의 교집합이므로 4와 5의 최소공배수인 20의 배수의 집합이다.

❷ $A \cap C$는 4의 배수의 집합과 6의 배수의 집합의 교집합이므로 4와 6의 최소공배수인 12의 배수의 집합이다.

확인 문제   정답과 해설 | **38**쪽   **MY 셀파**

07-1
(상)(종)(하)
한 개의 주사위를 던져서 3 이하의 눈이 나오는 사건을 A, 짝수의 눈이 나오는 사건을 B, 3의 배수의 눈이 나오는 사건을 C라 할 때, 다음 두 사건이 서로 독립인지 종속인지 말하시오.

(1) A와 B (2) A와 C

07-1
$\mathrm{P}(A)$, $\mathrm{P}(B)$, $\mathrm{P}(C)$, $\mathrm{P}(A \cap B)$, $\mathrm{P}(A \cap C)$를 각각 구한다.

❶ 두 사건 A, B가 서로 독립　⇨ $\mathrm{P}(A \cap B) = \mathrm{P}(A)\mathrm{P}(B)$

❷ 세 사건 A, B, C가 서로 독립　⇨ $\mathrm{P}(A \cap B \cap C) = \mathrm{P}(A)\mathrm{P}(B)\mathrm{P}(C)$

서로 독립인 사건임이 명백하면 독립사건인지 종속사건인지 따지지 않아도 된다.

(예제) 승재와 정안이가 어떤 수학 문제를 맞힐 확률이 각각 $\dfrac{1}{3}$, $\dfrac{1}{4}$일 때, 이 수학 문제에 대하여 다음을 구하시오.

(1) 승재와 정안이가 모두 맞힐 확률

(2) 승재는 맞히고, 정안이는 틀릴 확률

(3) 승재와 정안이 중 적어도 한 명은 맞힐 확률

해법 코드

승재와 정안이가 수학 문제를 맞히는 사건은 서로 독립이다.

(셀파) 두 사건 A, B가 서로 독립 ⇨ $\mathrm{P}(A \cap B) = \mathrm{P}(A)\mathrm{P}(B)$

(풀이) 승재와 정안이가 수학 문제를 맞히는 사건을 각각 A, B라 하면 A, B는 서로 독립이다.

(1) 승재와 정안이가 모두 맞힐 확률은

$$\mathrm{P}(A \cap B) = \mathrm{P}(A)\mathrm{P}(B) = \frac{1}{3} \times \frac{1}{4} = \boxed{\frac{1}{12}}$$

(2) 승재는 맞히고, 정안이는 틀릴 확률은

$${}^{\text{❶}}\mathrm{P}(A \cap B^C) = \mathrm{P}(A)\mathrm{P}(B^C) = \frac{1}{3} \times \left(1 - \frac{1}{4}\right) = \frac{1}{3} \times \frac{3}{4} = \boxed{\frac{1}{4}}$$

(3) ❷승재와 정안이 중 적어도 한 명이 맞히는 사건은 두 명 모두 틀리는 사건의 여사건이다.

승재와 정안이가 모두 틀릴 확률은

$$\mathrm{P}(A^C \cap B^C) = \mathrm{P}(A^C)\mathrm{P}(B^C) = \left(1 - \frac{1}{3}\right) \times \left(1 - \frac{1}{4}\right) = \frac{2}{3} \times \frac{3}{4} = \frac{1}{2}$$

따라서 구하는 확률은 $1 - \mathrm{P}(A^C \cap B^C) = 1 - \dfrac{1}{2} = \boxed{\dfrac{1}{2}}$

❶ 두 사건 A와 B^C은 서로 독립이므로 $\mathrm{P}(A \cap B^C) = \mathrm{P}(A)\mathrm{P}(B^C)$ 이다.

❷ (i) 승재와 정안이가 모두 맞히는 경우
(ii) 승재는 맞히고, 정안이는 틀리는 경우
(iii) 승재는 틀리고, 정안이는 맞히는 경우

확인 문제 　　　　　　　　　　정답과 해설 | **39**쪽　　　　　　**MY 셀파**

08-1 승부차기의 성공률이 각각 0.8, 0.9인 두 선수 A, B가 차례로 승부차기를 할 때,
(상)(중)(하) 두 선수 중 한 선수만 성공할 확률을 구하시오.

08-1
(i) A는 성공, B는 실패하는 경우
(ii) A는 실패, B는 성공하는 경우

08-2 A, B, C 세 사람이 활을 쏘아 명중시킬 확률이 각각 $\dfrac{4}{5}$, $\dfrac{3}{4}$, $\dfrac{2}{3}$이다. 세 사람이
(상)(중)(하) 한 번씩 같은 표적을 향해 활을 쏠 때, 한 사람만 명중시킬 확률을 구하시오.

08-2
(i) A만 명중시키는 경우
(ii) B만 명중시키는 경우
(iii) C만 명중시키는 경우

4. 조건부확률

1회의 시행에서 사건 A가 일어날 확률이 p $(0<p<1)$일 때, 이 시행을 독립적으로 n회 반복하는 시행에서 사건 A가 r회 일어날 확률은

❶ $_n\text{C}_r p^r (1-p)^{n-r}$ (단, $r=1, 2, 3, \cdots, n-1$)

❷ $r=0$일 때　$(1-p)^n$

❸ $r=n$일 때　p^n

> 같은 시행을 여러 번 반복할 때, 각 시행의 결과는 다른 시행의 결과에 아무런 영향을 받지 않는다.

[예제] 명중률이 $\dfrac{2}{3}$인 동원이가 사격장에서 4발을 쏠 때, 다음을 구하시오.

(1) 3발 이상 명중시킬 확률

(2) 적어도 1발을 명중시킬 확률

> **해법 코드**
> (1) 3발 명중시킬 확률과 4발 명중시킬 확률을 더한다.
> (2) 1발도 명중시키지 못하는 사건의 여사건을 생각한다.

[셀파] 독립시행의 확률 ⇨ $_n\text{C}_r p^r (1-p)^{n-r}$ (단, $r=1, 2, 3, \cdots, n-1$)

[풀이] (1) (i) 3발을 명중시킬 확률은 $_4\text{C}_3\left(\dfrac{2}{3}\right)^3\left(1-\dfrac{2}{3}\right)^1=\dfrac{32}{81}$

(ii) 4발을 명중시킬 확률은 $\left(\dfrac{2}{3}\right)^4=\dfrac{16}{81}$

(i), (ii)에서 구하는 확률은

$\dfrac{32}{81}+\dfrac{16}{81}=\dfrac{48}{81}=\dfrac{\textbf{16}}{\textbf{27}}$

> ❶ $_n\text{C}_r p^r (1-p)^{n-r}$에 $p=\dfrac{2}{3}$, $n=4$, $r=3$을 대입한다.

(2) 적어도 1발을 명중시키는 사건은 1발도 명중시키지 못하는 사건의 여사건이다.

1발도 명중시키지 못할 확률은 $\left(1-\dfrac{2}{3}\right)^4=\left(\dfrac{1}{3}\right)^4=\dfrac{1}{81}$

따라서 구하는 확률은

$1-\dfrac{1}{81}=\dfrac{\textbf{80}}{\textbf{81}}$

> ❷ 4발을 쏘아 적어도 1발을 명중시키는 경우의 확률은 1발, 2발, 3발, 4발을 명중시키는 경우의 확률을 모두 구해서 더해야 한다.
> 따라서 이와 같은 경우는 여사건의 확률, 즉 1발도 명중시키지 못하는 경우의 확률을 이용하는 것이 편리하다.

확인 문제　　　　　　　　　　정답과 해설 | **39**쪽　　　　　　　　**MY 셀파**

09-1
(상)(중)(하)　민수와 윤아가 '4선승제'의 가위바위보 게임을 할 때, 게임을 시작한 지 6번 만에 민수가 이길 확률을 구하시오. (단, 비기는 경우도 한 번의 게임으로 본다.)

> **09-1**
> '4선승제'란 경기 횟수에 상관없이 4번을 먼저 이기는 경우 승리하는 방식을 말한다.

09-2
(상)(중)(하)　한 개의 동전을 n번 던져서 앞면이 적어도 1번 나올 확률이 0.8 이상일 때, n의 최솟값을 구하시오.

> **09-2**
> 앞면이 적어도 1번 나오는 사건의 여사건을 생각한다.

경우를 나누어 독립시행의 확률을 계산할 때는 다음과 같이 구한다.

☑ 조건이 성립하는 경우를 모두 찾는다.

☑ 독립시행의 확률을 이용하여 각 경우의 확률을 구한다.

☑ ☑의 각 경우는 배반사건이므로 확률의 덧셈정리를 이용한다.

> 동전을 n번 던져서 앞면이 k번 나올 확률, 주사위를 n번 던져서 특정한 수의 눈이 k번 나올 확률, 승률이 p인 팀이 n번의 시합에서 k번 이길 확률 등은 독립시행의 확률을 이용한다.

예제 1. 5문제 중 4문제 이상을 맞히면 통과하는 퀴즈 프로그램에서 정답률이 $\dfrac{3}{4}$인 출연자가 통과할 확률을 구하시오.

2. 한국시리즈는 두 팀이 7번 경기를 치뤄 4번 먼저 이기는 팀이 우승팀이 된다. 올해는 한국시리즈에 A, B 두 팀이 진출하였고, 두 팀의 경기에서 A팀의 승률이 $\dfrac{2}{3}$일 때, 다섯 번째 경기에서 우승팀이 결정될 확률을 구하시오.

(단, 비기는 경우는 없다.)

해법 코드

1. 5문제 중 4문제를 맞히는 경우와 5문제를 맞히는 경우가 있다.

2. 어떤 팀이 우승하는 경우는 네 번째 경기까지 그 팀이 3승 1패를 하고, 다섯 번째 경기에서 그 팀이 이기는 경우이다.

셀파 경우를 나누어 독립시행을 계산할 때, 각각의 경우는 서로 배반사건이다.

풀이 1. (i) 4문제를 맞혀서 통과할 확률은 $_5C_4\left(\dfrac{3}{4}\right)^4\left(\dfrac{1}{4}\right)^1=\dfrac{405}{1024}$

(ii) 5문제를 맞혀서 통과할 확률은 $\left(\dfrac{3}{4}\right)^5=\dfrac{243}{1024}$

(i), (ii)에서 구하는 확률은 $\dfrac{405}{1024}+\dfrac{243}{1024}=\dfrac{81}{128}$

● 4문제를 맞혀서 통과하려면 5문제 중 4문제는 맞히고, 1문제는 틀려야 한다. 이때 1문제를 맞힐 확률이 $\dfrac{3}{4}$이므로 틀릴 확률은 $\dfrac{1}{4}$이다.

2. 다섯 번째 경기에서 우승팀이 결정되려면 네 번째 경기까지 3승 1패를 한 팀이 다섯 번째 경기에서 이겨야 한다.

(i) A팀이 우승할 확률은 $_4C_3\left(\dfrac{2}{3}\right)^3\left(\dfrac{1}{3}\right)^1\times\dfrac{2}{3}=\dfrac{64}{243}$

(ii) B팀이 우승할 확률은 $_4C_3\left(\dfrac{1}{3}\right)^3\left(\dfrac{2}{3}\right)^1\times\dfrac{1}{3}=\dfrac{8}{243}$

(i), (ii)에서 구하는 확률은 $\dfrac{64}{243}+\dfrac{8}{243}=\dfrac{72}{243}=\dfrac{8}{27}$

주의

A팀이 우승할 확률을

$_5C_4\left(\dfrac{2}{3}\right)^4\left(\dfrac{1}{3}\right)^1=\dfrac{80}{243}$

으로 계산하면 안 된다. 이 경우에는 A팀이 4연승 후 1패하는 경우가 포함되어 있는데, 한 팀이 4승을 하면 한국시리즈는 끝나므로 더 이상 경기를 하지 않는다.

확인 문제

정답과 해설 | **40**쪽

MY 셀파

10-1
(상)(중)(하) 한 번의 타격에서 안타를 칠 확률이 $\dfrac{1}{3}$인 타자가 4번 타격할 때, 3번 이상 안타를 칠 확률을 구하시오.

10-1
4번의 타격에서 안타를 3번 치는 경우와 4번 치는 경우의 확률을 구한다.

10-2
(상)(중)(하) 한 개의 동전을 던져서 앞면이 나오면 주사위를 2번 던지고 뒷면이 나오면 주사위를 1번 던질 때, 주사위의 2의 눈이 1번 나올 확률을 구하시오.

10-2
동전을 던져서 앞면이 나오는 경우와 뒷면이 나오는 경우로 나누어 생각한다.

4

조
건
부
확
률

오른쪽 그림과 같이 한 변의 길이가 2인 정사각형 ABCD 위를 움직이는 점 P가 있다. 동전을 한 번 던질 때마다 점 P가 다음과 같은 규칙으로 움직인다.

> (가) 앞면이 나오면 시계 방향으로 3만큼 움직인다.
> (나) 뒷면이 나오면 시계 반대 방향으로 2만큼 움직인다.

동전 한 개를 6번 던질 때, 점 P가 점 A에서 출발하여 다시 점 A로 돌아올 확률을 구하시오.

Q 이런 문제는 어떻게 접근해야 할지 모르겠어요.

A 먼저 동전을 던져서 앞면이 나오는 횟수를 x, 뒷면이 나오는 횟수를 y로 놓은 다음 주어진 조건을 이용해서 x, y에 대한 관계식을 세워 볼래?

Q 동전 한 개를 6번 던져서 앞면이 x번, 뒷면이 y번 나온다고 하면 $x+y=6$ ⸱⸱⸱⸱⸱⸱㉠

또 ^ㄱ점 P가 점 A에서 출발하여 다시 점 A로 돌아오려면 $3x-2y$는 8의 배수 ⸱⸱⸱⸱⸱⸱㉡

로 놓을 수 있어요.

이때 ^ㄴ㉠, ㉡을 만족시키는 x, y의 값을 구하면 $x=4, y=2$가 나와요.

즉, 주어진 조건이 성립하는 경우는 앞면이 4번, 뒷면이 2번 나올 때예요.

그런데 동전을 한 번 던질 때 앞면이 나올 확률이 $\dfrac{1}{2}$, 뒷면이 나올 확률도 $\dfrac{1}{2}$이므로

구하는 확률은 $_6C_4\left(\dfrac{1}{2}\right)^4\left(\dfrac{1}{2}\right)^2=\dfrac{15}{64}$

A 잘했어. 이런 유형이 나오면 당황하지 말고 위 풀이처럼 먼저 독립시행의 확률 공식 $_nC_rp^r(1-p)^{n-r}$에서 r와 p의 값을 구한 다음 대입하면 쉽게 해결되지. 이 해법 순서를 잘 익혀 두도록 해!

확인 체크 02   정답과 해설 | **41**쪽

좌표평면 위의 점 P가 주사위를 한 번 던질 때마다 다음과 같은 규칙으로 움직인다.

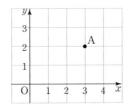

> (가) 3의 배수의 눈이 나오면 y축의 양의 방향으로 1만큼 이동한다.
> (나) 3의 배수가 아닌 눈이 나오면 x축의 양의 방향으로 1만큼 이동한다.

주사위 한 개를 5번 던질 때, ^ㄷ원점 O를 출발한 점 P가 점 A에 도착할 확률을 구하시오.

ㄱ 시계 방향을 '$+$', 시계 반대 방향을 '$-$'라 생각하면 위치의 변화량은 $3x-2y$이다. 또 정사각형의 둘레의 길이가 8이므로 점 P가 점 A에서 출발하여 다시 점 A로 돌아오려면 점 P의 위치의 변화량 $3x-2y$는 8의 배수이어야 한다.

ㄴ 점 P의 위치의 변화량의 최댓값은 앞면만 6번 나온 경우이므로 18이고, 최솟값은 뒷면만 6번 나온 경우이므로 -12이다.

이때 점 P의 위치의 변화량 $3x-2y$는 8의 배수이므로 그 값이 될 수 있는 것은 $-8, 0, 8, 16$이다.

그런데 x, y는 음이 아닌 정수이고, $x+y=6$이므로 x, y를 순서쌍 (x, y)로 나타내면 각 경우 $3x-2y$의 값은

$(0, 6)$일 때 -12
$(1, 5)$일 때 -7
$(2, 4)$일 때 -2
$(3, 3)$일 때 3
$(4, 2)$일 때 8
$(5, 1)$일 때 13
$(6, 0)$일 때 18

따라서 주어진 조건이 성립하는 경우는 $x=4, y=2$, 즉 $3x-2y=8$일 때 뿐이다.

ㄷ 점 P가 원점을 출발하여 점 A에 도착하려면 순서에 상관없이 x축의 양의 방향으로 3만큼, y축의 양의 방향으로 2만큼 이동해야 한다.

조건부확률의 계산

01 두 사건 A, B에 대하여 다음을 구하시오.

(1) $P(B)=0.9$, $P(A \cap B)=0.2$일 때, $P(A|B)$

(2) $P(A)=0.3$, $P(B)=0.5$, $P(B|A)=0.4$일 때, $P(A|B)$

(3) $P(A)=0.3$, $P(B|A)=0.5$, $P(A \cup B)=0.7$일 때, $P(B)$

조건부확률의 계산

02 두 사건 A, B에 대하여 $P(A)=\dfrac{1}{3}$, $P(B)=\dfrac{1}{2}$, $P(A|B)=\dfrac{1}{4}$일 때, $P(B^C|A)$은?

① $\dfrac{5}{8}$　　　　② $\dfrac{2}{3}$　　　　③ $\dfrac{17}{24}$

④ $\dfrac{3}{4}$　　　　⑤ $\dfrac{19}{24}$

조건부확률

03 어느 학교의 학생 70명은 과학전시관과 민속마을로 체험학습을 다녀왔다. 70명의 학생은 각각 과학전시관과 민속마을 중에서 한 곳을 선택하여 다녀왔고 선택한 장소와 학생 수는 다음 표와 같다.

(단위: 명)

	과학전시관	민속마을	합계
남학생	16	18	34
여학생	19	17	36
합계	35	35	70

이 학교의 70명의 학생 중에서 임의로 선택한 한 학생이 여학생이었을 때, 이 학생이 과학전시관을 다녀왔을 확률을 구하시오.

조건부확률

04 남학생 18명, 여학생 16명으로 이루어져 있는 어느 학급의 모든 학생은 중국어와 일본어 중 한 과목만 수업을 받는다고 한다. 남학생 중에서 중국어 수업을 받는 학생은 12명, 여학생 중에서 일본어 수업을 받는 학생은 7명이다. 이 학급에서 선택한 한 학생이 중국어 수업을 받는다고 할 때, 이 학생이 남학생일 확률을 구하시오.

확률의 곱셈정리

05 2개의 당첨 제비를 포함한 20개의 제비가 들어 있는 주머니에서 1개의 제비를 뽑아 확인하는 시행을 당첨 제비가 모두 뽑힐 때까지 반복한다. 4번째 제비를 뽑았을 때 시행이 끝날 확률을 구하시오.

(단, 꺼낸 제비는 다시 넣지 않는다.)

확률의 곱셈정리 창의·융합

06
(상)(중)(하)
♡가 그려진 카드 4장과 ☆이 그려진 카드 n장이 들어 있는 주머니에서 갑과 을이 차례로 임의로 한 장씩 카드를 꺼낸다. 갑과 을이 꺼낸 카드가 모두 ☆이 그려진 카드일 확률이 $\frac{1}{3}$일 때, 자연수 n의 값을 구하시오. (단, 꺼낸 카드는 다시 넣지 않는다.)

확률의 곱셈정리

07
(상)(중)(하)
흰 공 2개, 빨간 공 3개가 들어 있는 주머니 A와 흰 공 3개, 빨간 공 5개가 들어 있는 주머니 B가 있다. A 주머니에서 1개의 공을 뽑아 그것을 B 주머니에 넣고, B 주머니에서 다시 1개를 뽑을 때, 그 공이 흰 공일 확률을 구하시오.

확률의 곱셈정리와 조건부확률 창의력

08
(상)(중)(하)
흰 공 5개, 검은 공 3개가 들어 있는 주머니에서 갑이 1개의 공을 꺼낸 다음 을이 남은 공 7개 중에서 1개를 꺼냈다. 을이 꺼낸 공이 흰 공이었을 때, 갑이 꺼낸 공도 흰 공일 확률을 구하시오.

확률의 곱셈정리와 조건부확률

09
(상)(중)(하)
남학생과 여학생의 비율이 2 : 1인 모임에서 회원을 대상으로 어떤 일에 대한 찬성과 반대를 조사한 결과 찬성하는 비율이 남학생은 $\frac{6}{7}$이고, 여학생은 $\frac{2}{3}$이었다.
이 모임의 회원 중에서 택한 한 명이 이 일에 대하여 찬성하는 학생일 때, 이 학생이 여학생일 확률을 구하시오.

독립과 종속

10
(상)(중)(하)
한 개의 주사위를 던질 때, 나온 눈의 수가 3의 배수인 사건을 A, 홀수인 사건을 B, 소수인 사건을 C라 하자. | 보기 |의 설명 중 옳은 것을 모두 고르시오.

| 보기 |
ㄱ. 두 사건 A, B는 서로 독립이다.
ㄴ. 두 사건 B, C는 서로 독립이다.
ㄷ. 두 사건 C, A는 서로 종속이다.

독립과 종속

11
(상)(중)(하)
두 사건 A, B가 서로 독립일 때, | 보기 |의 설명 중 옳은 것을 모두 고르시오.

| 보기 |
ㄱ. $\{1-\mathrm{P}(A)\}\{1-\mathrm{P}(B)\}=1-\mathrm{P}(A\cup B)$
ㄴ. 두 사건 A, B는 서로 배반사건이다.
ㄷ. $\mathrm{P}(A)=\frac{1}{4}$, $\mathrm{P}(A\cup B)=\frac{5}{8}$일 때,
   $\mathrm{P}(A-B)=\frac{1}{2}$이다.

독립사건의 확률의 계산

12 두 사건 A, B가 서로 독립이고 $P(A^C)=\dfrac{3}{4}$,
(상)(중)(하) $P(A \cup B^C)=\dfrac{3}{10}$일 때, $P(B)$를 구하시오.

독립사건의 확률의 계산

13 서로 독립인 두 사건 A, B에 대하여 $P(A)=\dfrac{2}{5}$,
(상)(중)(하) $P(B|A)=\dfrac{1}{4}$일 때, $P(A \cap B^C)$은?

① $\dfrac{1}{10}$ ② $\dfrac{1}{5}$ ③ $\dfrac{3}{10}$

④ $\dfrac{2}{5}$ ⑤ $\dfrac{1}{2}$

독립사건의 확률 [서술형]

14 활을 쏘아 과녁에 명중시킬 확률이 A는 0.6, B는 0.8,
(상)(중)(하) C는 0.7이다. A, B, C가 한 번씩 이 과녁에 활을 쏠
때, 두 사람만 과녁에 명중시킬 확률을 구하시오.

독립시행의 확률

15 오른쪽 회전판에 4명이 다트를
(상)(중)(하) 1번씩 던질 때, 3명이 당첨될
확률을 구하시오. (단, 화살이
회전판을 벗어나거나 경계선을
맞히는 경우는 없다.)

독립시행의 확률

16 한 개의 주사위를 6번 던질 때, 홀수의 눈이 5번 이상
(상)(중)(하) 나올 확률을 구하시오.

독립시행의 확률

17 축구 경기에서 A팀이 B팀을 이길 확률이 $\dfrac{4}{5}$라 한다.
(상)(중)(하) 두 팀이 세 번의 경기를 하여 A팀이 B팀을 적어도 2번
이길 확률을 구하시오. (단, 비기는 경우는 없다.)

4

조건부확률

5

확률분포

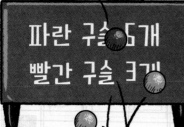

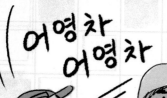

5. 확률분포

개념 1 확률변수와 확률분포

(1) 어떤 시행에서 표본공간의 각 원소에 하나의 실수를 **❶** 시킨 함수를 **확률변수**라 한다.

(2) 확률변수 X가 가질 수 있는 값이 유한개이거나 무한히 많더라도 자연수와 같이 셀 수 있을 때, 그 확률변수를 **이산확률변수**라 한다.

(3) 확률변수 X가 어떤 값 x를 가질 **❷** 을 기호로 $P(X=x)$와 같이 나타내고, 확률변수 X의 값과 그 값을 가질 확률 사이의 대응 관계를 확률변수 X의 **확률분포**라 한다.

답 ❶ 대응 ❷ 확률

해설 한 개의 동전을 두 번 던지는 시행에서 앞면이 나온 횟수를 X라 하면 X는 0, 1, 2의 값을 가지므로 이산확률변수이다. 이때 확률변수 X가 각 값을 가질 확률은 다음과 같다.

$$P(X=0)=\frac{1}{4}, P(X=1)=\frac{1}{2}, P(X=2)=\frac{1}{4}$$

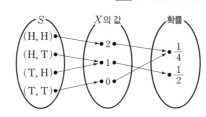

개념 2 확률질량함수

(1) 이산확률변수 X가 가지는 값이 $x_1, x_2, \cdots, x_n$이고 X가 이들 값을 가질 확률이 각각 $p_1, p_2, \cdots,$ **❶** 일 때, 이산확률변수 X의 확률분포는
$$P(X=x_i)=p_i \ (i=1, 2, \cdots, n)$$
와 같이 나타낼 수 있다.
이때 이 관계식을 이산확률변수 X의 확률질량함수라 한다.

(2) 확률변수 X가 a 이상 **❷** 이하의 값을 가질 확률은 $\underline{P(a \leq X \leq b)}$로 나타낸다.

답 ❶ p_n ❷ b

해설 이산확률변수 X의 확률분포를 다음과 같이 표 또는 그래프로 나타낼 수도 있다.

X	x_1	x_2	$\cdots$	x_n	합계
$P(X=x_i)$	p_1	p_2	$\cdots$	p_n	1

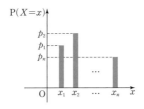

확률은 0에서 1까지의 값을 갖고 모든 확률의 총합은 1이야.

개념 3 확률질량함수의 성질

이산확률변수 X의 확률질량함수가 $P(X=x_i)=p_i \ (i=1, 2, \cdots, n)$일 때, 확률의 기본 성질에 의하여 다음이 성립한다.

❶ **❶** $\leq p_i \leq 1 \ (i=1, 2, \cdots, n)$ ⇨ 확률은 0에서 1까지의 값을 갖는다.

❷ $p_1+p_2+\cdots+p_n=$ **❷** ⇨ 확률의 총합은 1이다.

답 ❶ 0 ❷ 1

개념 플러스

㉠ 확률변수는 보통 알파벳 대문자 X, Y, Z 등으로 나타내고, 확률변수가 가지는 값은 소문자 x, y, z 등으로 나타낸다.

㉡ 이산확률변수가 가지는 값의 개수가 유한인 경우만 다루기로 한다.

㉢ X가 a 이상 b 이하의 값을 가질 확률을 뜻한다.

▶표본공간 S의 임의의 사건 A에 대하여
❶ $0 \leq P(A) \leq 1$
❷ $P(S)=1$
❸ $P(\varnothing)=0$

1-1 | 이산확률변수 |

한 개의 주사위를 2번 던질 때, 짝수의 눈이 나오는 횟수를 확률변수 X라 하자. 다음을 구하시오.

(1) X가 가질 수 있는 모든 값

(2) X가 (1)의 각 값을 가질 확률

〔연구〕

(1) 한 개의 주사위를 2번 던질 때, 짝수는 0번, 1번, 2번이 나올 수 있으므로 확률변수 X가 가질 수 있는 값은 **0, 1,** □

(2) 한 개의 주사위를 1번 던질 때, 짝수의 눈이 나올 확률은 $\dfrac{1}{2}$,

홀수의 눈이 나올 확률은 $\dfrac{1}{2}$이므로

$$\mathrm{P}(X=\boxed{})=\dfrac{1}{2}\times\dfrac{1}{2}=\dfrac{1}{4}$$

$$\mathrm{P}(X=1)=\dfrac{1}{2}\times\dfrac{1}{2}+\dfrac{1}{2}\times\dfrac{1}{2}=\dfrac{1}{\boxed{}}$$

$$\mathrm{P}(X=2)=\dfrac{1}{2}\times\dfrac{1}{2}=\dfrac{1}{\boxed{}}$$

1-2 | 따라풀기 |

흰 공 1개와 붉은 공 2개가 들어 있는 주머니에서 임의로 2개의 공을 동시에 꺼낼 때, 나오는 흰 공의 개수를 확률변수 X라 하자. 다음을 구하시오.

(1) X가 가질 수 있는 모든 값

(2) X가 (1)의 각 값을 가질 확률

〔풀이〕

2-1 | 확률분포 |

1-1의 확률변수 X의 확률분포를 다음 방법으로 나타내시오.

(1) 표   (2) 그래프

〔연구〕

(1) 확률분포를 표로 나타내면 다음과 같다.

X	0	1	2	합계
$\mathrm{P}(X=x)$	$\dfrac{1}{\boxed{}}$	$\dfrac{1}{2}$	$\dfrac{1}{4}$	

(2) 확률분포를 그래프로 나타내면 오른쪽과 같다.

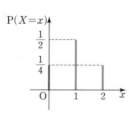

2-2 | 따라풀기 |

1-2의 확률변수 X의 확률분포를 다음 방법으로 나타내시오.

(1) 표   (2) 그래프

개념 4 이산확률변수의 기댓값

(1) 이산확률변수 X의 확률분포가 오른쪽 표와 같을 때,

X	x_1	x_2	$\cdots$	x_n	합계
$P(X=x_i)$	p_1	p_2	$\cdots$	p_n	❶

$$x_1p_1+x_2p_2+\cdots+x_np_n$$

을 이산확률변수 X의 **기댓값** 또는 ❷ 　　 이라 하고, 이것을 기호로 $\underline{\text{E}(X)}^{⊙}$와 같이 나타낸다.

(2) 이산확률변수 X의 확률분포가 $P(X=x_i)=p_i\ (i=1,2,\cdots,n)$일 때, X의 기댓값은
$$\text{E}(X)=x_1p_1+x_2p_2+\cdots+x_np_n$$

답 ❶ 1 ❷ 평균

개념 플러스

⊙ $\text{E}(X)$에서 E는 기댓값을 뜻하는 Expectation의 첫 글자이다.

ⓛ $\text{V}(X)$에서 V는 분산을 뜻하는 Variance의 첫 글자이다.

개념 5 이산확률변수의 분산과 표준편차

(1) 이산확률변수 X의 기댓값 $\text{E}(X)$를 m이라 할 때, $(X-m)^2$의 기댓값을 확률변수 X의 분산이라 하고, 이것을 기호로 $\underline{\text{V}(X)}^{ⓛ}$와 같이 나타낸다.
$$\text{V}(X)=\text{E}((X-\boxed{❶})^2)=\text{E}(X^2)-\{\text{E}(X)\}^2$$

(2) 분산 $\text{V}(X)$의 ❷ 　　의 제곱근 $\sqrt{\text{V}(X)}$를 확률변수 X의 표준편차라 하고, 이것을 기호로 $\underline{\sigma(X)}^{ⓒ}$와 같이 나타낸다.
$$\sigma(X)=\sqrt{\text{V}(X)}$$

답 ❶ m ❷ 양

ⓒ $\sigma(X)$에서 σ는 'Sigma'라 읽으며 표준편차를 뜻하는 standard deviation의 s에 해당하는 그리스 문자이다.

해설 (1) $\text{V}(X)=\text{E}((X-m)^2)$
$$=(x_1-m)^2p_1+(x_2-m)^2p_2+\cdots+(x_n-m)^2p_n$$
$$=(x_1^2p_1+\cdots+x_n^2p_n)-2m(x_1p_1+\cdots+x_np_n)+m^2(p_1+\cdots+p_n)$$
$$=(x_1^2p_1+\cdots+x_n^2p_n)-2m\times m+m^2\times 1$$
$$\overset{ⓔ}{=}(x_1^2p_1+\cdots+x_n^2p_n)-m^2$$
$$=\text{E}(X^2)-m^2$$
$$=\text{E}(X^2)-\{\text{E}(X)\}^2$$

ⓔ $x_1p_1+\cdots+x_np_n=\text{E}(X)$
이므로
$x_1^2p_1+\cdots+x_n^2p_n=\text{E}(X^2)$

개념 6 확률변수 $aX+b$의 평균, 분산, 표준편차

확률변수 X와 상수 $a,b\ (a\neq 0)$에 대하여

❶ 평균　　　$\text{E}(aX+b)=a\text{E}(X)+\boxed{❶}$

❷ 분산　　　$\text{V}(aX+b)=\boxed{❷}\,\text{V}(X)$

❸ 표준편차　$\sigma(aX+b)=|a|\sigma(X)$

답 ❶ b ❷ a^2

3-1 | 이산확률변수의 기댓값, 분산, 표준편차 |

확률변수 X의 확률분포가 아래 표와 같을 때, 다음을 구하시오.

X	1	2	3	합계
$P(X=x)$	$\dfrac{1}{4}$	$\dfrac{1}{2}$	$\dfrac{1}{4}$	1

(1) $E(X)$ (2) $V(X)$ (3) $\sigma(X)$

연구

(1) $E(X)=1\times\dfrac{1}{4}+2\times\dfrac{1}{2}+3\times\dfrac{1}{4}=\boxed{}$

(2) $E(X^2)=1^2\times\dfrac{1}{4}+2^2\times\dfrac{1}{2}+3^2\times\dfrac{1}{4}=\dfrac{9}{2}$이므로

$$V(X)=E(X^2)-\{E(X)\}^2$$
$$=\dfrac{\boxed{}}{2}-2^2=\dfrac{1}{2}$$

(3) $\sigma(X)=\sqrt{V(X)}=\sqrt{\dfrac{1}{2}}=\dfrac{\sqrt{2}}{\boxed{}}$

3-2 | 따라풀기 |

확률변수 X의 확률분포가 아래 표와 같을 때, 다음을 구하시오.

X	0	1	2	3	합계
$P(X=x)$	$\dfrac{1}{8}$	$\dfrac{3}{8}$	$\dfrac{3}{8}$	$\dfrac{1}{8}$	1

(1) $E(X)$ (2) $V(X)$ (3) $\sigma(X)$

풀이

4-1 | 확률변수 $aX+b$의 평균, 분산, 표준편차 |

확률변수 X에 대하여 $E(X)=2$, $V(X)=1$일 때, 다음 확률변수 Y의 평균, 분산, 표준편차를 구하시오.

(1) $Y=-2X+5$ (2) $Y=3X-1$

연구

(1) $E(Y)=E(-2X+5)=-2E(X)+\boxed{}=1$

    $V(Y)=V(-2X+5)=(-2)^2V(X)=\boxed{}$

    $\sigma(Y)=\sigma(-2X+5)=|-2|\sigma(X)=\boxed{}$

(2) $E(Y)=E(3X-1)=\boxed{}E(X)-1=5$

    $V(Y)=V(3X-1)=3^{\boxed{}}V(X)=9$

    $\sigma(Y)=\sigma(3X-1)=|3|\sigma(X)=\boxed{}$

4-2 | 따라풀기 |

확률변수 X에 대하여 $E(X)=5$, $V(X)=4$일 때, 다음 확률변수 Y의 평균, 분산, 표준편차를 구하시오.

(1) $Y=3X+2$ (2) $Y=-X+4$

풀이

5

확률분포

개념7 이항분포

일반적인 현상 중 성공과 실패, 생존과 사망, 찬성과 반대, 우량과 불량, 합격과 불합격 등과 같이 가능한 결과가 오직 2가지인 경우는 이항분포를 이용해.

1회의 시행에서 사건 A가 일어날 확률이 p일 때, n회의 독립시행에서 사건 A가 일어나는 횟수를 확률변수 X라 하자.

확률변수 X가 가지는 값은 $0, 1, 2, \cdots, n$이며 그 확률질량함수는

$$P(X=x)=\begin{cases} {}_n C_0 q^n & (x=0) \\ {}_n C_x p^x q^{n-x} & (0<x<n) \\ {}_n C_n p^n & (x=n) \end{cases} \quad (단, q=1-\boxed{\textbf{❶}}\ )$$

이때 확률변수 X의 확률분포를 표로 나타내면 다음과 같다.

X	0	1	2	$\cdots$	n	합계
$P(X=x)$	${}_n C_0 q^n$	${}_n C_1 p^1 q^{n-1}$	${}_n C_2 p^2 q^{n-2}$	$\cdots$	${}_n C_n p^n$	1

위 표에서 각 확률은 이항정리에 의하여 $(q+p)^n$을 전개한 식

$\underline{(q+p)^n = {}_n C_0 q^n + {}_n C_1 p^1 q^{n-1} + {}_n C_2 p^2 q^{n-2} + \cdots + {}_n C_n p^n}$ ㉠

의 우변의 각 항과 같다.

이와 같은 확률변수 $\underline{X}$의 확률분포를 **이항분포**라 하고, 이것을 기호로 $\underline{\textbf{B}(\textbf{\textit{n}}, \textbf{\textit{p}})}$와 같이 나타내며 확률변수 X는 이항분포 $B(n, p)$를 따른다고 한다.

예 1회의 시행에서 사건 A가 일어날 확률이 $\dfrac{1}{5}$인 독립시행을 80회 반복할 때, 사건 A가 일어나는 횟수를 확률변수 X라 하면 X는 이항분포 $B\left(80, \dfrac{1}{\boxed{\textbf{❷}}}\right)$을 따른다.

답 ❶ p ❷ 5

㉠ $p+q=1$이므로
$${}_n C_0 q^n + {}_n C_1 p^1 q^{n-1} + {}_n C_2 p^2 q^{n-2}$$
$$+ \cdots + {}_n C_n p^n = 1$$
이다.

㉡ 확률변수 X의 확률분포가 독립시행의 결과로 얻어지는 값이면 확률변수 X는 이항분포를 따른다.

개념8 이항분포의 평균, 분산, 표준편차

확률변수 X가 이항분포 $B(n, p)$를 따를 때 (단, $\underline{q=1-p}$)

❶ 평균 $E(X)=\boxed{\textbf{❶}}$

❷ 분산 $V(X)=npq$

❸ 표준편차 $\sigma(X)=\sqrt{npq}$

답 ❶ np

㉢ $B(n, p)$에서 B는 이항분포를 뜻하는 Binomial distribution의 첫 글자이고, n은 시행 횟수, p는 각 시행에서 사건 A가 일어날 확률이다.

보기 확률변수 X가 이항분포 $B\left(100, \dfrac{1}{10}\right)$을 따를 때, X의 평균, 분산, 표준편차를 구하시오.

연구 $n=100, p=\dfrac{1}{10}, q=1-p=\dfrac{9}{10}$이므로

$$E(X)=np=100 \times \dfrac{1}{10}=\textbf{10}$$

$$V(X)=npq=100 \times \dfrac{1}{10} \times \dfrac{9}{10}=\textbf{9}$$

$$\sigma(X)=\sqrt{npq}=\textbf{3}$$

㉣ $q=1-p$, 즉 $p+q=1$이므로 p는 사건이 일어날 확률, q는 사건이 일어나지 않을 확률이다.

5-1 | 이항분포 |

한 개의 주사위를 3번 던질 때, 3의 배수의 눈이 나오는 횟수를 확률변수 X라 하자. 다음 물음에 답하시오.

(1) X의 확률분포를 이항분포 $B(n, p)$ 꼴로 나타내시오.

(2) $P(X=1)$을 구하시오.

연구

(1) 3회의 독립시행이고, 한 번의 시행에서 3의 배수의 눈이 나올 확률은 $\dfrac{1}{3}$이다.

따라서 확률변수 X는 이항분포 $B\!\left(3, \dfrac{1}{\boxed{}}\right)$을 따른다.

(2) $P(X=1) = {}_3C_1\!\left(\dfrac{1}{3}\right)^1\!\left(\dfrac{2}{3}\right)^{\boxed{}} = \dfrac{\boxed{}}{9}$

5-2 | 따라풀기 |

한 개의 동전을 5번 던졌을 때, 앞면이 나오는 횟수를 확률변수 X라 하자. 다음 물음에 답하시오.

(1) X의 확률분포를 이항분포 $B(n, p)$ 꼴로 나타내시오.

(2) $P(X=3)$을 구하시오.

풀이

6-1 | 이항분포의 평균과 분산 |

확률변수 X가 다음 이항분포를 따를 때, X의 평균과 분산을 구하시오.

(1) $B\!\left(16, \dfrac{3}{4}\right)$ (2) $B\!\left(720, \dfrac{1}{6}\right)$

연구

(1) 확률변수 X가 이항분포 $B\!\left(16, \dfrac{3}{4}\right)$을 따르므로

$E(X) = 16 \times \dfrac{3}{4} = \boxed{}$

$V(X) = 16 \times \dfrac{3}{4} \times \dfrac{1}{\boxed{}} = \boxed{}$

(2) 확률변수 X가 이항분포 $B\!\left(720, \dfrac{1}{6}\right)$을 따르므로

$E(X) = 720 \times \dfrac{1}{6} = \boxed{}$

$V(X) = 720 \times \dfrac{1}{6} \times \dfrac{\boxed{}}{6} = \boxed{}$

6-2 | 따라풀기 |

확률변수 X가 다음 이항분포를 따를 때, X의 평균과 분산을 구하시오.

(1) $B(100, 0.1)$ (2) $B\!\left(400, \dfrac{1}{5}\right)$

풀이

1 $0 \leq p_i \leq 1$ (단, $i=1, 2, \cdots, n$)

2 $p_1 + p_2 + \cdots + p_n = 1$

3 $P(x_i \leq X \leq x_j) = p_i + p_{i+1} + \cdots + p_j$ (단, $i \leq j$)

X	x_1	x_2	$\cdots$	x_n	합계
$P(X=x_i)$	p_1	p_2	$\cdots$	p_n	1

확률변수 X가 가질 수 있는 모든 실숫값에 대한 확률의 총합은 항상 1이다.

예제 확률변수 X의 확률분포가 오른쪽 표와 같을 때, 다음을 구하시오.

(1) 상수 a, b의 합 $a+b$의 값

(2) $P(X=0$ 또는 $X=2)$

(3) $P(1 \leq X \leq 3)$

X	0	1	2	3	합계
$P(X=x)$	$\frac{1}{10}$	a	$\frac{3}{10}$	b	1

해법 코드

(2) $P(X=0$ 또는 $X=2)$
$= P(X=0) + P(X=2)$

(3) $P(1 \leq X \leq 3)$은 확률변수 X가 1 이상 3 이하의 값을 가질 확률을 뜻한다.

셀파 확률분포 $P(X=x_i)=p_i$ $(i=1, 2, \cdots, n)$에서 $p_1 + p_2 + \cdots + p_n = 1$

풀이 (1) 확률의 총합은 1이므로 $\frac{1}{10} + a + \frac{3}{10} + b = 1$

$\therefore a+b = 1 - \frac{2}{5} = \frac{3}{5}$

(2) $P(X=0$ 또는 $X=2) = P(X=0) + P(X=2)$

$= \frac{1}{10} + \frac{3}{10} = \frac{2}{5}$

(3) $P(1 \leq X \leq 3) = P(X=1) + P(X=2) + P(X=3)$

$= a + \frac{3}{10} + b = a + b + \frac{3}{10} = \frac{3}{5} + \frac{3}{10} = \frac{9}{10}$

● 확률변수 X가 가지는 값은 0, 1, 2, 3이고 $1 \leq X \leq 3$인 X는 1, 2, 3이다.

다른 풀이

(3) 여사건의 확률을 이용하여 구할 수 있다.

$P(X=1$ 또는 $X=2$ 또는 $X=3)$
$= 1 - P(X=0)$
$= 1 - \frac{1}{10} = \frac{9}{10}$

확인 문제   정답과 해설 | **46**쪽   MY 셀파

01-1 (상 중 하) 확률변수 X의 확률분포가 오른쪽 표와 같을 때, 다음을 구하시오.

(1) 상수 a의 값

(2) $P(0 \leq X \leq 2)$

X	-2	-1	0	1	2	합계
$P(X=x)$	$\frac{1}{7}$	$\frac{2}{7}$	$\frac{1}{7}$	a	$\frac{1}{7}$	1

01-1

(2) $P(0 \leq X \leq 2)$
$= P(X=0$ 또는 $X=1$
또는 $X=2)$

01-2 (상 중 하) 확률변수 X의 확률분포가 오른쪽 표와 같을 때, 다음을 구하시오.

(1) $P(X \geq 0)$

(2) $P(X^2 - X - 6 = 0)$

X	-2	-1	0	3	합계
$P(X=x)$	a	$3a$	$2a$	$4a$	1

01-2

(1) $P(X \geq 0)$
$= P(X=0$ 또는 $X=3)$

(2) $P(X^2 - X - 6 = 0)$
$= P((X+2)(X-3)=0)$
$= P(X=-2$ 또는 $X=3)$

이산확률변수 X의 확률분포를 나타내는 확률질량함수가

$\mathrm{P}(X=x_i)=p_i$ $(i=1, 2, \cdots, n)$일 때, 확률의 기본 성질에 의하여 다음이 성립한다.

❶ $0 \leq p_i \leq 1$

❷ $p_1+p_2+\cdots+p_n=1$

표본공간 S의 임의의 사건 A에 대하여

❶ $0 \leq \mathrm{P}(A) \leq 1$

❷ $\mathrm{P}(S)=1$

❸ $\mathrm{P}(\varnothing)=0$

예제 확률변수 X의 확률질량함수가 $\mathrm{P}(X=x)=\dfrac{x}{k}$ $(x=1, 2, \cdots, 6)$일 때, 다음을 구하시오.

(1) 상수 k의 값

(2) $\mathrm{P}(X \leq 3)$

해법 코드

(1) 확률변수 X의 확률분포를 표로 나타낸다.

(2) $\mathrm{P}(X \leq 3)=\mathrm{P}(X=1)$
$+\mathrm{P}(X=2)+\mathrm{P}(X=3)$

셀파 확률질량함수 $\mathrm{P}(X=x_i)=p_i \Rightarrow p_1+p_2+\cdots+p_n=1$

풀이 (1) 확률변수 X의 확률분포를 표로 나타내면 다음과 같다.

X	1	2	3	4	5	6	합계
$\mathrm{P}(X=x)$	$\dfrac{1}{k}$	$\dfrac{2}{k}$	$\dfrac{3}{k}$	$\dfrac{4}{k}$	$\dfrac{5}{k}$	$\dfrac{6}{k}$	1

ⓐ 확률의 총합은 1이므로 $\dfrac{1}{k}+\dfrac{2}{k}+\dfrac{3}{k}+\dfrac{4}{k}+\dfrac{5}{k}+\dfrac{6}{k}=1$

$\dfrac{21}{k}=1$ $\quad \therefore k=21$

(2) $\mathrm{P}(X \leq 3)=\overset{ⓑ}{\underline{\mathrm{P}(X=1)+\mathrm{P}(X=2)+\mathrm{P}(X=3)}}$

$=\dfrac{1}{21}+\dfrac{2}{21}+\dfrac{3}{21}=\dfrac{2}{7}$

ⓐ 확률변수 X가 가지는 값이 1, 2, $\cdots$, 6이므로
$\mathrm{P}(X=1)+\mathrm{P}(X=2)+\cdots$
$+\mathrm{P}(X=6)=1$

ⓑ $\mathrm{P}(X=1)=\dfrac{1}{k}=\dfrac{1}{21}$

$\mathrm{P}(X=2)=\dfrac{2}{k}=\dfrac{2}{21}$

$\mathrm{P}(X=3)=\dfrac{3}{k}=\dfrac{3}{21}$

확인 문제 | 정답과 해설 | **47**쪽

MY 셀파

02-1
（상）（중）（하） 확률변수 X의 확률질량함수가 $\mathrm{P}(X=x)=kx^2$ $(x=1, 2, 3, 4)$일 때, 다음을 구하시오.

(1) 상수 k의 값

(2) $\mathrm{P}(X \geq 3)$

02-1
확률변수 X의 확률분포를 표로 나타낸다.

02-2
（상）（중）（하） 확률변수 X의 확률질량함수가 $\mathrm{P}(X=x)=\dfrac{k}{x(x+1)}$ $(x=1, 2, \cdots, 10)$일 때, 상수 k의 값을 구하시오.

02-2
$\dfrac{k}{AB}=\dfrac{k}{B-A}\left(\dfrac{1}{A}-\dfrac{1}{B}\right)$임을 이용한다.

1 확률변수 X가 가질 수 있는 값을 조사한다.

2 각각의 X의 값에 대한 확률을 구한다.

3 2의 대응 관계를 식 또는 표로 나타낸다.

확률변수 X가 이산확률변수인 경우 X의 값이 될 수 있는 수는 대부분 정수이다.

예제 깨가 들어 있는 송편이 4개, 콩이 들어 있는 송편이 3개가 담겨 있는 접시가 있다. 이 중에서 임의로 2개의 송편을 고를 때, 깨가 들어 있는 송편의 개수를 확률변수 X라 하자. 다음 물음에 답하시오.

(1) X의 확률질량함수를 구하시오.

(2) X의 확률분포를 표로 나타내시오.

(3) 깨가 들어 있는 송편이 1개 이상 나올 확률을 구하시오.

해법 코드
확률변수 X가 가질 수 있는 모든 값을 찾고 X의 각 값에 대한 확률을 구한다.

셀파 확률변수 X가 가질 수 있는 모든 값에 대응하는 확률을 구한다.

풀이 (1) 확률변수 X가 가질 수 있는 값은 0, 1, 2이다.

이때 7개의 송편이 담겨 있는 접시에서 2개의 송편을 고르는 경우의 수는 $_7C_2$이고, 고른 2개의 송편 중에서 깨가 들어 있는 송편이 x개인 경우의 수는 $_4C_x \times _3C_{2-x}$이다.

따라서 X의 확률질량함수는 $P(X=x) = \dfrac{_4C_x \times _3C_{2-x}}{_7C_2}$ $(x=0, 1, 2)$

참고
X의 확률분포를 그래프로 나타내면 다음과 같다.

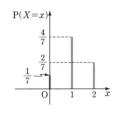

(2) 확률변수 X가 각 값을 가질 확률은

$P(X=0) = \dfrac{_4C_0 \times _3C_2}{_7C_2} = \dfrac{1}{7}$, $P(X=1) = \dfrac{_4C_1 \times _3C_1}{_7C_2} = \dfrac{4}{7}$,

$P(X=2) = \dfrac{_4C_2 \times _3C_0}{_7C_2} = \dfrac{2}{7}$

따라서 X의 확률분포를 표로 나타내면 오른쪽과 같다.

X	0	1	2	합계
$P(X=x)$	$\dfrac{1}{7}$	$\dfrac{4}{7}$	$\dfrac{2}{7}$	1

확률변수 X가 a 이상의 값을 가질 확률은 $P(X \geq a)$로 나타내.

(3) $P(X \geq 1) = P(X=1) + P(X=2) = \dfrac{4}{7} + \dfrac{2}{7} = \dfrac{6}{7}$

확인 문제   정답과 해설 | **47**쪽   MY 셀파

03-1 어떤 압정을 300번 던질 때, 똑바로 선 경우가 100번이라 한다. 이 압정을 2번 던질 때, 똑바로 서는 압정의 개수를 확률변수 X라 하자. 다음 물음에 답하시오.
(상)(중)(하)

(1) X의 확률분포를 표로 나타내시오.

(2) 압정이 2번 모두 똑바로 설 확률을 구하시오.

03-1
압정을 2번 던지는 경우이므로 확률변수 X가 가질 수 있는 값은 0, 1, 2이다.

해법 04 확률변수의 평균, 분산, 표준편차 (1)

PLUS ➕

이산확률변수 X의 확률질량함수가 $P(X=x_i)=p_i$ $(i=1, 2, \cdots, n)$일 때, X의 평균, 분산, 표준편차는 각각 다음과 같다.

❶ $m=E(X)=x_1 p_1 + x_2 p_2 + \cdots + x_n p_n$

❷ $V(X)=E((X-m)^2)=E(X^2)-\{E(X)\}^2$

❸ $\sigma(X)=\sqrt{V(X)}$

$$V(X)=(x_1^2 p_1 + x_2^2 p_2 + \cdots + x_n^2 p_n) - m^2$$
$$=E(X^2)-\{E(X)\}^2$$

예제 확률변수 X의 확률분포가 오른쪽 표와 같다. X의 평균이 $\dfrac{3}{4}$일 때, 다음을 구하시오.

X	$-a$	0	1	a	합계
$P(X=x)$	$\dfrac{1}{8}$	$\dfrac{1}{4}$	$\dfrac{1}{4}$	b	1

해법 코드

$P(X=x_i)=p_i$일 때

$x_1 p_1 + x_2 p_2 + \cdots + x_n p_n = \dfrac{3}{4}$

(1) 상수 a, b의 값 (2) X의 표준편차

셀파 $V(X)=E(X^2)-\{E(X)\}^2$, $\sigma(X)=\sqrt{V(X)}$

풀이 (1) ❶$\dfrac{1}{8}+\dfrac{1}{4}+\dfrac{1}{4}+b=1$에서 $\dfrac{5}{8}+b=1$ $\therefore b=\dfrac{3}{8}$

❷$E(X)=\dfrac{3}{4}$이므로 $-a\times\dfrac{1}{8}+0\times\dfrac{1}{4}+1\times\dfrac{1}{4}+a\times\dfrac{3}{8}=\dfrac{3}{4}$

$\dfrac{a}{4}+\dfrac{1}{4}=\dfrac{3}{4}$, $\dfrac{a}{4}=\dfrac{2}{4}$ $\therefore a=2$

(2) ❸$E(X^2)=(-2)^2\times\dfrac{1}{8}+0^2\times\dfrac{1}{4}+1^2\times\dfrac{1}{4}+2^2\times\dfrac{3}{8}=\dfrac{9}{4}$이므로

$V(X)=E(X^2)-\{E(X)\}^2=\dfrac{9}{4}-\left(\dfrac{3}{4}\right)^2=\dfrac{27}{16}$

$\therefore \sigma(X)=\sqrt{V(X)}=\sqrt{\dfrac{27}{16}}=\dfrac{3\sqrt{3}}{4}$

❶ 확률분포표에서 확률의 총합은 1이다.

❷ $E(X)$는 확률변수 X의 평균(기댓값)이다.

❸ $E(X^2)$은 확률변수 X^2의 평균(기댓값)이다.

확인 문제

정답과 해설 | **47**쪽

MY 셀파

04-1 확률변수 X의 확률분포가 오른쪽 표와 같다. X의 평균이 1일 때, X의 분산을 구하시오. (단, a, b는 상수)

X	0	1	2	3	합계
$P(X=x)$	$\dfrac{2}{5}$	a	b	$\dfrac{1}{10}$	1

04-1

$V(X)=E(X^2)-\{E(X)\}^2$

04-2 확률변수 X의 확률분포가 오른쪽 표와 같을 때, X의 표준편차를 구하시오. (단, a는 상수)

X	-1	0	1	2	합계
$P(X=x)$	$\dfrac{3}{10}$	$\dfrac{1}{10}$	$2a$	a	1

04-2

$\sigma(X)=\sqrt{V(X)}$

5 확률분포

이산확률변수 X의 확률분포가 주어지지 않은 경우 X의 평균, 분산, 표준편차는 다음과 같이 구한다.

1️⃣ 확률변수 X가 가질 수 있는 각 값에 대하여 각각의 확률을 구한다.

2️⃣ 확률변수 X의 확률분포를 표로 나타낸다.

3️⃣ 확률변수 X의 평균, 분산, 표준편차를 구한다.

확률분포를 표로 나타낸다.
⇩
평균을 구한다.
⇩
분산을 구한다.
⇩
표준편차를 구한다.

예제 1, 2, 3, 4, 5의 숫자가 하나씩 적힌 5장의 카드 중에서 임의로 2장을 동시에 뽑을 때, 홀수가 적힌 카드의 개수를 확률변수 X라 하자. 다음 물음에 답하시오.

(1) X의 확률분포를 표로 나타내시오.

(2) X의 평균, 분산, 표준편차를 구하시오.

해법 코드
홀수가 적힌 카드의 개수는 0 또는 1 또는 2이다.

셀파 이산확률변수의 평균, 분산, 표준편차 ⇨ 확률분포를 표로 나타낸다.

풀이 (1) 확률변수 X가 가질 수 있는 값은 ^❶0, 1, 2이고, 그 확률은 각각

$$P(X=0)=\frac{{}_2C_2}{{}_5C_2}=\frac{1}{10}, \ P(X=1)=\frac{{}_3C_1\times{}_2C_1}{{}_5C_2}=\frac{3}{5},$$

$$P(X=2)=\frac{{}_3C_2}{{}_5C_2}=\frac{3}{10}$$

따라서 X의 확률분포를 표로 나타내면 오른쪽과 같다.

X	0	1	2	합계
$P(X=x)$	$\frac{1}{10}$	$\frac{3}{5}$	$\frac{3}{10}$	1

❶ 홀수가 적힌 카드는 3장이지만 2장을 뽑는 경우이므로 홀수가 적힌 카드는 최대 2장까지 뽑을 수 있다.

(2) <u>$E(X)$</u>$=0\times\frac{1}{10}+1\times\frac{3}{5}+2\times\frac{3}{10}=\frac{6}{5}$

$E(X^2)=0^2\times\frac{1}{10}+1^2\times\frac{3}{5}+2^2\times\frac{3}{10}=\frac{9}{5}$이므로

$$V(X)=E(X^2)-\{E(X)\}^2=\frac{9}{5}-\left(\frac{6}{5}\right)^2=\frac{9}{25}$$

$$\sigma(X)=\sqrt{V(X)}=\sqrt{\frac{9}{25}}=\frac{3}{5}$$

❷ $\sigma(X)$를 구하려면 $V(X)$를 구해야 하고, $V(X)$를 구하려면 $E(X)$와 $E(X^2)$을 각각 구해야 한다. 즉, $E(X)$, $E(X^2)$, $V(X)$를 차례로 구한 다음 $\sigma(X)$를 구한다.

확인 문제　　　　　　　　　　　　　　　　　정답과 해설 | **48**쪽　　　　MY 셀파

05-1
상 중 **하**
한 개의 주사위를 던져서 나오는 눈의 수를 확률변수 X라 할 때, X의 평균과 분산을 구하시오.

05-1
확률변수 X가 가질 수 있는 값은 1, 2, 3, 4, 5, 6이다.

05-2
상 **중** 하
50원짜리 동전과 100원짜리 동전을 각각 1개씩 동시에 던질 때, 앞면이 나온 동전의 금액의 합을 확률변수 X라 하자. X의 평균, 분산, 표준편차를 구하시오.

05-2
확률변수 X가 가질 수 있는 값은 0, 50, 100, 150이다.

Q 확률변수 X의 확률분포가 오른쪽 표와 같을 때, 새로운 확률변수

X	x_1	x_2	$\cdots$	x_n	합계
$P(X=x_i)$	p_1	p_2	$\cdots$	p_n	1

$Y=aX+b$ (a, b는 상수, $a \neq 0$)

의 평균, 분산, 표준편차는 어떻게 구해야 하나요?

A 확률변수 X가 가지는 값 x_i $(i=1, 2, \cdots, n)$에 대하여 $\underline{y_i = ax_i + b}$라 하고 $P(Y=y_i)$를 p_i로 나타내 봐.

Q $P(Y=y_i)$에 $Y=aX+b$, $y_i=ax_i+b$를 대입하면
$P(Y=y_i)=P(aX+b=ax_i+b)=P(X=x_i)=p_i$예요.

A 잘했어. 그럼 이번에는 확률변수 Y의 확률분포를 표로 나타내 볼래?

Q $P(Y=y_i)=p_i$이므로 Y의 확률분포를 표로 나타내면 오른쪽과 같아요.

Y	y_1	y_2	$\cdots$	y_n	합계
$P(Y=y_i)$	p_1	p_2	$\cdots$	p_n	1

A $E(X)=m$이라 하고 구한 표에서 확률변수 Y의 평균 $E(Y)$, 분산 $V(Y)$, 표준편차 $\sigma(Y)$를 차례로 구해 보자.

Q
$$E(Y)=y_1 p_1 + y_2 p_2 + \cdots + y_n p_n$$
$$= (ax_1+b)p_1 + (ax_2+b)p_2 + \cdots + (ax_n+b)p_n$$
$$= a(x_1 p_1 + x_2 p_2 + \cdots + x_n p_n) + b(p_1 + p_2 + \cdots + p_n)$$
$$= aE(X)+b$$
$$V(Y)=\{y_1 - E(Y)\}^2 p_1 + \{y_2 - E(Y)\}^2 p_2 + \cdots + \{y_n - E(Y)\}^2 p_n$$
$$= \{(ax_1+b)-(am+b)\}^2 p_1 + \{(ax_2+b)-(am+b)\}^2 p_2 + \cdots$$
$$\qquad\qquad + \{(ax_n+b)-(am+b)\}^2 p_n$$
$$= a^2 \{(x_1-m)^2 p_1 + (x_2-m)^2 p_2 + \cdots + (x_n-m)^2 p_n\}$$
$$= a^2 V(X)$$
$$\sigma(Y)=\sqrt{V(Y)}=\sqrt{a^2 V(X)}=|a|\sigma(X)$$

이렇게 구하면 되는 거네요.

A 맞아. 이를 정리하면 확률변수 $aX+b$의 평균, 분산, 표준편차는 다음과 같아.

확률변수 X와 상수 a, b $(a \neq 0)$에 대하여

❶ 평균 $\quad E(aX+b)=aE(X)+b$

❷ 분산 $\quad V(aX+b)=a^2 V(X)$

❸ 표준편차 $\quad \sigma(aX+b)=|a|\sigma(X)$

㉠ 확률변수 X의 평균 $E(X)$, 분산 $V(X)$, 표준편차 $\sigma(X)$를 구하면
$$E(X)=x_1 p_1 + x_2 p_2 + \cdots + x_n p_n$$
$$V(X)=E((X-m)^2)$$
$$\sigma(X)=\sqrt{V(X)}$$

㉡ $y_i = ax_i + b$라 하면 x_i와 y_i는 일대일대응이 된다. 따라서 $X=x_i$일 확률과 $Y=y_i$일 확률은 서로 같다. 즉,
$$P(Y=y_i)=P(X=x_i)$$

㉢ $x_1 p_1 + x_2 p_2 + \cdots + x_n p_n = E(X)$
$p_1 + p_2 + \cdots + p_n = 1$

㉣ $E(Y)=aE(X)+b$
$\qquad = am+b$

㉤ $V(X)$
$= E((X-m)^2)$
$= (x_1-m)^2 p_1 + (x_2-m)^2 p_2 + \cdots + (x_n-m)^2 p_n$

확률변수 X와 상수 a, b $(a \neq 0)$에 대하여 확률변수 $aX+b$의 평균, 분산, 표준편차는 다음과 같다.

❶ **평균** $\mathrm{E}(aX+b)=a\mathrm{E}(X)+b$

❷ **분산** $\mathrm{V}(aX+b)=a^2\mathrm{V}(X)$

❸ **표준편차** $\sigma(aX+b)=|a|\sigma(X)$

01 확률변수 X에 대하여 $\mathrm{E}(X)=5$, $\sigma(X)=2$일 때, 다음을 구하시오.

(1) $\mathrm{E}(4X+1)$

(2) $\mathrm{V}(2X-3)$

(3) $\sigma(-3X+2)$

02 확률변수 X에 대하여 $\mathrm{E}(X)=3$, $\mathrm{E}(X^2)=25$일 때, 다음을 구하시오.

(1) $\mathrm{E}(7-2X)$

(2) $\mathrm{V}(7-2X)$

(3) $\sigma(7-2X)$

03 확률변수 X의 확률분포가 아래 표와 같을 때, 다음을 구하시오.

X	10	20	30	합계
$\mathrm{P}(X=x)$	$\dfrac{1}{10}$	$\dfrac{3}{5}$	$\dfrac{3}{10}$	1

(1) $\mathrm{E}(2X+5)$

(2) $\mathrm{V}(2X+5)$

04 확률변수 X의 확률분포가 아래 표와 같을 때, 다음을 구하시오. (단, a는 상수)

X	0	1	2	3	합계
$\mathrm{P}(X=x)$	$2a$	$3a$	$3a$	$2a$	1

(1) $\mathrm{E}(3-2X)$

(2) $\mathrm{V}(3-2X)$

확률변수 X와 상수 a, b $(a \neq 0)$에 대하여

❶ $\mathrm{E}(aX+b) = a\mathrm{E}(X)+b$

❷ $\mathrm{V}(aX+b) = a^2\mathrm{V}(X)$

❸ $\sigma(aX+b) = |a|\sigma(X)$

❹ $\mathrm{V}(X) = \mathrm{E}(X^2) - \{\mathrm{E}(X)\}^2$

> $\mathrm{E}(X)$는 확률변수 X의 평균이고 $\mathrm{E}(X^2)$은 확률변수 X^2의 평균이므로 $\mathrm{E}(X^2) \neq \{\mathrm{E}(X)\}^2$

예제

1. 평균이 16, 분산이 4인 확률변수 X에 대하여 확률변수 $Y=aX+b$의 평균이 5, 분산이 1일 때, 상수 a, b의 값을 구하시오. (단, $a>0$)

2. 흰 구슬 3개, 검은 구슬 2개가 들어 있는 주머니에서 2개의 구슬을 임의로 동시에 꺼낼 때, 나오는 흰 구슬의 개수를 확률변수 X라 하자. $\mathrm{E}(5X+2)$를 구하시오.

해법 코드

1. $\mathrm{E}(X)=16$, $\mathrm{V}(X)=4$
$\mathrm{E}(aX+b)=5$
$\mathrm{V}(aX+b)=1$

2. 확률변수 X가 가질 수 있는 값은 0, 1, 2이다.

셀파 확률변수 $aX+b$의 평균, 분산, 표준편차 ⇨ X의 평균, 분산, 표준편차 이용

풀이 **1.** $\mathrm{E}(Y)=\mathrm{E}(aX+b)=5$이므로 $a\mathrm{E}(X)+b=5$

이때 $\mathrm{E}(X)=16$이므로 $16a+b=5$ ······㉠

$\mathrm{V}(Y)=\mathrm{V}(aX+b)=1$이므로 $a^2\mathrm{V}(X)=1$

이때 $\mathrm{V}(X)=4$이므로 $4a^2=1$ ∴ $a=\dfrac{1}{2}$ $(\because a>0)$

$a=\dfrac{1}{2}$을 ㉠에 대입하면 $8+b=5$ ∴ $b=-3$

❶ $Y=aX+b$의 평균이 5이다.

❷ $Y=aX+b$의 분산이 1이다.

2. 확률변수 X가 가질 수 있는 값은 0, 1, 2이고, 그 확률은 각각

$\mathrm{P}(X=0) = \dfrac{{}_2\mathrm{C}_2}{{}_5\mathrm{C}_2} = \dfrac{1}{10}$, $\mathrm{P}(X=1) = \dfrac{{}_3\mathrm{C}_1 \times {}_2\mathrm{C}_1}{{}_5\mathrm{C}_2} = \dfrac{3}{5}$,

$\mathrm{P}(X=2) = \dfrac{{}_3\mathrm{C}_2}{{}_5\mathrm{C}_2} = \dfrac{3}{10}$

따라서 X의 확률분포를 표로 나타내면 오른쪽과 같다.

X	0	1	2	합계
$\mathrm{P}(X=x)$	$\dfrac{1}{10}$	$\dfrac{3}{5}$	$\dfrac{3}{10}$	1

$\mathrm{E}(X) = 0 \times \dfrac{1}{10} + 1 \times \dfrac{3}{5} + 2 \times \dfrac{3}{10} = \dfrac{6}{5}$ ∴ $\mathrm{E}(5X+2) = 5\mathrm{E}(X)+2 = 8$

❸ 꺼낸 2개의 구슬 중에서 흰 구슬이 0개이므로 검은 구슬 2개 중에서 2개를 뽑는다.

확인 문제 정답과 해설 | **49**쪽 **MY 셀파**

06-1

확률변수 X, Y에 대하여 $Y=\dfrac{1}{10}X - \dfrac{3}{2}$이고 $\mathrm{E}(Y)=-0.5$, $\mathrm{V}(Y)=0.45$일 때, $\mathrm{E}(X^2)$을 구하시오.

06-1
$X=10Y+150$이므로
$\mathrm{E}(X)=\mathrm{E}(10Y+15)$
$\mathrm{V}(X)=\mathrm{V}(10Y+15)$

06-2
확률변수 X의 확률질량함수가 $\mathrm{P}(X=x) = \dfrac{k}{2}x$ $(x=3, 4, 5)$일 때, $\mathrm{E}(-6X+1)$을 구하시오. (단, k는 상수)

06-2
확률변수 X의 확률분포를 표로 나타낸다.

5 확률분포

한 번의 시행에서 사건 A가 일어날 확률이 p일 때, n번의 독립시행에서 사건 A가 일어나는 횟수를 확률변수 X라 하면 X는 이항분포 $\mathrm{B}(n,\,p)$를 따른다.

이때 X의 확률질량함수는

$$\mathrm{P}(X=x)=\begin{cases} {}_n\mathrm{C}_0(1-p)^n & (x=0) \\ {}_n\mathrm{C}_x p^x(1-p)^{n-x} & (x=1,\,2,\,\cdots,\,n-1) \\ {}_n\mathrm{C}_n p^n & (x=n) \end{cases}$$

확률변수 X에 대한 확률이 독립시행의 확률이면 X는 이항분포를 따른다.

예제 한 개의 주사위를 10번 던져서 2의 배수의 눈이 나오는 횟수를 확률변수 X라 할 때, 다음을 구하시오.

(1) X의 확률질량함수

(2) 2의 배수의 눈이 8번 이상 나올 확률

해법 코드

(1) X가 이항분포 $\mathrm{B}(n,\,p)$를 따른다.
⇨ $\mathrm{P}(X=x)={}_n\mathrm{C}_x p^x(1-p)^{n-x}$

(2) $\mathrm{P}(X\geq 8)$
$=\mathrm{P}(X=8)+\mathrm{P}(X=9)$
$\qquad +\mathrm{P}(X=10)$

셀파 이항분포를 따르는 확률변수 X의 확률 ⇨ 독립시행의 확률

풀이 (1) 한 개의 주사위를 한 번 던져서 2의 배수의 눈이 나오는 확률은 $\dfrac{1}{2}$이므로

확률변수 X는 이항분포 ❶$\mathrm{B}\left(10,\,\dfrac{1}{2}\right)$을 따른다.

따라서 X의 확률질량함수는

$$\mathrm{P}(X=x)=\begin{cases} {}_{10}\mathrm{C}_0\left(\dfrac{1}{2}\right)^{10} & (x=0) \\ {}_{10}\mathrm{C}_x\left(\dfrac{1}{2}\right)^{x}\left(\dfrac{1}{2}\right)^{10-x} & (x=1,\,2,\,\cdots,\,9) \\ {}_{10}\mathrm{C}_{10}\left(\dfrac{1}{2}\right)^{10} & (x=10) \end{cases}$$

(2) $\mathrm{P}(X\geq 8)=\mathrm{P}(X=8)+\mathrm{P}(X=9)+\mathrm{P}(X=10)$

$={}_{10}\mathrm{C}_8\left(\dfrac{1}{2}\right)^{10}+{}_{10}\mathrm{C}_9\left(\dfrac{1}{2}\right)^{10}+{}_{10}\mathrm{C}_{10}\left(\dfrac{1}{2}\right)^{10}=\dfrac{7}{128}$

❶ 주어진 조건에서 확률변수 X가 이항분포 $\mathrm{B}\left(10,\,\dfrac{1}{2}\right)$을 따르므로 X의 확률질량함수는 $n=10$, $p=\dfrac{1}{2}$을 대입하여 구한다.

❷ $\left(\dfrac{1}{2}\right)^{x}\left(\dfrac{1}{2}\right)^{10-x}=\left(\dfrac{1}{2}\right)^{x+10-x}$
$\qquad =\left(\dfrac{1}{2}\right)^{10}$

독립인 사건이 반복되면 이항분포를 떠올려 봐!

확인 문제   정답과 해설 | **49**쪽   **MY 셀파**

07-1 K 기계에서 생산되는 제품 중 10 %는 불량품이다. 이 기계에서 생산된 제품 중에서 5개를 고를 때, 나오는 불량품의 개수를 확률변수 X라 하자. 다음을 구하시오. (단, $(0.9)^5=0.590$, $(0.9)^4=0.656$으로 계산한다.)

(1) X의 확률질량함수

(2) 불량품이 1개 이하일 확률

07-1
확률변수 X는 이항분포 $\mathrm{B}(5,\,0.1)$을 따른다.

Q 확률변수 X가 이항분포 $B(n, p)$를 따를 때, 평균, 분산, 표준편차를 구하는 공식은 다음과 같아요.

$$\mathrm{E}(X)=np, \mathrm{V}(X)=npq, \sigma(X)=\sqrt{npq} \ (단, q=1-p)$$

$n=2, n=3$인 경우 이 공식이 얻어지는 과정을 이용하여 $\mathrm{E}(X), \mathrm{V}(X), \sigma(X)$를 구할 수 있나요?

A 확률변수 X가 이항분포 $B(n, p)$를 따를 때, X의 확률질량함수 $_nC_x p^x (1-p)^{n-x}$을 이용하면 $n=2$일 때 이항분포 $B(2, p)$를 따르는 확률변수 X의 확률분포를 다음과 같이 표로 나타낼 수 있어. 여기서 $q=1-p$라 하자.

X	0	1	2	합계
$P(X=x)$	$_2C_0 q^2$	$_2C_1 p^1 q^1$	$_2C_2 p^2$	1

이때 확률변수 X의 평균, 분산, 표준편차를 구해 보겠니?

Q $\mathrm{E}(X)=0 \times q^2 + 1 \times 2pq + 2 \times p^2 = 2pq + 2p^2 = 2p(q+p) = 2p \ (\because p+q=1)$

$\mathrm{E}(X^2)=0^2 \times q^2 + 1^2 \times 2pq + 2^2 \times p^2 = 2pq + 4p^2 = 2p(q+2p)$

$\mathrm{V}(X)=\mathrm{E}(X^2)-\{\mathrm{E}(X)\}^2 = 2p(q+2p)-(2p)^2 = 2pq$

$\sigma(X)=\sqrt{\mathrm{V}(X)}=\sqrt{2pq}$

즉, $n=2$일 때, $\mathrm{E}(X)=2p, \mathrm{V}(X)=2pq, \sigma(X)=\sqrt{2pq}$예요.

A 이번에는 $n=3$인 경우를 확인해 보자. 이항분포 $B(3, p)$를 따르는 확률변수 X의 확률분포가 다음 표와 같으므로 이를 이용하여 X의 평균과 분산, 표준편차를 구해 봐.

X	0	1	2	3	합계
$P(X=x)$	$_3C_0 q^3$ $\rightarrow q^3$	$_3C_1 p^1 q^2$ $\rightarrow 3pq^2$	$_3C_2 p^2 q^1$ $\rightarrow 3p^2 q$	$_3C_3 p^3$ $\rightarrow p^3$	1

Q $\mathrm{E}(X)=0 \times q^3 + 1 \times 3pq^2 + 2 \times 3p^2 q + 3 \times p^3$

$\qquad = 3p(q^2+2pq+p^2) = 3p(p+q)^2 = 3p \ (\because p+q=1)$

$\mathrm{E}(X^2)=0^2 \times q^3 + 1^2 \times 3pq^2 + 2^2 \times 3p^2 q + 3^2 \times p^3$

$\qquad = 3p(q^2+4pq+3p^2) = 3p(q+p)(q+3p) = 3p(q+3p) \ (\because p+q=1)$

$\mathrm{V}(X)=\mathrm{E}(X^2)-\{\mathrm{E}(X)\}^2 = 3p(q+3p)-(3p)^2 = 3pq$

$\sigma(X)=\sqrt{\mathrm{V}(X)}=\sqrt{3pq}$

즉, $n=3$일 때, $\mathrm{E}(X)=3p, \mathrm{V}(X)=3pq, \sigma(X)=\sqrt{3pq}$예요.

A 이와 같이 $n=2$일 때와 $n=3$일 때를 통하여 일반적으로 확률변수 X가 이항분포 $B(n, p)$를 따를 때, $\mathrm{E}(X)=np, \mathrm{V}(X)=npq, \sigma(X)=\sqrt{npq}$인 것을 알 수 있어.

---

❶ 확률변수 X가 이항분포를 따르는지 확인하려면 X가 독립시행의 결과로 구해지는 값인지 확인한다. 즉, 독립시행이 되는 다음 세 가지 조건을 모두 만족하는지 확인한다.
❶ 같은 시행을 여러 번 반복한다.
❷ 각 시행에서 특정한 사건이 일어날 확률이 일정하다.
❸ 각 시행의 결과는 다른 시행의 결과에 아무런 영향을 미치지 않는다.

❷ $_2C_0 q^2 = q^2$, $_2C_1 p^1 q^1 = 2pq$, $_2C_2 p^2 = p^2$이므로 이를 이용하여 확률분포를 다시 만들면 다음 표와 같다.

X	0	1	2	합계
$P(X=x)$	q^2	$2pq$	p^2	1

▶ 일반적으로 일어난 사실에 대하여는 평균을 사용하는 경우가 많다. 반면에 일어날 사실을 다룰 때는 기댓값과 평균을 구분하지 않고 사용한다.

5 확률분포

확률변수 X가 이항분포 $B(n, p)$를 따르고 $E(X)$, $V(X)$ (또는 $\sigma(X)$)의 값이 주어질 때, $E(X)=np$, $V(X)=np(1-p)$, $\sigma(X)=\sqrt{np(1-p)}$를 이용하여 n, p에 대한 연립방정식을 세운 다음 n, p의 값을 구한다.

연립방정식을 세울 때, 미지수의 개수를 적게 하기 위해 q 대신 $(1-p)$를 사용한다.

예제 이항분포 $B(n, p)$를 따르는 확률변수 X의 평균이 4, 분산이 2일 때, $P(X=3)$을 구하시오.

해법 코드
확률변수 X가 이항분포 $B(n, p)$를 따르면
$E(X)=np$, $V(X)=np(1-p)$

셀파 $B(n, p)$ ⇨ $E(X)=np$, $V(X)=np(1-p)$, $\sigma(X)=\sqrt{np(1-p)}$

풀이 확률변수 X는 이항분포 $B(n, p)$를 따르므로

$E(X)=4$에서 $np=4$ ⋯⋯㉠

$V(X)=2$에서 $np(1-p)=2$ ⋯⋯㉡

㉠을 ㉡에 대입하면

$4(1-p)=2$, $1-p=\dfrac{1}{2}$ ∴ $p=\dfrac{1}{2}$

$p=\dfrac{1}{2}$을 ㉠에 대입하면 $\dfrac{1}{2}n=4$ ∴ $n=8$

따라서 확률변수 X는 이항분포 $B\left(8, \dfrac{1}{2}\right)$을 따르므로

➊$P(X=3)={}_8C_3\left(\dfrac{1}{2}\right)^3\left(\dfrac{1}{2}\right)^5=\dfrac{7}{32}$

➊ 확률변수 X가 이항분포 $B(n, p)$를 따르면
$P(X=x)={}_nC_x p^x(1-p)^{n-x}$
이므로 $x=3$, $n=8$, $p=\dfrac{1}{2}$을 대입한다.

확인 문제

정답과 해설 | **50**쪽

MY 셀파

08-1 확률변수 X의 확률질량함수가
(상)(중)(하)

$$P(X=x)=\begin{cases} {}_{48}C_0\left(\dfrac{3}{4}\right)^{48} & (x=0) \\ {}_{48}C_x\left(\dfrac{1}{4}\right)^x\left(\dfrac{3}{4}\right)^{48-x} & (x=1, 2, \cdots, 47) \\ {}_{48}C_{48}\left(\dfrac{1}{4}\right)^{48} & (x=48) \end{cases}$$

일 때, X의 평균, 분산, 표준편차를 구하시오.

08-1
$P(X=x)={}_{48}C_x\left(\dfrac{1}{4}\right)^x\left(\dfrac{3}{4}\right)^{48-x}$
⇨ 확률변수 X는 이항분포
$B\left(48, \dfrac{1}{4}\right)$을 따른다.

08-2 이항분포 $B(12, p)$를 따르는 확률변수 X의 분산이 $\dfrac{9}{4}$일 때, X^2의 평균을 구하
(상)(중)(하)
시오. $\left($단, $0<p<\dfrac{1}{2}\right)$

08-2
$V(X)=E(X^2)-\{E(X)\}^2$을 이용하여 $E(X^2)$을 구한다.

| 독립시행에서의 확률분포 | ⇨ | 이항분포 $B(n, p)$를 따른다. | ⇨ | ❶ $E(X)=np$
 ❷ $V(X)=np(1-p)$
 ❸ $\sigma(X)=\sqrt{np(1-p)}$ |

01 다음 확률변수 X의 평균을 구하시오.

(1) 한 개의 동전을 100번 던질 때, 앞면이 나온 횟수 X

(2) 한 개의 주사위를 3번 던질 때, 3의 배수의 눈이 나오는 횟수 X

(3) 슛 성공률이 0.6인 농구 선수가 5번 슛을 할 때, 성공 횟수 X

02 다음 확률변수 X의 평균과 표준편차를 구하시오.

(1) 발아율이 80 %인 씨앗을 1000개 뿌렸을 때, 발아하는 씨앗의 개수 X

(2) 흰 공 4개, 검은 공 6개가 들어 있는 주머니에서 공 하나를 꺼내어 색을 조사한 후 다시 넣는 시행을 20번 반복할 때, 흰 공이 나오는 횟수 X

03 다음을 구하시오.

(1) 어느 공장에서 생산한 제품의 불량률이 3 %일 때, 이 공장에서 생산한 제품 1000개 중에 들어 있는 불량품의 개수의 평균

(2) 흰 공 2개, 검은 공 3개가 들어 있는 주머니에서 공 하나를 꺼내어 색을 조사한 후 다시 넣는 시행을 30번 반복할 때, 검은 공이 나오는 횟수의 평균

(3) 치료율이 90 %인 고혈압 특효약으로 100명의 고혈압 환자를 치료할 때, 완치되는 환자 수의 표준편차

(4) 동전 4개를 동시에 던지는 시행을 320번 반복할 때, 3개의 앞면과 1개의 뒷면이 나오는 횟수의 평균과 분산

5 확률분포

어떤 독립시행을 n번 반복할 경우 1회의 시행에서 일어날 확률이 p인 어떤 사건이 일어난 횟수를 확률변수 X라 하면 X는 이항분포 $B(n,p)$를 따른다.

이때 평균, 분산, 표준편차는 다음과 같다.

$$E(X)=np, \ V(X)=np(1-p), \ \sigma(X)=\sqrt{np(1-p)}$$

독립시행의 결과는 어떤 사건이 일어나는 경우와 일어나지 않는 경우의 두 가지 뿐이므로 이항분포를 이용할 수 있다.

예제 어떤 실험 미로에 암컷, 수컷을 한 쌍으로 하여 30쌍의 생쥐를 넣을 때, 제한 시간 내에 목표 지점에 도달할 확률이 암컷은 $\dfrac{1}{2}$, 수컷은 $\dfrac{2}{5}$이다. 암컷, 수컷 모두 제한 시간 내에 목표 지점에 도달하는 쌍의 수를 확률변수 X라 할 때, X의 평균, 분산, 표준편차를 구하시오.

해법 코드
① 한 쌍의 생쥐가 제한 시간 내에 목표 지점에 도달할 확률을 구한다.
② 확률변수 X가 따르는 이항분포를 구하여 $E(X)$, $V(X)$, $\sigma(X)$를 구한다.

셀파 확률변수 X가 이항분포 $B(n,p)$를 따른다. ⇨ $E(X)=np, \ V(X)=np(1-p)$

풀이 한 쌍의 생쥐가 제한 시간 내에 목표 지점에 도달할 확률은 $\dfrac{1}{2} \times \dfrac{2}{5} = \dfrac{1}{5}$

이때 모두 30쌍의 생쥐를 대상으로 실험하므로 확률변수 X는 이항분포 $B\left(30, \dfrac{1}{5}\right)$을 따른다.

$$\therefore E(X)=30 \times \dfrac{1}{5}=6$$

$$V(X)=30 \times \dfrac{1}{5} \times \dfrac{4}{5}=\dfrac{24}{5}$$

$$\sigma(X)=\sqrt{\dfrac{24}{5}}=\dfrac{2\sqrt{30}}{5}$$

● 한 쌍의 생쥐가 모두 제한 시간 내에 목표 지점에 도달하려면 암컷 생쥐가 제한 시간 내에 목표 지점에 도달하는 사건과 수컷 생쥐가 제한 시간 내에 목표 지점에 도달하는 사건이 동시에 일어나야 하므로 곱의 법칙을 이용한다.

X의 평균이 6이라는 것은 30쌍의 생쥐 중 6쌍의 생쥐가 모두 제한 시간 내에 목표 지점에 도달할 것으로 기대할 수 있다는 뜻이야.

확인 문제　　　　　　　　　　　　　　　　　정답과 해설 | **51**쪽　　　　　　　　　　　　**MY 셀파**

09-1
(상⬤하) 한 개의 주사위를 6번 던져서 6의 약수의 눈이 나오는 횟수를 확률변수 X라 하자. 이때 확률변수 $Y=12X-36$의 평균을 구하시오.

09-1
6의 약수는 1, 2, 3, 6이므로 한 개의 주사위를 한 번 던져서 6의 약수의 눈이 나올 확률은 $\dfrac{4}{6}=\dfrac{2}{3}$이다.

09-2
(상⬤하) 흰 공과 검은 공이 합해서 15개 들어 있는 주머니에서 한 개의 공을 꺼내는 시행을 n번 반복할 때, 흰 공이 나오는 횟수를 확률변수 X라 하자. $E(X)=20$, $\sigma(X)=4$일 때, 주머니에 들어 있는 흰 공의 개수 k와 시행 횟수 n의 값을 구하시오. (단, 꺼낸 공은 다시 주머니에 넣는다.)

09-2
확률변수 X는 이항분포 $B\left(n, \dfrac{k}{15}\right)$를 따른다.

A 한 개의 주사위를 n회 던지는 시행에서 1의 눈이 나오는 횟수를 확률변수 X라 할 때, 상대도수 $\dfrac{X}{n}$와 수학적 확률 $\dfrac{1}{6}$의 관계를 알아보자.

X는 이항분포 $B\left(n, \dfrac{1}{6}\right)$을 따른다.

이때 $n=10, 30, 50$인 경우 $P(X=x)$의 값은 오른쪽 표와 같고 이것을 ❶그래프로 나타내면 다음과 같다.

X \ n	10	30	50
0	0.162	0.004	0.000
1	0.323	0.025	0.001
2	0.291	0.073	0.005
3	0.155	0.137	0.017
4	0.054	0.185	0.040
5	0.013	0.192	0.075
6	0.002	0.160	0.112
7	0.000	0.110	0.140
8		0.063	0.151
9		0.031	0.141
10		0.013	0.116
11		0.005	0.084
12		0.001	0.055
13		0.000	0.032
14			0.017
15			0.008
16			0.004
17			0.001
18			0.001
19			0.000

❶ 그래프에서 알 수 있듯이 이항분포 $B(n, p)$를 따르는 확률분포의 그래프는 p의 값이 고정되어 있을 때, n의 값이 클수록 좌우가 대칭인 종 모양 곡선에 가까워진다.

❷ $\left| \dfrac{X}{n} - \dfrac{1}{6} \right| < 0.1$에서

$-\dfrac{1}{10} < \dfrac{X}{n} - \dfrac{1}{6} < \dfrac{1}{10}$이므로

$\dfrac{n}{15} < X < \dfrac{4n}{15}$

(ⅰ) $n=10$일 때
$0.6 \times \times \times < X < 2.6 \times \times \times$
$\therefore X=1, 2$

(ⅱ) $n=30$일 때
$2 < X < 8$
$\therefore X=3, 4, 5, 6, 7$

(ⅲ) $n=50$일 때
$3.3 \times \times \times < X < 13.3 \times \times \times$
$\therefore X=4, 5, \cdots, 13$

표를 이용해서 $n=10, 30, 50$인 경우에 확률 ❷$P\left(\left| \dfrac{X}{n} - \dfrac{1}{6} \right| < 0.1 \right)$을 구해 볼래?

Q (ⅰ) $n=10 \Rightarrow P\left(\left| \dfrac{X}{10} - \dfrac{1}{6} \right| < 0.1 \right) = P(X=1) + P(X=2) = 0.614$

(ⅱ) $n=30 \Rightarrow P\left(\left| \dfrac{X}{30} - \dfrac{1}{6} \right| < 0.1 \right) = P(X=3) + P(X=4) + \cdots$

$+ P(X=7) = 0.784$

(ⅲ) $n=50 \Rightarrow P\left(\left| \dfrac{X}{50} - \dfrac{1}{6} \right| < 0.1 \right) = P(X=4) + P(X=5) + \cdots$

$+ P(X=13) = 0.946$

따라서 ❸n의 값이 커질 때, 확률 $P\left(\left| \dfrac{X}{n} - \dfrac{1}{6} \right| < 0.1 \right)$은 점점 1에 가까워져요.

❸ 0.1 대신 0.01, 0.001 등 더 작은 값을 대입해도 결과는 같다.

A 맞아. 따라서 주사위를 던지는 ❹횟수 n의 값이 커질수록 1의 눈이 나오는 상대도수 $\dfrac{X}{n}$는 점점 $\dfrac{1}{6}$에 가까워지는 걸 알 수 있어. 즉, 임의의 양수 h에 대하여 n의 값이 커짐에 따라 확률 $P\left(\left| \dfrac{X}{n} - p \right| < h \right)$는 점점 1에 가까워지고, 이것을 큰수의 법칙 이라고 해.

❹ 통계적 확률 $\dfrac{X}{n}$와 수학적 확률 $\dfrac{1}{6}$의 차가 0.1보다 작아지는 것은 n의 값이 커질수록 분명해진다.

5

확률분포

확률질량함수의 성질

01 확률변수 X의 확률분포가 다음 표와 같다.

X	0	1	2	합계
$P(X=x)$	a	$2a$	b	1

$P(X=0)+P(X=1)=\dfrac{1}{2}$일 때, 상수 a, b에 대하여 $3a-b$의 값을 구하시오.

확률질량함수의 성질

02 확률변수 X의 확률질량함수가

$$P(X=x)=\frac{x^2-x+2}{c} \ (x=0,1,2,3)$$

일 때, $P(X\le 1)$을 구하시오. (단, c는 상수)

확률분포와 확률

03 4개의 불량품이 포함된 10개의 제품 중에서 임의로 3개의 제품을 동시에 뽑을 때, 나오는 불량품의 개수를 확률변수 X라 하자. 다음 물음에 답하시오.

(1) X의 확률분포를 표로 나타내시오.

(2) 불량품이 2개 이하로 나올 확률을 구하시오.

확률변수의 평균, 분산, 표준편차   융합형

04 확률변수 X의 확률분포가 다음 표와 같다.

X	$-a$	0	1	합계
$P(X=x)$	$\dfrac{1}{8}$	b	c	1

$E(X)=\dfrac{1}{2}$, $V(X)=1$일 때, 상수 a, b, c에 대하여 $a+2b+c$의 값을 구하시오. (단, $a>0$)

확률변수의 평균, 분산, 표준편차

05 당첨 제비가 3개 들어 있는 10개의 제비 중에서 3개의 제비를 뽑을 때, 나오는 당첨 제비의 개수를 확률변수 X라 하자. X의 평균을 구하시오.

확률변수의 평균, 분산, 표준편차   서술형

06 볼펜 4자루와 연필 2자루 중에서 임의로 2자루를 동시에 뽑을 때, 나오는 연필의 개수를 확률변수 X라 하자. X의 분산을 구하시오.

확률변수 $aX+b$의 평균, 분산, 표준편차

07 확률변수 X의 확률분포가 다음 표와 같을 때,
상중하 $\sigma(2X-3)$을 구하시오. (단, a는 상수)

X	-1	0	1	2	합계
$P(X=x)$	a	$3a$	$3a$	a	1

확률변수 $aX+b$의 평균, 분산, 표준편차

08 흰 공 2개와 빨간 공 3개가 들어 있는 주머니에서 임
상중하 의로 2개의 공을 동시에 꺼낼 때, 나오는 흰 공의 개수
를 확률변수 X라 하자. $V(5X+2)$를 구하시오.

이항분포에서의 확률

09 실제로 활동할 확률이 80 %인 어느 동아리의 현재 회
상중하 원이 20명일 때, 실제로 활동하는 회원의 수를 확률변
수 X라 하자. 이때 $P(X \geq 19)$를 구하시오.
(단, $(0.8)^{19}=0.014$, $(0.8)^{20}=0.012$로 계산한다.)

이항분포에서의 확률　　　　　　　　　　창의력

10 K 회사에서 생산되는 자동차는 100000 km를 주행
상중하 할 때까지 2대에 1대 꼴로 엔진이 고장난다고 한다.
어느 운송회사가 K 회사에서 생산된 자동차 10대를
구입하였을 때, 구입한 10대 중에서 100000 km를 주
행할 때까지 엔진이 고장난 자동차가 2대 이하일 확률
을 구하시오.

이항분포의 평균, 분산, 표준편차

11 확률변수 X의 확률질량함수가
상중하

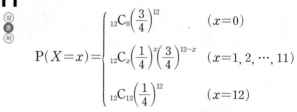

$$P(X=x)=\begin{cases} {}_{12}C_0\left(\dfrac{3}{4}\right)^{12} & (x=0) \\[2mm] {}_{12}C_x\left(\dfrac{1}{4}\right)^x\left(\dfrac{3}{4}\right)^{12-x} & (x=1, 2, \cdots, 11) \\[2mm] {}_{12}C_{12}\left(\dfrac{1}{4}\right)^{12} & (x=12) \end{cases}$$

일 때, $E(4X-3)+V(4X-3)$을 구하시오.

이항분포의 평균, 분산, 표준편차

12 한 개의 주사위를 36번 던져서 홀수의 눈이 나오는 횟
상중하 수를 확률변수 X라 할 때, $2X-1$의 평균을 구하시
오.

이항분포의 평균, 분산, 표준편차

13 발아율이 0.9인 씨앗 100개를 심었을 때, 발아된 씨앗
상중하 의 개수를 확률변수 X라 하자. 이때 X^2의 평균을 구
하시오.

5
확률분포

6

정규분포

아무리 머리가 크다해도 대부분 이 분포안에 다 들어가.

정규분포 그래프

자신감이 생겼어! 나도 모자 쓸래!

부와악

앗! 찢어졌어.

많이 크구나...

6. 정규분포

개념 1 **연속확률변수의 확률분포**

(1) 어떤 구간의 모든 실숫값을 가지는 확률변수를 **연속확률변수**라 한다.

ㅤ예 어느 날 한 교실의 온도는 어떤 범위에 속하는 모든 실숫값을 가지므로 ❶⬚ 확률변수이다.

(2) $\alpha \leq X \leq \beta$에서 모든 실숫값을 가지는 연속확률변수 X에 대하여 다음 성질을 만족시키는 함수 f가 존재한다.

❶ $f(x) \geq$ ❷⬚

❷ 함수 $y=f(x)$의 그래프와 ❸⬚ 축 및 두 직선 $x=\alpha$, $x=\beta$로 둘러싸인 부분의 넓이는 1이다.

❸ 확률 $\mathrm{P}(a \leq X \leq b)$는 함수 $y=f(x)$의 그래프와 x축 및 두 직선 $x=a$, $x=b$로 둘러싸인 부분의 넓이와 같다. (단, $\alpha \leq a \leq b \leq \beta$)

이때 함수 f를 연속확률변수 X의 **확률밀도함수**라 한다.

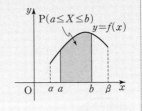

ㅤ답 ❶ 연속 ❷ 0 ❸ x

개념 플러스

❶ X가 연속확률변수일 때,
$\mathrm{P}(X=c)=0$ (c는 상수)이므로
$\mathrm{P}(a \leq X \leq b)$
$=\mathrm{P}(a \leq X < b)$
$=\mathrm{P}(a < X \leq b)$
$=\mathrm{P}(a < X < b)$

▶ 이산확률변수의 확률질량함수 $\mathrm{P}(X=x)$는 그 자체가 X가 x의 값을 취할 확률이지만 연속확률변수의 확률밀도함수 $f(x)$는 확률이 아니다.

ⓑ 여기서 e는 무리수 $2.7182818 \cdots$ 을 나타내는 상수이다.

개념 2 **정규분포**

(1) 모든 실숫값을 가지는 연속확률변수 X의 확률밀도함수 f가

$$f(x) = \frac{1}{\sqrt{2\pi}\sigma} e^{-\frac{(x-m)^2}{2\sigma^2}} \quad (x\text{는 모든 실수})$$

일 때, X의 확률분포를 **정규분포**라 한다.

이때 X의 평균은 m, 표준편차는 σ ($\sigma>0$)이고, 정규분포를 기호로 $\mathrm{N}(m, \sigma^2)$과 같이 나타내며 확률변수 X는 정규분포 $\mathrm{N}(m, \sigma^2)$을 따른다고 한다.

(2) 정규분포 $\mathrm{N}(m, \sigma^2)$의 확률밀도함수의 그래프의 성질

❶ 직선 $x=m$에 대하여 대칭이고 종 모양의 곡선이다.

❷ $x=$ ❶⬚ 에서 최대이고, x축을 점근선으로 한다.

❸ 곡선과 x축 사이의 넓이는 ❷⬚ 이다.

❹ m의 값이 일정할 때, σ의 값이 커지면 곡선은 ❸⬚ 지면서 양쪽으로 퍼지고, σ의 값이 작아지면 곡선은 높아지면서 뾰족해진다.

❺ σ의 값이 일정할 때, m의 값에 따라 대칭축의 위치는 바뀌지만 곡선의 모양은 같다.

참고 정규분포의 확률밀도함수의 그래프를 정규분포곡선이라 한다.

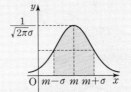

ㅤ답 ❶ m ❷ 1 ❸ 낮아

ⓒ $\mathrm{N}(m, \sigma^2)$에서 N은 정규분포를 뜻하는 normal distribution의 첫 글자이다.

ⓓ 정규분포곡선의 성질 ❹를 그림으로 나타내면 다음과 같다.

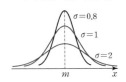

ⓔ 정규분포곡선의 성질 ❺를 그림으로 나타내면 다음과 같다.

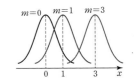

개념 익히기

1-1 | 연속확률변수 |

오른쪽 그림과 같이 8등분된 눈금이 있는 원판의 중심에 자유로이 회전할 수 있는 바늘이 붙어 있다. 이 바늘을 회전시켜 멈춘 곳의 눈금을 확률변수 X라 할 때, 바늘이 멈춘 곳의 눈금이 2 이상 4 이하일 확률을 구하시오.

연구

확률변수 X가 범위 안의 어느 한 값을 취할 수 있는 것이 같은 정도로 일어난다고 기대할 수 있으므로 구하는 확률은

$$P(2 \leq X \leq 4) = \frac{(구간\ 2 \leq X \leq 4의\ 길이)}{(구간\ 0 \leq X \leq 8의\ 길이)}$$

$$= \frac{4 - \boxed{}}{8} = \frac{1}{4}$$

1-2 | 따라풀기 |

1시간 간격으로 운행되는 시외버스가 있다. 오전 11시에서 12시 사이에 터미널에 도착하는 승객이 버스가 출발할 때까지 기다리는 시간(분)을 확률변수 X라 할 때, $P(X \leq 30)$을 구하시오.

풀이

2-1 | 정규분포의 확률밀도함수의 그래프의 성질 |

확률변수 X가 정규분포 $N(m, \sigma^2)$을 따를 때, 확률밀도함수의 그래프에서 평균 m의 값이 일정할 때

(1) σ의 값이 커지면 곡선은 (높아지고 , 낮아지고) 양쪽으로 퍼진다.

(2) σ의 값이 작아지면 곡선은 (높아지고, 낮아지고) 뾰족해진다.

연구

m의 값이 일정할 때, σ의 값에 따른 확률밀도함수의 그래프는 오른쪽 그림과 같다. 즉,

(1) σ의 값이 커지면 곡선은 **낮아지고** 양쪽으로 퍼진다.

(2) σ의 값이 작아지면 곡선은 **높아지고** 뾰족해진다.

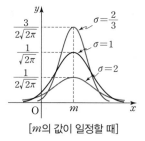

[m의 값이 일정할 때]

2-2 | 따라풀기 |

확률변수 X가 정규분포 $N(m, \sigma^2)$을 따를 때, 확률밀도함수의 그래프에서 표준편차 σ의 값이 일정할 때, 평균 m의 값이 변하면 곡선의 모양은 (달라진다 , 달라지지 않는다).

풀이

개념 3 **표준정규분포**

평균이 0, 분산이 1인 정규분포를 <u>**표준정규분포**</u>라 하며, 이것을 기호로 N(0, 1)과 같이 나타낸다.
표준정규분포를 따르는 확률변수는 보통 Z로 나타내고, 확률변수 Z가 0 이상 z 이하의 값을 가질 확률 P(❶ $\leq Z \leq z$)는 오른쪽 그림에서 색칠한 부분의 ❷ 와 같으며, 그 값은 <u>**표준정규분포표**</u>에 주어져 있다.

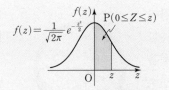

$$f(z) = \frac{1}{\sqrt{2\pi}} e^{-\frac{z^2}{2}}$$

개념 플러스

❶ 표준정규분포를 나타내는 확률밀도함수는 다음과 같다.

$$f(z) = \frac{1}{\sqrt{2\pi}} e^{-\frac{z^2}{2}}$$

(단, z는 모든 실수)

답 ❶ 0 ❷ 넓이

보기 확률변수 Z가 표준정규분포 N(0, 1)을 따를 때, 다음 확률을 구하시오.
(1) P(0 $\leq Z \leq$ 1.96)
(2) P(0 $\leq Z \leq$ 2.58)

z	0.00	0.01	0.06	0.08
⋮				
1.9			0.4750	
⋮				
2.5				0.4951

ⓛ P(0 $\leq Z \leq z$)의 값을 계산해 놓은 것을 표로 만든 것이다.

연구 (1) P(0 $\leq Z \leq$ 1.96) = **0.4750**
(2) P(0 $\leq Z \leq$ 2.58) = **0.4951**

ⓒ 왼쪽 세로줄에서 1.9를 찾은 다음 위쪽 가로줄에서 0.06을 찾아 가로줄과 세로줄이 만나는 곳의 수를 찾으면
P(0 $\leq Z \leq$ 1.96) = 0.4750

개념 4 **정규분포의 표준화**

(1) 확률변수 X가 정규분포 N(❶ , σ^2)을 따를 때, 확률변수 $Z = \dfrac{X-m}{\sigma}$은 <u>**표준정규분포**</u> N(0, 1)을 따른다.
확률변수 $Z = \dfrac{X-m}{\sigma}$으로 바꾸는 것을 **표준화**라고 한다.

(2) 확률변수 X가 정규분포 N(m, σ^2)을 따를 때

❶ 확률변수 $Z = \dfrac{X-m}{\sigma}$은 표준정규분포 N(0, ❷)을 따른다.

❷ $P(a \leq X \leq b) = P\left(\dfrac{a-m}{\sigma} \leq Z \leq \dfrac{b-m}{\sigma} \right)$

ⓔ 왼쪽 세로줄에서 2.5를 찾은 다음 위쪽 가로줄에서 0.08을 찾아 가로줄과 세로줄이 만나는 곳의 수를 찾으면
P(0 $\leq Z \leq$ 2.58) = 0.4951

ⓜ 표준정규분포는 정규분포에서 평균을 0으로 만든 것이다.
$P(Z \leq 0) = P(Z \geq 0) = \dfrac{1}{2}$

답 ❶ m ❷ 1

개념 5 **이항분포와 정규분포의 관계**

확률변수 X가 이항분포 B(n, p)를 따르고 n이 충분히 ❶ 때, X는 근사적으로 정규분포 N(np, npq)를 따른다. (단, $q = 1-p$)

예 한 개의 동전을 100회 던질 때, 앞면이 나오는 횟수를 확률변수 X라 하면 X는 이항분포 B$\left(100, \dfrac{1}{2}\right)$을 따르므로 X는 근사적으로 정규분포 N(❷ , 5^2)을 따른다.

이항분포는 보통 $np \geq 5$, $n(1-p) \geq 5$일 때, n이 충분히 큰 것으로 생각하여 정규분포를 따른다고 해.

답 ❶ 클 ❷ 50

3-1 | 표준정규분포 |

확률변수 X가 표준정규분포 N$(0, 1)$을 따를 때, 오른쪽 표준정규분포표를 이용하여 다음 확률을 구하시오.

z	$P(0 \leq Z \leq z)$
1.0	0.3413
1.5	0.4332
2.0	0.4772

(1) $P(Z \leq 1)$　　　　(2) $P(1 \leq Z \leq 2)$

〔연구〕

(1) $P(Z \leq 1)$

$\quad = P(Z \leq \boxed{}) + P(0 \leq Z \leq 1)$

$\quad = 0.5 + 0.3413$

$\quad = \mathbf{0.8413}$

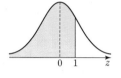

(2) $P(1 \leq Z \leq 2)$

$\quad = P(0 \leq Z \leq 2) - P(0 \leq Z \leq 1)$

$\quad = 0.4772 - \boxed{}$

$\quad = \boxed{}$

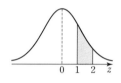

3-2 | 따라풀기 |

확률변수 X가 표준정규분포 N$(0, 1)$을 따를 때, 오른쪽 표준정규분포표를 이용하여 다음 확률을 구하시오.

z	$P(0 \leq Z \leq z)$
1.0	0.3413
1.5	0.4332
2.0	0.4772

(1) $P(Z \geq 1)$　　　　(2) $P(|Z| \leq 1.5)$

〔풀이〕

4-1 | 정규분포의 표준화 |

다음은 확률변수 X가 정규분포 N$(5, 2^2)$을 따를 때, 확률 $P(5 \leq X \leq 8)$을 오른쪽 표준정규분포표를 이용하여 구하는 과정이다. ☐ 안에 알맞은 것을 써넣으시오.

z	$P(0 \leq Z \leq z)$
1.0	0.3413
1.5	0.4332
2.0	0.4772

$m = 5$, $\sigma = 2$이고 $Z = \dfrac{X-5}{2}$는 표준정규분포를 따르므로

$P(5 \leq X \leq 8) = P\left(\dfrac{5-5}{2} \leq Z \leq \dfrac{\boxed{}-5}{2}\right)$

$\qquad\qquad\qquad = P(0 \leq Z \leq \boxed{})$

이때 표준정규분포표에서

$P(0 \leq Z \leq \boxed{}) = 0.4332$이므로

$P(5 \leq X \leq 8) = \boxed{}$

4-2 | 따라풀기 |

다음은 확률변수 X가 정규분포 N$(3, 4^2)$을 따를 때, 확률 $P(3 \leq X \leq 11)$을 오른쪽 표준정규분포표를 이용하여 구하는 과정이다. ☐ 안에 알맞은 것을 써넣으시오.

z	$P(0 \leq Z \leq z)$
1.0	0.3413
1.5	0.4332
2.0	0.4772

$m = 3$, $\sigma = 4$이고 $Z = \dfrac{X-3}{4}$은 표준정규분포를 따르므로

$P(3 \leq X \leq 11) = P\left(\dfrac{3-3}{4} \leq Z \leq \dfrac{\boxed{}-3}{4}\right)$

$\qquad\qquad\qquad = P(0 \leq Z \leq \boxed{})$

이때 표준정규분포표로에서

$P(0 \leq Z \leq \boxed{}) = 0.4772$이므로

$P(3 \leq X \leq 11) = \boxed{}$

Q 이산확률변수는 주사위의 눈의 수, 동전의 앞면이 나온 횟수 등과 같이 그 값이 띄엄띄엄 떨어져 있어서 셀 수 있는 변수이지요. 그럼 연속확률변수란 무엇인가요?

A 예를 들어 설명해 볼게. 우리 학급의 학생들이 등교하는 데 걸리는 시간을 모두 조사한 다음, 계급의 크기를 5분으로 하여 각 계급의 상대도수를 나타낸 것이 오른쪽 표와 같다고 하자. 이때 등교하는 데 걸리는 시간을 확률변수 X라 하면 X가 몇 개인지 셀 수 있니?

계급(분)	상대도수
5^{이상} ~10^{미만}	0.25
10　~15	0.40
15　~20	0.20
20　~25	0.10
25　~30	0.05
합계	1

Q 아니요. 등교하는 데 걸리는 시간은 1분, 2분, 3분, …으로 딱 떨어지는 값이 아니라 5분에서 30분까지의 모든 값을 가질 수 있어요. 즉, 등교하는 데 걸리는 시간을 X라 하면 X는 $5 \leq X < 30$인 임의의 실숫값을 취하는 확률변수예요.

A 맞아. 길이, 시간, 무게, 온도 등과 같이 확률변수 X가 어떤 구간의 모든 실숫값을 가질 때, X를 연속확률변수라고 하지. 연속확률변수를 앞에서 배운 이산확률변수와 비교해서 정리하면 다음 표와 같아.

	이산확률변수	연속확률변수
확률분포를 나타내는 함수의 그래프		
$P(X=x_i)$	p_i	0
$P(a \leq X \leq b)$	$P(X=x_j) + \cdots + P(X=x_k)$	함수 $y=f(x)$의 그래프와 x축 및 두 직선 $x=a$, $x=b$로 둘러싸인 부분 (그림에서 색칠한 부분)의 넓이
모든 X의 값에 대한 확률의 합	$p_1 + p_2 + \cdots + p_n = 1$	(함수 $y=f(x)$의 그래프와 x축 및 두 직선 $x=\alpha$, $x=\beta$로 둘러싸인 부분의 넓이)$=1$

● 어떤 시행의 결과에 따라 값이 정해지고, 그 값에 대응하는 확률이 정해지는 변수 X에 대하여 X가 가지는 값을 셀 수 있을 때, X를 이산확률변수라고 한다.

● 이산확률변수 X의 확률분포
$P(X=x_i)=p_i \ (i=1, 2, \cdots, n)$
에 대하여
❶ $0 \leq p_i \leq 1$
❷ $p_1 + p_2 + \cdots + p_n = 1$
❸ $P(X=x_i \ 또는 \ X=x_j)$
$= P(X=x_i) + P(X=x_j)$
$= p_i + p_j \ (단, i \neq j)$

▶ 연속확률변수 X가 a 이상 b 이하의 값을 가질 확률, 즉 $P(a \leq X \leq b)$는 확률밀도함수 $f(x)$의 그래프와 x축 및 두 직선 $x=a$, $x=b$로 둘러싸인 부분의 넓이와 같다.

이산확률변수는 셀 수 있지만 연속확률변수는 셀 수 없어!

확인 체크 01

정답과 해설 | 56쪽

다음 확률변수가 이산확률변수인지 연속확률변수인지 말하시오.

(1) 어느 공장에서 생산한 전구의 수명

(2) 어떤 농구 선수가 한 경기에서 성공시킨 3점 슛의 개수

해법 01 확률밀도함수의 성질

PLUS ⊕

$\alpha \leq X \leq \beta$에서 모든 실숫값을 가지는 연속확률변수 X에 대한 확률분포를 나타내는 함수 $f(x)$가 확률밀도함수이면 다음이 성립한다.

❶ $f(x) \geq 0$

❷ 함수 $f(x)$의 그래프와 x축 및 두 직선 $x=\alpha$, $x=\beta$로 둘러싸인 부분의 넓이는 1이다.

$f(x)$가 확률밀도함수인지 아닌지는 왼쪽 ❶, ❷가 모두 성립하는지 확인하여 판단한다.

 예제 $-1 \leq x \leq 1$에서 정의된 함수 $f(x)$가 다음과 같을 때, | 보기 |의 함수 중 확률밀도함수인 것을 모두 고르시오.

┌ 보기 ┐
ㄱ. $f(x) = 1 - |x|$ ㄴ. $f(x) = \dfrac{1}{2}$ ㄷ. $f(x) = x$

해법 코드

$-1 \leq x \leq 1$에서 $f(x)$가 확률변수 X의 확률밀도함수이면

(i) $f(x) \geq 0$

(ii) 함수 $f(x)$의 그래프와 x축 및 두 직선 $x=-1$, $x=1$로 둘러싸인 부분의 넓이는 1이다.

셀파 $f(x) \geq 0$이고, 함수 $f(x)$의 그래프와 x축 사이의 넓이가 1 ⇨ $f(x)$는 확률밀도함수

풀이 ㄱ, ㄴ, ㄷ의 함수의 그래프를 좌표평면 위에 나타내면 다음 그림과 같다.

ㄱ. 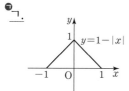 **ㄴ.** 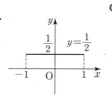 **ㄷ.**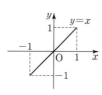

ㄱ. $-1 \leq x \leq 1$에서 $f(x) = 1 - |x| \geq 0$이고, $f(x)$의 그래프와 x축으로 둘러싸인

부분의 넓이는 $\dfrac{1}{2} \times 2 \times 1 = 1$이므로 $f(x)$는 확률밀도함수이다.

ㄴ. $-1 \leq x \leq 1$에서 $f(x) = \dfrac{1}{2} \geq 0$이고, $f(x)$의 그래프와 x축 및 두 직선 $x=-1$,

$x=1$로 둘러싸인 부분의 넓이는 $2 \times \dfrac{1}{2} = 1$이므로 $f(x)$는 확률밀도함수이다.

ㄷ. $-1 \leq x < 0$에서 $f(x) = x < 0$이므로 확률밀도함수가 아니다.

따라서 확률밀도함수인 것은 ㄱ, ㄴ이다.

❶ $y = 1 - |x| \, (-1 \leq x \leq 1)$의 그래프는

(i) $0 \leq x \leq 1$일 때
$y = -x + 1$의 그래프를 그린다.

(ii) $-1 \leq x < 0$일 때
$y = x + 1$의 그래프를 그린다.

❷ $f(x) = x$의 그래프를 그리면
$-1 \leq x < 0$에서 $f(x) \geq 0$이 성립하지 않는 것을 확인할 수 있다.

확인 문제

정답과 해설 | **56**쪽

MY 셀파

01-1 $0 \leq x \leq 1$에서 정의된 함수 $f(x)$가 다음과 같을 때, | 보기 |의 함수 중 확률밀도함수인 것을 모두 고르시오.

상중하

┌ 보기 ┐
ㄱ. $f(x) = 1$ ㄴ. $f(x) = 2x$ ㄷ. $f(x) = 1 - x$

01-1

함수 $y = f(x)$의 그래프를 좌표평면 위에 나타낸 다음 확률밀도함수의 성질을 만족하는지 각각 확인한다.

Q 아직도 확률밀도함수가 뭔지 잘 모르겠어요. 또 확률밀도함수의 성질에서 그래프와 x축 사이의 넓이가 1이 되어야 하는 건 왜 그렇죠?

A 앞의 128쪽 셀파 특강에서 나왔던 등교하는 데 걸리는 시간을 예로 들어 보자.
이 반 학생들이 등교하는 데 걸리는 시간을 확률변수 X라 할 때, X의 확률분포를 알아보기 위해 각 계급에서 X의 $^{\text{ㄱ}}\dfrac{(\text{상대도수})}{(\text{계급의 크기})}$를 구해 히스토그램과 도수분포다각형을 그리면 다음과 같아.

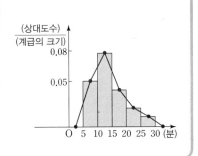

계급(분)	상대도수	$\dfrac{(\text{상대도수})}{(\text{계급의 크기})}$
5^{이상}~10^{미만}	0.25	0.05
10 ~15	0.40	0.08
15 ~20	0.20	0.04
20 ~25	0.10	0.02
25 ~30	0.05	0.01
합계	1	

이때 히스토그램의 각 직사각형의 넓이는

$^{\text{ㄴ}}(\text{직사각형의 넓이}) = (\text{계급의 크기}) \times \dfrac{(\text{상대도수})}{(\text{계급의 크기})} = (\text{상대도수})$

Q ^{ㄷ}히스토그램의 넓이의 합은 상대도수의 합과 같은 1이므로 도수분포다각형의 내부의 넓이도 1이 되겠네요.

A 맞아. 이제 조사하는 학생 수를 늘리고, 계급의 크기를 더욱 작게 하여 히스토그램과 도수분포다각형을 그리면 다음 그림과 같이 매끄러운 곡선 모양에 가까워질 거야. 이 곡선을 나타내는 함수 $y=f(x)$가 ^{ㄹ}연속확률변수 X의 확률밀도함수이지.

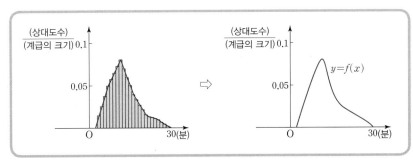

ㄱ 히스토그램의 전체 넓이가 1이 되도록 하기 위해 상대도수를 계급의 크기로 나눈다.

ㄴ 히스토그램의 각 직사각형에서
$(\text{가로}) = (\text{계급의 크기}) = 5$,
$(\text{세로}) = \dfrac{(\text{상대도수})}{(\text{계급의 크기})}$
이므로
각 직사각형의 넓이를 왼쪽부터 차례로 구하면
$5 \times 0.05 = 0.25$
$5 \times 0.08 = 0.40$
$5 \times 0.04 = 0.20$
$5 \times 0.02 = 0.10$
$5 \times 0.01 = 0.05$

ㄷ ㄴ에서 구한 각 직사각형의 넓이의 합은
$0.25 + 0.4 + 0.2 + 0.1 + 0.05 = 1$

ㄹ 연속확률변수 X는 확률밀도함수가 $f(x)$인 확률분포를 따른다고 한다.

도수분포다각형과 가로축이 이루는 도형의 넓이 A는
$A = (\text{히스토그램의 직사각형의 넓이의 합}) = (\text{상대도수의 합}) = 1$
이야.

해법 02 　확률밀도함수를 이용한 확률의 계산 　　　　/ PLUS ⊕

$\alpha\leq x\leq\beta$에서 정의된 연속확률변수 X의 확률밀도함수가 $f(x)$일 때, 확률 $P(a\leq X\leq b)$ $(\alpha\leq a\leq b\leq\beta)$는 함수 $y=f(x)$의 그래프와 x축 및 두 직선 $x=a$, $x=b$로 둘러싸인 부분의 넓이와 같다.

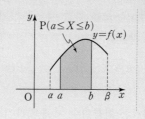

$P(a\leq X\leq b)$
$=P(a\leq X<b)$
$=P(a<X\leq b)$
$=P(a<X<b)$

예제 확률변수 X의 확률밀도함수 $f(x)=kx$ $(0\leq x\leq 3)$의 그래프가 오른쪽 그림과 같을 때, 다음을 구하시오.
(단, k는 상수)

(1) $P(1\leq X\leq 2)$ 　　(2) $P(X\geq 1)$

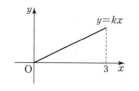

해법 코드
상수 k의 값을 구한 다음 주어진 범위에서 $y=f(x)$의 그래프와 x축으로 둘러싸인 부분의 넓이가 확률인 것을 이용한다.

셀파 $P(a\leq X\leq b)$는 $a\leq x\leq b$에서 $f(x)$의 그래프와 x축 사이의 넓이이다.

풀이 ⓐ확률밀도함수의 성질에 따라 $\dfrac{1}{2}\times 3\times 3k=1$이므로 $k=\dfrac{2}{9}$

(1) $P(1\leq X\leq 2)$는 오른쪽 그림에서 색칠한 부분의 넓이와 같으므로

$$P(1\leq X\leq 2)=\dfrac{1}{2}\left(\dfrac{2}{9}+\dfrac{4}{9}\right)\times 1=\dfrac{1}{3}$$

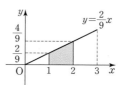

(2) $P(X\geq 1)$은 오른쪽 그림에서 <u>ⓑ색칠한 부분의 넓이</u>와 같으므로

$$P(X\geq 1)=\dfrac{1}{2}\left(\dfrac{2}{9}+\dfrac{2}{3}\right)\times 2=\dfrac{8}{9}$$

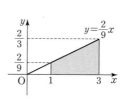

ⓐ $0\leq x\leq 3$에서 함수 $f(x)=kx$의 그래프와 x축 사이의 넓이는 1이다.

ⓑ 다음 방법으로 구해도 된다.
(큰 삼각형의 넓이)
　　$-$(작은 삼각형의 넓이)
$=\left(\dfrac{1}{2}\times 3\times\dfrac{2}{3}\right)-\left(\dfrac{1}{2}\times 1\times\dfrac{2}{9}\right)$
$=1-\dfrac{1}{9}=\dfrac{8}{9}$

확인 문제 　　　　　　　　　　　　　　　정답과 해설 | **56**쪽 　　　　　　　**MY 셀파**

02-1
(상)(중)(하) 확률변수 X의 확률밀도함수가 $f(x)=kx-\dfrac{1}{2}$ $(3\leq x\leq 5)$일 때, $P(X\leq 4)$를 구하시오. (단, k는 상수)

02-1
$3\leq x\leq 5$에서 $y=f(x)$의 그래프와 x축으로 둘러싸인 부분의 넓이가 1임을 이용한다.

02-2
(상)(중)(하) $0\leq x\leq 5$에서 정의된 확률변수 X의 확률밀도함수 $f(x)$의 그래프가 오른쪽 그림과 같고,
$P(0\leq X\leq b)=\dfrac{1}{15}$일 때, 상수 a, b의 값을 구하시오. (단, $0<b\leq 5$)

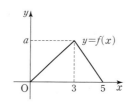

02-2
확률밀도함수의 그래프와 x축으로 둘러싸인 부분의 넓이가 1이 되도록 a의 값을 정한다.

확률변수 X가 평균이 m인 정규분포를 따를 때, 정규분포곡선이 직선 $x=m$에 대하여 대칭임을 이용하여 X에 대한 확률을 구한다.

$$P(m-k \leq X \leq m)=P(m \leq X \leq m+k)=\frac{1}{2}P(m-k \leq X \leq m+k)$$

정규분포를 따르는 확률변수에 대하여 확률밀도함수의 그래프를 정규분포곡선이라 한다. 정규분포곡선을 그릴 때는 보통 y축을 생략한다.

예제 　정규분포 $N(m, \sigma^2)$을 따르는 확률변수 X에 대하여

$$P(m \leq X \leq m+\sigma)=0.3413, P(m \leq X \leq m+2\sigma)=0.4772$$

일 때, 다음을 구하시오.

　(1) $P(m-\sigma \leq X \leq m+\sigma)$ 　　　　　(2) $P(X \leq m+2\sigma)$

해법 코드
확률변수 X가 정규분포 $N(m, \sigma^2)$을 따르므로 정규분포곡선은 직선 $x=m$에 대하여 대칭이다.

셀파 　평균이 m일 때, 직선 $x=m$에 대하여 대칭인 정규분포곡선을 그려 본다.

풀이 　확률변수 X가 정규분포 $N(m, \sigma^2)$을 따를 때, 정규분포곡선은 직선 $x=m$에 대하여 대칭이므로

$$P(m-\sigma \leq X \leq m)=P(m \leq X \leq m+\sigma)$$
$$P(X \geq m)=P(X \leq m)=0.5$$

(1) $P(m-\sigma \leq X \leq m+\sigma)$
　　$=P(m-\sigma \leq X \leq m)+P(m \leq X \leq m+\sigma)$
　　$=P(m \leq X \leq m+\sigma)+P(m \leq X \leq m+\sigma)$
　　$=2 \times 0.3413=\mathbf{0.6826}$

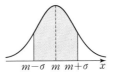

(2) $P(X \leq m+2\sigma)$
　　$=P(X \leq m)+P(m \leq X \leq m+2\sigma)$
　　$=0.5+0.4772=\mathbf{0.9772}$

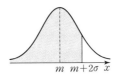

참고
확률변수 X의 평균이 m이므로 정규분포곡선은 직선 $x=m$에 대하여 대칭이다.
❶ $P(X \geq m+\sigma)$
　$=P(X \leq m-\sigma)$
　$=P(X \geq m)$
　　　$-P(m \leq X \leq m+\sigma)$
❷ $P(m+\sigma \leq X \leq m+2\sigma)$
　$=P(m \leq X \leq m+2\sigma)$
　　　$-P(m \leq X \leq m+\sigma)$

확인 문제　　　　　　　　　　　　　　　　　　정답과 해설 | **57**쪽　　　　　　　　**MY 셀파**

03-1
(상)(중)(하)
정규분포 $N(m, \sigma^2)$을 따르는 확률변수 X에 대하여

$$P(m \leq X \leq m+\sigma)=0.3413, P(m \leq X \leq m+2\sigma)=0.4772$$

일 때, 다음을 구하시오.

　(1) $P(X \geq m-\sigma)$

　(2) $P(m-2\sigma \leq X \leq m+\sigma)$

03-1
확률변수 X가 정규분포 $N(m, \sigma^2)$을 따르므로 정규분포곡선은 직선 $x=m$에 대하여 대칭이다.
따라서
$P(m-\sigma \leq X \leq m)$
$=P(m \leq X \leq m+\sigma)$,
$P(m-2\sigma \leq X \leq m)$
$=P(m \leq X \leq m+2\sigma)$

표준정규분포를 따르는 확률변수 Z의 확률밀도함수의 그래프가 직선 $z=0$에 대하여 대칭이므로 다음과 같이 확률을 구한다.

(단, $0<a<b$, $P(0 \leq Z \leq 1)=0.3413$, $P(0 \leq Z \leq 2)=0.4772$)

❶ $P(a \leq Z \leq b)=P(0 \leq Z \leq b)-P(0 \leq Z \leq a)$

▶확률변수 Z가 표준정규분포 $N(0, 1)$을 따를 때, Z의 확률밀도함수 $f(z)$의 그래프는 다음 그림과 같다. 이때 양수 a에 대하여 확률 $P(0 \leq Z \leq a)$는 색칠한 부분의 넓이와 같다.

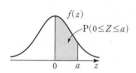

또 그 값은 표준정규분포표에 주어져 있다.

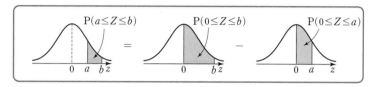

예 $P(1 \leq Z \leq 2)=P(0 \leq Z \leq 2)-P(0 \leq Z \leq 1)$
$=0.4772-0.3413=0.1359$

❷ $P(Z \geq a)=P(Z \geq 0)-P(0 \leq Z \leq a)=0.5-P(0 \leq Z \leq a)$

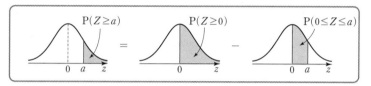

예 $P(Z \geq 1)=P(Z \geq 0)-P(0 \leq Z \leq 1)$
$=0.5-0.3413=0.1587$

▶확률변수 Z가 표준정규분포를 따를 때, Z의 정규분포곡선은 직선 $z=0$에 대하여 대칭이므로 다음이 성립한다. (단, $a>0$)
❶ $P(Z \geq 0)=0.5$
❷ $P(Z \leq 0)=0.5$
❸ $P(0 \leq Z \leq a)$
   $=P(-a \leq Z \leq 0)$

❸ $P(-a \leq Z \leq b)=P(-a \leq Z \leq 0)+P(0 \leq Z \leq b)$
$=P(0 \leq Z \leq a)+P(0 \leq Z \leq b)$

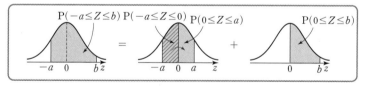

예 $P(-1 \leq Z \leq 2)=P(-1 \leq Z \leq 0)+P(0 \leq Z \leq 2)$
$=P(0 \leq Z \leq 1)+P(0 \leq Z \leq 2)$
$=0.3413+0.4772=0.8185$

확인 체크 02 　　　　　　　　　　　　　　　정답과 해설 **57**쪽

다음 | 보기 |에서 확률의 값이 나머지와 다른 것을 고르시오.

| 보기 |
ㄱ. $P(-1.5 \leq Z \leq 1)$　　　ㄴ. $P(-1 \leq Z \leq 1.5)$　　　ㄷ. $P(|Z| \leq 1.5)$

❸ $P(|Z| \leq 1.5)$
$=P(-1.5 \leq Z \leq 1.5)$
$=2P(0 \leq Z \leq 1.5)$

확률변수 X가 정규분포 $N(m, \sigma^2)$을 따를 때, 확률변수 $Z = \dfrac{X-m}{\sigma}$은 표준정규분포 $N(0, 1)$을 따른다. 이때

$$P(a \leq X \leq b) = P\left(\dfrac{a-m}{\sigma} \leq Z \leq \dfrac{b-m}{\sigma}\right)$$

$P(a \leq X \leq b)$
$= P\left(\dfrac{a-m}{\sigma} \leq \dfrac{X-m}{\sigma} \leq \dfrac{b-m}{\sigma}\right)$
$= P\left(\dfrac{a-m}{\sigma} \leq Z \leq \dfrac{b-m}{\sigma}\right)$

예제 확률변수 X가 정규분포 $N(12, 4^2)$을 따를 때, 오른쪽 표준정규분포표를 이용하여 다음을 구하시오.

(1) $P(12 \leq X \leq 22)$　　　(2) $P(X \geq 18)$

(3) $P(X \leq 20)$

z	$P(0 \leq Z \leq z)$
1.5	0.4332
2.0	0.4772
2.5	0.4938

해법 코드
$P(a \leq X \leq b)$
$= P\left(\dfrac{a-12}{4} \leq Z \leq \dfrac{b-12}{4}\right)$

셀파 확률변수 $Z = \dfrac{X-m}{\sigma}$은 표준정규분포 $N(0, 1)$을 따른다.

풀이 확률변수 $Z = \dfrac{X-12}{4}$는 표준정규분포 $N(0, 1)$을 따른다.

(1) $P(12 \leq X \leq 22) = P\left(\dfrac{12-12}{4} \leq Z \leq \dfrac{22-12}{4}\right)$
　　　　　　　　　$= P(0 \leq Z \leq 2.5) = \mathbf{0.4938}$

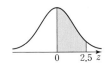

(2) $P(X \geq 18) = P\left(Z \geq \dfrac{18-12}{4}\right)$
　　　　　　$= P(Z \geq 1.5) = 0.5 - P(0 \leq Z \leq 1.5)$
　　　　　　$= 0.5 - 0.4332 = \mathbf{0.0668}$

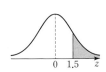

(3) $P(X \leq 20) = P\left(Z \leq \dfrac{20-12}{4}\right)$
　　　　　　$= P(Z \leq 2) = 0.5 + P(0 \leq Z \leq 2)$
　　　　　　$= 0.5 + 0.4772 = \mathbf{0.9772}$

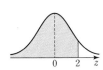

참고
$E(Z) = E\left(\dfrac{X-m}{\sigma}\right)$
　　　$= \dfrac{1}{\sigma}E(X) - \dfrac{m}{\sigma}$
　　　$= 0$

$V(Z) = V\left(\dfrac{X-m}{\sigma}\right)$
　　　$= \dfrac{1}{\sigma^2}V(X)$
　　　$= 1$

확인 문제　　　　　　　　　　　　　　　　　정답과 해설 | **57**쪽　　　　　　**MY 셀파**

04-1 확률변수 X가 정규분포 $N(40, 10^2)$을 따를 때, 오른쪽 표준정규분포표를 이용하여 다음을 구하시오.

(상)(중)(하)

(1) $P(32 \leq X \leq 40)$　　　(2) $P(X \geq 52)$

(3) $P(X \leq 50)$

z	$P(0 \leq Z \leq z)$
0.8	0.2881
1.0	0.3413
1.2	0.3849

04-1
$Z = \dfrac{X-40}{10}$으로 놓으면 확률변수 Z는 표준정규분포 $N(0, 1)$을 따른다.

확률변수 X가 정규분포 $N(m, \sigma^2)$을 따를 때, 확률 $P(a \leq X \leq b)$는 확률변수 X를 $Z = \dfrac{X-m}{\sigma}$으로 표준화하여 구한다. 이때 표준화된 확률변수 $Z = \dfrac{X-m}{\sigma}$은 표준정규분포 $N(0, 1)$을 따른다.

$$P(a \leq X \leq b) \Rightarrow P\left(\frac{a-m}{\sigma} \leq Z \leq \frac{b-m}{\sigma}\right)$$

01 확률변수 X가 정규분포 $N(3, 4^2)$을 따를 때, 오른쪽 표준정규분포표를 이용하여 $P(X \geq 11)$을 구하시오.

z	$P(0 \leq Z \leq z)$
1.0	0.3413
1.5	0.4332
2.0	0.4772

02 확률변수 X가 정규분포 $N(12, 2^2)$을 따를 때, 오른쪽 표준정규분포표를 이용하여 $P(8 \leq X \leq 18)$을 구하시오.

z	$P(0 \leq Z \leq z)$
1.0	0.3413
2.0	0.4772
3.0	0.4987

03 확률변수 X가 정규분포 $N(160, 4^2)$을 따를 때, 오른쪽 표준정규분포표를 이용하여 $P(154 \leq X \leq 166)$을 구하시오.

z	$P(0 \leq Z \leq z)$
1.0	0.3413
1.5	0.4332
2.0	0.4772

04 정규분포 $N(0, 2^2)$을 따르는 확률변수 X에 대하여 오른쪽 표준정규분포표를 이용하여 $P(|X| \geq 2)$를 구하시오.

z	$P(0 \leq Z \leq z)$
1.0	0.3413
1.5	0.4332
2.0	0.4772

05 정규분포 $N(30, 5^2)$을 따르는 확률변수 X에 대하여 확률변수 Y가 $Y = 3X - 2$일 때, 오른쪽 표준정규분포표를 이용하여 $P(Y \leq 73)$을 구하시오.

z	$P(0 \leq Z \leq z)$
1.0	0.3413
1.5	0.4332
2.0	0.4772

$Y = 3X - 2$에서
$P(Y \leq 73)$
$= P(3X - 2 \leq 73)$이야.

06 정규분포 $N(20, 5^2)$을 따르는 확률변수 X에 대하여 확률변수 Y가 $Y = 4X + 10$일 때, 오른쪽 표준정규분포표를 이용하여 $P(Y \geq 60)$을 구하시오.

z	$P(0 \leq Z \leq z)$
1.0	0.3413
1.5	0.4332
2.0	0.4772

특정한 범위에 포함되는 것의 백분율이나 수를 묻는 문제는 다음 순서로 푼다.

① 무엇을 확률변수 X로 놓을지 파악하여 X를 정한다.

② X가 따르는 정규분포 $N(m, \sigma^2)$을 이용하여 X를 표준화한다.

③ 표준정규분포표를 이용하여 확률을 계산한다.

> 표준정규분포표를 이용하여 확률을 구할 때는 표준화하여 얻은 확률변수 Z의 확률밀도함수의 그래프를 그려서 해당 부분을 확인하면 좀 더 이해하기 쉽다.

[예제] 어느 고등학교 학생 750명이 등교하는 데 걸리는 시간은 평균이 20분, 표준편차가 4분인 정규분포를 따른다고 한다. 오른쪽 표준정규분포표를 이용하여 다음 물음에 답하시오.

z	$P(0 \le Z \le z)$
1.0	0.3413
2.0	0.4772
3.0	0.4987

(1) 등교하는 데 걸리는 시간이 12분 이상 16분 이하인 학생은 전체의 몇 %인지 구하시오.

(2) 등교하는 데 걸리는 시간이 28분 이상인 학생은 약 몇 명인지 구하시오.

해법 코드
등교하는 데 걸리는 시간을 확률변수 X라 하면 X는 정규분포 $N(20, 4^2)$을 따른다. 이때 X를 Z로 표준화한 다음 Z에 대한 확률을 구한다.

[셀파] 정규분포 $N(m, \sigma^2)$을 따르는 확률변수 X를 표준화한다.

[풀이] 등교하는 데 걸리는 시간을 확률변수 X라 하면 X는 정규분포 $N(20, 4^2)$을 따르므로 확률변수 $Z = \dfrac{X-20}{4}$은 표준정규분포 $N(0, 1)$을 따른다.

(1) $P(12 \le X \le 16) = P\left(\dfrac{12-20}{4} \le Z \le \dfrac{16-20}{4} \right)$

$\quad \overset{\text{⊙}}{=} P(-2 \le Z \le -1) = P(1 \le Z \le 2)$

$\quad = P(0 \le Z \le 2) - P(0 \le Z \le 1)$

$\quad = 0.4772 - 0.3413 = 0.1359$

따라서 구하는 학생은 전체의 **13.59 %**

⊙ 표준정규분포곡선은 직선 $z=0$에 대하여 대칭이므로
$P(-2 \le Z \le -1)$
$= P(1 \le Z \le 2)$

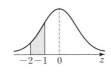

(2) $P(X \ge 28) = P\left(Z \ge \dfrac{28-20}{4} \right) = P(Z \ge 2)$

$\quad = 0.5 - P(0 \le Z \le 2)$

$\quad = 0.5 - 0.4772 = 0.0228$

따라서 구하는 학생은 $750 \times 0.0228 = 17.1$, 즉 **약 17명**

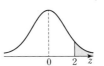

확인 문제　　　　　　　　　　　　　　　정답과 해설 | **59**쪽　　　　　　　　　**MY 셀파**

05-1 어떤 편의점에서 판매하고 있는 원두 커피 한 잔의 양은 평균이 200 mL, 표준편차가 5 mL인 정규분포를 따른다고 한다. 오른쪽 표준정규분포표를 이용하여 한 잔의 양이 210 mL 이상인 원두 커피는 전체의 몇 %인지 구하시오.
(상)(중)(하)

z	$P(0 \le Z \le z)$
1.0	0.3413
2.0	0.4772
3.0	0.4987

05-1
원두 커피 한 잔의 양을 확률변수 X라 하면 X는 정규분포 $N(200, 5^2)$을 따른다.

해법 06 정규분포의 활용

PLUS ⊕

정규분포 $N(m, \sigma^2)$을 따르는 확률변수 X에서 $Z = \dfrac{X-m}{\sigma}$일 때,

$P(m \leq X \leq k) = P\left(0 \leq Z \leq \dfrac{k-m}{\sigma}\right) = p$에서 p를 알면 $\dfrac{k-m}{\sigma}$의 값을 알 수 있다.

과정을 거꾸로 생각하여 주어진 조건을 만족시키는 값을 구할 수 있다.

예제 어느 고등학교 2학년 학생 100명의 수학 점수는 평균이 82점, 표준편차가 10점인 정규분포를 따른다고 한다. 이 학생 100명 중 수학 성적이 10등 안에 들기 위한 최저 점수를 오른쪽 표준정규분포표를 이용하여 구하시오.

(단, 소수점 이하는 반올림한다.)

z	$P(0 \leq Z \leq z)$
0.52	0.2
0.84	0.3
1.28	0.4

해법 코드

학생들의 수학 점수를 확률변수 X라 할 때, 학생 100명 중 수학 점수가 10등인 학생의 점수를 k라 하면 $P(X \geq k) = \dfrac{10}{100} = 0.1$이다.

셀파 조건에 해당하는 부분을 정규분포곡선 위에 나타낸다.

풀이 학생들의 수학 점수를 확률변수 X라 하면 X는 정규분포 $N(82, 10^2)$을 따른다. 이때 수학 성적이 10등인 학생의 수학 점수를 k라 하면

❶ $P(X \geq k) = \dfrac{10}{100} = 0.1$

확률변수 $Z = \dfrac{X-82}{10}$는 표준정규분포 $N(0, 1)$을 따르므로

$P(X \geq k) = P\left(Z \geq \dfrac{k-82}{10}\right) = 0.1$

$P(Z \geq 0) - P\left(0 \leq Z \leq \dfrac{k-82}{10}\right) = 0.1$

❷ $0.5 - P\left(0 \leq Z \leq \dfrac{k-82}{10}\right) = 0.1$　　∴ $P\left(0 \leq Z \leq \dfrac{k-82}{10}\right) = 0.4$

주어진 표준정규분포표에서 $P(0 \leq Z \leq 1.28) = 0.4$이므로

$\dfrac{k-82}{10} = 1.28$　　∴ $k = 94.8$

따라서 구하는 최저 점수는 **95점**

❶ 조건의 내용을 다음과 같은 정규분포곡선에 나타낼 수 있다.

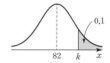

❷ 표준정규분포표로 알 수 있는 확률은 $P(0 \leq Z \leq z)$ 꼴이고, $P(Z \geq 0) = 0.50$이므로

$P\left(Z \geq \dfrac{k-82}{10}\right) = 0.1$을

$0.5 - P\left(0 \leq Z \leq \dfrac{k-82}{10}\right) = 0.1$

로 고쳐서 k의 값을 구해야 한다.

확인 문제　　　　　　　　　　　정답과 해설 | **59**쪽

MY 셀파

06-1
(상)(중)(하) 100점 만점인 K 방송국 아나운서 채용 시험에서 수험생 1000명의 점수는 평균이 70점, 표준편차가 8점인 정규분포를 따른다고 한다. 이 시험에서 합격자가 20명일 때, 합격자의 최저 점수를 오른쪽 표준정규분포표를 이용하여 구하시오.

z	$P(0 \leq Z \leq z)$
1.5	0.43
2.0	0.48
2.5	0.49

06-1
최저 점수를 k라 하면
$P(X \geq k) = 0.02$

Q 중간고사 성적표가 나왔어요. 수학은 75점, 영어는 85점, 분명 영어 점수가 수학 점수보다 더 높은데 등수는 영어가 더 낮아요. 왜죠?

A 그건 영어와 수학 점수의 평균, 표준편차 등이 다르기 때문이야. 즉, 기준이 다른 거지. 기준이 다른 두 과목 중에서 어느 과목 성적이 더 우수한지 알려면 우선 그 기준을 통일해야 해.

➊ 하나의 표준정규분포곡선 위에 표준화한 수학 점수, 영어 점수를 함께 나타내 본다.

Q 기준을 통일한다면 점수를 표준화한다는 뜻인가요?

A 맞아. 시험을 본 전체 학생들의 수학 점수는 정규분포 $N(60, 10^2)$을 따르고, 영어 점수는 정규분포 $N(80, 5^2)$을 따른다고 하자. 이때 받은 수학 점수 75점과 영어 점수 85점을 표준화하여➊전체 학생들의 성적 분포에서 어느 위치에 있는지 확인해 봐.

Q 수학 점수는 정규분포 $N(60, 10^2)$을 따르므로 표준화하면

$$Z_수 = \frac{75-60}{10} = 1.5$$

영어 점수는 정규분포 $N(80, 5^2)$을 따르므로 표준화하면

$$Z_영 = \frac{85-80}{5} = 1$$

이 돼요. 그 다음에는 어떻게 해야 돼요?

A 표준정규분포곡선을 그려 $Z_수$, $Z_영$의 위치를 확인하는 거야. 오른쪽 그림을 보면 $Z_수$가 $Z_영$보다 오른쪽에 있지? 두 과목 중 수학이 영어보다 점수는 낮지만 상대적으로 성적이 더 우수하다고 할 수 있어. 이처럼 단순히 수치만을 비교하여 우열을 가리기 어려운 경우에 확률변수의 표준화를 이용하면 상대적인 비교를 할 수 있어.

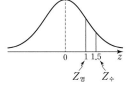

대학수학능력시험을 치르고 나면 성적표에 원점수 대신 표준점수가 주어진다. 표준점수는 원점수의 평균과 표준편차에 따라 표준화한 점수이다. 이때 표준점수는 각 과목 간의 난이도에 따라 유리하거나 또는 불리해지는 경우를 없애기 위하여 사용된다. 표준점수를 계산하는 방법은 다음과 같다.
① 영역·과목별로 다음 공식에 따라 Z점수를 구한다.

$$Z점수 = \frac{(원점수)-(평균점수)}{(표준편차)}$$

② ①에서 얻은 Z점수를
$$(표준점수) = (Z점수) \times k + 100$$
에 대입하여 표준점수를 계산한다. (단, k는 영역에 따라 정해진 상숫값으로 국어, 수학, 영어 영역은 $k=20$, 탐구 영역은 $k=10$이다.)
예를 들어 수학 영역 시험을 치른 전체 학생의 평균과 표준편차가 각각 73점, 15점일 때, 어떤 학생의 수학 영역 원점수 88점의 표준점수는
$$\frac{88-73}{15} \times 20 + 100 = 120(점)$$
이 된다.

확인 체크 03　　　　　　　　정답과 해설 | **60**쪽

수찬이는 중간 고사에서 물리 74점, 화학 71점, 생물 73점을 받았다. 수찬이네 반 학생들의 각 과목별 평균, 표준편차가 오른쪽 표와 같고 정규분포를 따른다고 할 때, 수찬이가 상대적으로 우수한 성적을 받은 과목부터 차례로 나열하시오.

	물리	화학	생물
평균	70	75	70
표준편차	8	4	3

➋ 수찬이의 물리, 화학, 생물 점수를 각각 표준화해서 그 값을 비교한다.

해법 07　이항분포와 정규분포의 관계　　　　PLUS ⊕

확률변수 X가 이항분포 $B(n, p)$를 따를 때, 이항분포 $B(n, p)$의 그래프는 n이 커지면 근사적으로 평균이 np, 분산이 npq인 정규분포 $N(np, npq)$의 곡선에 가까워진다. 따라서 확률변수 X는 근사적으로 정규분포 $N(np, npq)$를 따른다. (단, $q=1-p$)

> $np≥5$, $nq≥5$일 때, n이 충분히 크다고 할 수 있다.

예제 다음 물음에 답하시오. (단, $P(0≤Z≤1)=0.3413$, $P(0≤Z≤2)=0.4772$)

(1) 확률변수 X가 이항분포 $B\left(180, \dfrac{1}{6}\right)$을 따를 때, $P(X≥20)$을 구하시오.

(2) 동전 36개를 던져서 앞면이 15개 이상 24개 이하가 나올 확률을 구하시오.

해법 코드

(1) $m=180×\dfrac{1}{6}$

$\sigma=\sqrt{180×\dfrac{1}{6}×\dfrac{5}{6}}$

(2) $m=36×\dfrac{1}{2}$

$\sigma=\sqrt{36×\dfrac{1}{2}×\dfrac{1}{2}}$

셀파 이항분포 $B(n, p)$를 따르는 확률변수 X는 n이 충분히 크면 근사적으로 정규분포 $N(np, npq)$를 따른다. (단, $q=1-p$)

풀이 (1) 확률변수 X는 이항분포 $B\left(180, \dfrac{1}{6}\right)$을 따르므로 평균 m과 표준편차 σ는

$$m=180×\dfrac{1}{6}=30, \quad \sigma=\sqrt{180×\dfrac{1}{6}×\dfrac{5}{6}}=5$$

이때 n이 충분히 크므로 X는 근사적으로 정규분포 $N(30, 5^2)$을 따른다.

$$\therefore P(X≥20)=P(Z≥-2)=P(-2≤Z≤0)+P(Z≥0)$$
$$=P(0≤Z≤2)+0.5$$
$$=0.4772+0.5=\mathbf{0.9772}$$

❶ $P(X≥20)$
$=P\left(Z≥\dfrac{20-30}{5}\right)$
$=P(Z≥-2)$

(2) 동전 36개를 던져서 앞면이 나오는 개수를 확률변수 X라 하면 X는 이항분포 $B\left(36, \dfrac{1}{2}\right)$을 따르므로 평균 m과 표준편차 σ는

$$m=36×\dfrac{1}{2}=18, \quad \sigma=\sqrt{36×\dfrac{1}{2}×\dfrac{1}{2}}=3$$

이때 n이 충분히 크므로 X는 근사적으로 정규분포 $N(18, 3^2)$을 따른다.

$$\therefore P(15≤X≤24)=P(-1≤Z≤2)=P(0≤Z≤1)+P(0≤Z≤2)$$
$$=0.3413+0.4772=\mathbf{0.8185}$$

❷ $P(15≤X≤24)$
$=P\left(\dfrac{15-18}{3}≤Z≤\dfrac{24-18}{3}\right)$
$=P(-1≤Z≤2)$

확인 문제　　　　　　정답과 해설 **60**쪽　　　　　　**MY 셀파**

07-1 확률변수 X가 이항분포 $B\left(400, \dfrac{1}{5}\right)$을 따를 때, $P(72≤X≤88)$을 구하시오.
(단, $P(0≤Z≤1)=0.3413$, $P(0≤Z≤2)=0.4772$)

07-1
$m=400×\dfrac{1}{5}$
$\sigma=\sqrt{400×\dfrac{1}{5}×\dfrac{4}{5}}$

07-2 한 개의 주사위를 720번 던질 때, 6의 눈이 110번 이상 135번 이하로 나올 확률을 구하시오. (단, $P(0≤Z≤1)=0.3413$, $P(0≤Z≤1.5)=0.4332$)

07-2
한 개의 주사위를 한 번 던질 때, 6의 눈이 나올 확률은 $\dfrac{1}{6}$이다.

해법 08 · 이항분포와 정규분포의 관계의 활용

PLUS ⊕

n회의 독립시행에서 사건 A가 일어나는 횟수를 확률변수 X라 하면 X에 대한 이항분포를 찾는다.
확률변수 X가 이항분포 $\mathrm{B}(n, p)$를 따르고 n이 충분히 클 때, X는 근사적으로 정규분포 $\mathrm{N}(np, npq)$를 따른다. (단, $q=1-p$)

> 확률변수 X가 이항분포 $\mathrm{B}(n, p)$를 따를 때, $m=np, \sigma=\sqrt{npq}$

예제 한 개의 동전을 100번 던질 때, 앞면이 k번 이하로 나올 확률이 0.07 이하이다. 오른쪽 표준정규분포표를 이용하여 k의 최댓값을 구하시오.

z	$\mathrm{P}(0 \le Z \le z)$
1.0	0.34
1.5	0.43
2.0	0.48

해법 코드
동전의 앞면이 나온 횟수를 확률변수 X라 하면 X는 이항분포 $\mathrm{B}\left(100, \dfrac{1}{2}\right)$을 따른다.

셀파 이항분포 $\mathrm{B}\left(100, \dfrac{1}{2}\right)$을 따르는 확률변수 X는 시행 횟수 n이 충분히 크므로 근사적으로 정규분포 $\mathrm{N}(50, 5^2)$을 따른다.

풀이 한 개의 동전을 100번 던질 때, 앞면이 나온 횟수를 확률변수 X라 하면
X는 이항분포 $\mathrm{B}\left(100, \dfrac{1}{2}\right)$을 따르므로 평균 m과 표준편차 σ는
$$m=100 \times \frac{1}{2}=50, \ \sigma=\sqrt{100 \times \frac{1}{2} \times \frac{1}{2}}=5$$
이때 ❶ n이 충분히 크므로 X는 근사적으로 정규분포 $\mathrm{N}(50, 5^2)$을 따른다.
앞면이 k번 이하로 나올 확률이 0.07 이하이므로
$$\mathrm{P}(X \le k)=\mathrm{P}\left(Z \le \frac{k-50}{5}\right) \le 0.07 \qquad \cdots\cdots \ \unicode{x24B6}$$
표준정규분포표에서 $\mathrm{P}(0 \le Z \le 1.5)=0.43$이므로
$$\mathrm{P}(Z \ge 1.5)=\mathrm{P}(Z \ge 0)-\mathrm{P}(0 \le Z \le 1.5)=0.5-0.43=0.07$$
이때 표준정규분포곡선은 직선 $z=0$에 대하여 대칭이므로
$$\mathrm{P}(Z \ge 1.5)=\mathrm{P}(Z \le -1.5)=0.07 \qquad \cdots\cdots \ \unicode{x24B7}$$
❷ $\unicode{x24B6}$, $\unicode{x24B7}$에서 $\dfrac{k-50}{5} \le -1.5$, $k-50 \le -7.5$ $\therefore k \le 42.5$
따라서 자연수 k의 최댓값은 **42**

> ❶ $n=100, p=\dfrac{1}{2}$에서
> $np=100 \times \dfrac{1}{2}=50 \ge 5$
> $n(1-p)=100 \times \dfrac{1}{2}=50 \ge 5$
> 이므로 시행 횟수 n이 충분히 크다고 볼 수 있다.

> ❷ $\mathrm{P}\left(Z \le \dfrac{k-50}{5}\right) \le 0.07$이고, $\mathrm{P}(Z \le -1.5)=0.07$이므로 $\dfrac{k-50}{5}$의 최댓값이 -1.5이다.

확인 문제 정답과 해설 **60**쪽

MY 셀파

08-1 (상)(중)(하) 근시인 학생의 비율이 40 %인 어느 고등학교에서 학생 150명을 임의로 뽑았을 때, 근시인 학생이 k명 이하일 확률이 0.0228이다. 오른쪽 표준정규분포표를 이용하여 k의 값을 구하시오.

z	$\mathrm{P}(0 \le Z \le z)$
1.0	0.3413
1.5	0.4332
2.0	0.4772

08-1
근시인 학생의 수를 확률변수 X로 놓는다.

01 확률밀도함수의 성질

$-1 \leq X \leq 1$에서 정의된 연속확률변수 X에 대하여
다음 중 확률밀도함수 $y=f(x)$의 그래프로 적당한 것
은?

①

②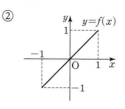

③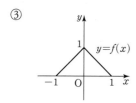

④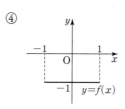

⑤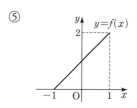

02 확률밀도함수를 이용한 확률의 계산

$0 \leq X \leq 10$에서 정의된 연속확률변수 X의 확률밀도
함수의 그래프가 다음 그림과 같다.

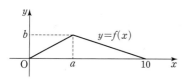

$P(0 \leq X \leq a) = \dfrac{2}{5}$일 때, 상수 a, b의 값을 구하시오.

03 정규분포곡선의 성질

정규분포 $N(m, \sigma^2)$을 따르는 확률변수 X에 대하여
$P(X \leq 12) = P(X \geq 26)$일 때, m의 값을 구하시오.

04 정규분포곡선의 성질

세 확률변수 X_A, X_B, X_C의 정규분포곡선 A, B, C
에 대하여 A, B는 대칭축이 서로 같고, B, C는 평행
이동하면 서로 겹쳐진다고 한다. 세 확률변수의 평균
을 각각 m_A, m_B, m_C, 표준편차를 각각 σ_A, σ_B, σ_C라
할 때, 다음 | 보기 | 중 옳은 것을 모두 고르시오.

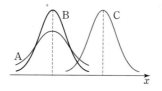

| 보기 |
ㄱ. $m_A = m_B$, $\sigma_A < \sigma_B = \sigma_C$이다.
ㄴ. X_A와 X_C는 평균이 같고, X_B와 X_C는 표준편
차가 같다.
ㄷ. $m_B < m_C$이고, $\sigma_A > \sigma_B$이다.

05 표준정규분포에서의 확률

오른쪽 표준정규분포표를 이
용하여
$P(|Z| \leq a) = 0.3830$을 만
족시키는 실수 a의 값을 구
하시오.

z	$P(0 \leq Z \leq z)$
0.5	0.1915
1.0	0.3413
1.5	0.4332

정규분포의 확률

06 다음 그림은 정규분포 $N(40, 10^2)$, $N(50, 5^2)$을 각각
(상)(중)(하) 따르는 두 확률변수 X, Y의 정규분포곡선을 나타낸
것이다.

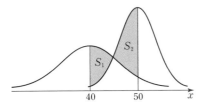

$40 \le x \le 50$에서 두 곡선과 직선 $x=40$으로 둘러싸인
부분의 넓이를 S_1, 두 곡선과 직선 $x=50$으로 둘러싸
인 부분의 넓이를 S_2라 할 때, $S_2 - S_1$의 값을 구하시
오.

(단, $P(0 \le Z \le 1) = 0.3413$, $(0 \le Z \le 2) = 0.4772$)

정규분포의 확률

07 다음 그림은 정규분포 $N(50, 10^2)$, $N(40, 5^2)$을 각각
(상)(중)(하) 따르는 두 확률변수 X, Y의 정규분포곡선을 나타낸
것이다.

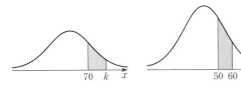

색칠한 부분의 넓이가 서로 같을 때, 상수 k의 값을 구
하시오.

정규분포의 확률 　융합형

08 확률변수 X가 정규분포 $N(m, \sigma^2)$을 따르고 다음 조
(상)(중)(하) 건을 만족시킨다.

> (가) $P(X \ge 64) = P(X \le 56)$
> (나) $E(X^2) = 3616$

$P(X \le 68)$을 오른쪽 표를
이용하여 구하시오.

x	$P(m \le Z \le x)$
$m+1.5\sigma$	0.4332
$m+2\sigma$	0.4772
$m+2.5\sigma$	0.4938

정규분포의 확률

09 확률변수 X가 평균이 m, 표준편차가 σ인 정규분포
(상)(중)(하) 를 따르고
$$P(X \le 3) = P(3 \le X \le 80) = 0.3$$
일 때, $m + \sigma$의 값을 구하시오.
(단, $P(0 \le Z \le 0.25) = 0.1$, $P(0 \le Z \le 0.52) = 0.2$)

정규분포의 확률

10 정규분포 $N(m, \sigma^2)$을 따르는 확률변수 X의 확률밀
(상)(중)(하) 도함수 $f(x)$가 모든 실수 x에 대하여
$f(100 - x) = f(100 + x)$를 만족시킨다.
$P(m \le X \le m+20) = 0.4772$
일 때, 오른쪽 표준정규분포
표를 이용하여
$P(85 \le X \le 120)$을 구하시
오.

z	$P(0 \le Z \le z)$
1.5	0.4332
2.0	0.4772
2.5	0.4938

정규분포의 확률　　　　　　　　　　융합형

11 확률변수 A가 정규분포 $N(1, 4^2)$을 따를 때, 곡선
$y=x^2+Ax+1$과 직선
$y=x+A$가 만날 확률을 오
른쪽 표준정규분포표를 이용
하여 구하시오.

z	$P(0 \leq Z \leq z)$
1.0	0.3413
1.5	0.4332
2.0	0.4772

정규분포의 확률　　　　　　　　　　서술형

12 확률변수 X가 정규분포
$N(2, \sigma^2)$을 따르고
$P(|X-1| \leq 1)=0.4772$
일 때, $P(X \geq 5)$를 오른쪽
표준정규분포표를 이용하여 구하시오.

z	$P(0 \leq Z \leq z)$
1.0	0.3413
2.0	0.4772
3.0	0.4987

정규분포의 확률

13 어느 쌀 모으기 행사에 참여한 학생들이 기부한 쌀의
무게는 평균이 1.5 kg, 표준편차가 0.2 kg인 정규분
포를 따른다고 한다. 이 행사에 참여한 학생 중 임의
로 1명을 선택할 때, 이 학생
이 기부한 쌀의 무게가
1.3 kg 이상 1.8 kg 이하일
확률을 오른쪽 표준정규분포
표를 이용하여 구하시오.

z	$P(0 \leq Z \leq z)$
1.00	0.3413
1.25	0.3944
1.50	0.4332

정규분포의 활용

14 A과수원에서 생산하는 귤의 무게는 평균이 86, 표준
편차가 15인 정규분포를 따르고, B과수원에서 생산
하는 귤의 무게는 평균이 88, 표준편차가 10인 정규분
포를 따른다고 한다. A과수원에서 임의로 선택한 귤
의 무게가 98 이하일 확률과 B과수원에서 임의로 선
택한 귤의 무게가 a 이하일 확률이 같을 때, a의 값을
구하시오. (단, 귤의 무게 단위는 g이다.)

이항분포와 정규분포의 관계　　　　　　창의·융합

15 동전을 던져 앞면이 나오면 5점을 얻고 뒷면이 나오면
1점을 잃는 게임이 있다. 이
게임을 100번 시행한 후의
점수가 140점 이상일 확률을
오른쪽 표준정규분포표를 이
용하여 구하시오.

z	$P(0 \leq Z \leq z)$
1.0	0.3413
1.5	0.4332
2.0	0.4772

이항분포와 정규분포의 관계

16 어떤 나라에서는 그 국민의 혈액형의 비율이 O형이
30 %, A형이 35 %, B형이 25 %, AB형이 10 %라
한다. 이 나라의 국민 중에서 400명을 임의로 선택할
때, AB형인 사람이 37명 이
상 49명 이하일 확률을 오른
쪽 표준정규분포표를 이용하
여 구하시오.

z	$P(0 \leq Z \leq z)$
0.5	0.1915
1.0	0.3413
1.5	0.4332

7

통계적 추정

7. 통계적 추정

개념 1　모집단과 표본

> ❶ 모집단: 조사의 대상이 되는 [❶   ] 전체
>
> ❷ 표본: 모집단에서 뽑은 일부분
>
> 　표본의 크기: 표본에 포함된 대상의 개수
>
> ❸ 임의추출: 모집단의 각 대상이 표본에 포함될 [❷   ]이
>
> 　모두 같도록 표본을 추출하는 방법

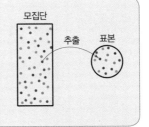

답 ❶ 집단 ❷ 확률

보기 A시 성인들의 독서량을 알아보기 위해 A시에서 1000명의 성인을 대상으로 한 달에 몇 권의 책을 읽는지 조사하였다고 할 때, 모집단과 표본을 말하시오.

연구 모집단: A시 성인, 표본: A시 성인 중 1000명

개념 2　표본평균 $\overline{X}$의 분포

> 모평균이 m, 모분산이 σ^2인 모집단에서 크기가 n인 표본을 [❶   ] 추출할 때, 표본평균 $\overline{X}$에 대하여 다음이 성립한다.
>
> ❶ $\mathrm{E}(\overline{X})=m$, $\mathrm{V}(\overline{X})=\dfrac{\sigma^2}{[❷\ ]}$, $\sigma(\overline{X})=\dfrac{\sigma}{\sqrt{n}}$
>
> ❷ 모집단이 정규분포 $\mathrm{N}(m, \sigma^2)$을 따르면 표본평균 $\overline{X}$는 정규분포 $\mathrm{N}\!\left([❸\ ], \dfrac{\sigma^2}{n}\right)$을 따른다.
>
> ❸ 모집단의 분포가 정규분포가 아닐 때도 표본의 크기 n이 충분히 [❹   ] $\overline{X}$는 근사적으로 정규분포 $\mathrm{N}\!\left(m, \dfrac{\sigma^2}{n}\right)$을 따른다.

답 ❶ 임의 ❷ n ❸ m ❹ 크면

개념 3　모평균의 추정과 신뢰구간

> 정규분포 $\mathrm{N}(m, \sigma^2)$을 따르는 모집단에서 크기가 n인 표본을 임의추출하여 구한 표본평균이 $\overline{X}$일 때, [❶   ] m의 신뢰구간은 신뢰도에 따라 다음과 같다.
>
> ❶ 신뢰도 95 %의 신뢰구간 ⇨ $\overline{X}-1.96\dfrac{\sigma}{\sqrt{n}} \le m \le \overline{X}+1.96\dfrac{\sigma}{\sqrt{n}}$
>
> ❷ 신뢰도 99 %의 신뢰구간 ⇨ $\overline{X}-2.58\dfrac{\sigma}{\sqrt{n}} \le m \le \overline{X}+2.58\dfrac{\sigma}{\sqrt{n}}$

답 ❶ 모평균

개념 플러스

㉠ 통계 조사에는 전수조사와 표본조사가 있다.

전수조사: 조사 대상이 되는 집단 전체를 조사하는 것

　예 인구 조사

표본조사: 조사 대상이 되는 집단의 일부를 조사하는 것

　예 선거 출구 조사

▶ 모집단의 크기가 표본의 크기에 비해 매우 클 때는 비복원추출도 복원추출로 볼 수 있다.

㉡ 모집단에서 크기가 n인 표본을 추출할 때, 각각 $a_1, a_2, \cdots, a_n$이라 하면 이들의 평균

$$\overline{X}=\frac{1}{n}(a_1+a_2+\cdots+a_n)$$

을 표본평균이라 한다.

> 이산확률분포와 연속확률분포, 정규분포에서는 확률변수 X에 대한 문제를 다루었다면 통계적 추정 단원에서는 표본평균 $\overline{X}$에 대한 문제를 다뤄!

㉢ 표본에서 얻은 정보를 이용하여 모평균, 모표준편차 등을 추측하는 것을 추정이라 한다.

㉣ 신뢰도 α %는 표본평균 $\overline{X}$를 통해 추정한 여러 번의 신뢰구간에 모평균이 포함되어 있을 확률이 α %임을 뜻한다.

7

통계적 추정

1-1 | 모집단과 표본 |

A사에서 만든 전구 중 1000개를 임의로 선택해 전구 수명의 평균을 조사했더니 3100시간이었을 때, 다음을 구하시오.

(1) 모집단　　　　　　　　(2) 표본, 표본의 크기

연구

(1) 모집단 : A사에서 만든 전구 전체

(2) 표본 : 조사하기 위해 임의로 선택한 전구 1000개

표본의 크기 : ☐

1-2 | 따라풀기 |

전국 고등학생들이 영어 듣기 평가를 했을 때, 임의로 뽑은 500명의 고등학생의 영어 듣기 평가 점수는 평균이 21점, 표준편차가 3점이었다. 이때 다음을 구하시오.

(1) 모집단　　　　　　　　(2) 표본, 표본의 크기

풀이

2-1 | 임의추출 |

1, 2, 3, 4의 자연수가 하나씩 적힌 4개의 공이 들어 있는 주머니에서 한 개씩 두 개의 공을 차례로 꺼낸다. 다음과 같이 꺼낼 때, 경우의 수를 구하시오.

(1) 꺼낸 공은 다시 넣는다.

(2) 꺼낸 공은 다시 넣지 않는다.

연구

(1) 처음 꺼낼 때 나올 수 있는 경우의 수는 4

　두 번째 꺼낼 때 나올 수 있는 경우의 수도 4이므로

　곱의 법칙에 따라 경우의 수는

　$4 \times$ ☐ $=$ ☐

(2) 처음 꺼낼 때 나올 수 있는 경우의 수는 4

　두 번째 꺼낼 때 나올 수 있는 경우의 수는 3이므로

　곱의 법칙에 따라 경우의 수는

　$4 \times 3 = 12$

2-2 | 따라풀기 |

1부터 5까지의 자연수가 하나씩 적힌 5개의 공이 들어 있는 주머니에서 한 개씩 두 개의 공을 차례로 꺼낸다. 다음과 같이 추출할 때, 경우의 수를 구하시오.

(1) 복원추출

(2) 비복원추출

풀이

모평균이 m, 모분산이 σ^2인 모집단에서 크기가 n인 표본을 임의추출할 때,
표본평균 $\overline{X}$의 평균, 분산, 표준편차는 다음과 같다.

$$\text{E}(\overline{X})=m,\ \text{V}(\overline{X})=\frac{\sigma^2}{n},\ \sigma(\overline{X})=\frac{\sigma}{\sqrt{n}}$$

참고 확률변수 X에 대하여 성립하는 성질은 표본평균 $\overline{X}$에 대해서도 성립한다.
⇨ 표본평균 $\overline{X}$를 새로운 확률변수로 생각한다.

특별한 언급이 없는 한 모집단의 크기는 충분히 큰 것으로 생각한다.

예제

1. 모평균이 16, 모분산이 1인 모집단에서 크기가 64인 표본을 임의추출할 때, 표본평균 $\overline{X}$의 평균과 표준편차를 구하시오.

해법 코드

1. 모평균, 모표준편차와 표본의 크기를 이용하여 $\text{E}(\overline{X})$, $\sigma(\overline{X})$를 구한다.

2. 모표준편차가 12인 모집단에서 크기가 n인 표본을 임의추출할 때, 표본평균 $\overline{X}$의 표준편차가 2 이하가 되도록 하는 n의 최솟값을 구하시오.

2. $\sigma(\overline{X})=\dfrac{\sigma}{\sqrt{n}}\leq 2$

셀파 크기가 n인 표본평균 $\overline{X}$의 평균 $\text{E}(\overline{X})=m$, 표준편차 $\sigma(\overline{X})=\dfrac{\sigma}{\sqrt{n}}$

풀이

1. 모평균 $m=16$, 모표준편차 $\sigma=1$, 표본의 크기 $n=64$이므로

$$\text{E}(\overline{X})=m=\mathbf{16},\ \sigma(\overline{X})=\frac{\sigma}{\sqrt{n}}=\frac{1}{\sqrt{64}}=\frac{1}{8}$$

2. 모표준편차 $\sigma=12$이므로 $\sigma(\overline{X})=\dfrac{12}{\sqrt{n}}\leq 2$

이 식의 양변을 제곱하면 $\dfrac{12^2}{n}\leq 2^2$, $n\geq 36$

따라서 구하는 n의 최솟값은 **36**

모집단의 크기가 충분히 클 경우 복원추출과 비복원추출은 같은 것으로 볼 수 있어.

참고

❶ 모집단의 확률변수를 X라 할 때, X의 평균, 분산, 표준편차를 각각 모평균, 모분산, 모표준편차라 한다.

❷ 모집단에서 표본을 임의추출했을 때, 추출한 표본의 평균, 분산, 표준편차를 각각 표본평균, 표본분산, 표본표준편차라 한다.

확인 문제   정답과 해설 | **65**쪽   **MY 셀파**

01-1 모평균이 10, 모분산이 9인 모집단에서 크기가 100인 표본을 임의추출할 때, 표본평균 $\overline{X}$의 평균, 분산, 표준편차를 구하시오.

01-1
모평균, 모표준편차와 표본의 크기를 이용하여 $\text{E}(\overline{X})$, $\text{V}(\overline{X})$, $\sigma(\overline{X})$를 구한다.

01-2 표준편차가 1.8인 모집단에서 크기가 n인 표본을 임의추출할 때, 표본평균 $\overline{X}$의 표준편차가 0.6 이하가 되도록 하는 n의 최솟값을 구하시오.

01-2
$\sigma(\overline{X})=\dfrac{\sigma}{\sqrt{n}}\leq 0.6$

2, 4, 6의 숫자가 하나씩 적힌 세 개의 공이 들어 있는 주머니에서 지인이와 석진이가 각각 크기가 2인 표본을 임의추출하였다.

> 지인 : 선생님! 저는 2와 4가 나왔어요.
> 석진 : 저는 6이 두 번 나왔어요.
> 선생님 : 그럼 여러분이 꺼낸 공에 적힌 숫자의 평균과 분산을 구해 보세요.

다음 풀이를 통해 새로운 ❶확률변수인 표본평균 $\overline{X}$에 대하여 알아보자.

(풀이1) 2, 4, 6의 숫자가 하나씩 적힌 세 개의 공이 모집단이고, 이 모집단에서 임의추출한 ❷크기가 2인 표본을 (X_1, X_2)라 할 때, 표본평균 $\overline{X}=\dfrac{X_1+X_2}{2}$는 다음과 같다.

(X_1, X_2)	$(2, 2)$	$(2, 4), (4, 2)$	$(2, 6), (4, 4), (6, 2)$	$(4, 6), (6, 4)$	$(6, 6)$
$\overline{X}$	2	3	4	5	6

$\overline{X}$의 확률분포는 다음 표와 같으므로

$\overline{X}$	2	3	4	5	6	합계
$P(\overline{X}=\overline{x})$	$\dfrac{1}{9}$	$\dfrac{2}{9}$	$\dfrac{3}{9}$	$\dfrac{2}{9}$	$\dfrac{1}{9}$	1

$$E(\overline{X})=2\times\dfrac{1}{9}+3\times\dfrac{2}{9}+4\times\dfrac{3}{9}+5\times\dfrac{2}{9}+6\times\dfrac{1}{9}=\mathbf{4}$$

$$V(\overline{X})=\left(2^2\times\dfrac{1}{9}+3^2\times\dfrac{2}{9}+4^2\times\dfrac{3}{9}+5^2\times\dfrac{2}{9}+6^2\times\dfrac{1}{9}\right)-4^2=\mathbf{\dfrac{4}{3}}$$

그런데 (풀이1)과 같은 방법으로 $E(\overline{X})$, $V(\overline{X})$ 등을 구하는 것은 번거롭다.

이때 $E(\overline{X})$는 모집단의 평균 m과 같고, $V(\overline{X})=\dfrac{\sigma^2}{n}$인 사실을 이용하면 편리하다.

(풀이2) 모집단에서 ❸확률변수 X의 확률분포가 오른쪽 표와 같으므로

X	2	4	6	합계
$P(X=x)$	$\dfrac{1}{3}$	$\dfrac{1}{3}$	$\dfrac{1}{3}$	1

$E(X)=2\times\dfrac{1}{3}+4\times\dfrac{1}{3}+6\times\dfrac{1}{3}=4$이므로

$$E(\overline{X})=\mathbf{4}$$

$V(X)=\left(2^2\times\dfrac{1}{3}+4^2\times\dfrac{1}{3}+6^2\times\dfrac{1}{3}\right)-4^2=\dfrac{8}{3}$이므로

❹$$V(\overline{X})=\dfrac{\sigma^2}{n}=\dfrac{1}{2}\times\dfrac{8}{3}=\mathbf{\dfrac{4}{3}}$$

따라서 $E(\overline{X})$, $V(\overline{X})$ 등을 구할 때, 표본평균 $\overline{X}$의 확률분포를 구하는 것보다 모집단의 확률변수 X의 확률분포에서 구하는 것이 더 편리하다는 것을 알 수 있다.

❶ 표본평균 $\overline{X}$는 임의추출한 표본의 측정값에 따른 값을 가지므로 확률변수이다.

❷ 크기가 2인 표본은 표본에 속한 원소가 두 개인 것을 나타낸다.

❸ 모집단의 확률변수 X가 될 수 있는 값은 2, 4, 6이고, 각각이 뽑힐 확률은 모두 $\dfrac{1}{3}$로 같다.

❹ 이때 $\sigma(\overline{X})=\sqrt{V(\overline{X})}$이므로 $\sigma(\overline{X})=\sqrt{\dfrac{4}{3}}=\dfrac{2\sqrt{3}}{3}$이다.

7 통계적 추정

모평균 m과 모분산 σ^2이 주어지지 않은 경우

⇨ 주어진 모집단의 확률변수 X의 확률분포표 또는 모집단으로부터 모평균 m과 모분산 σ^2의 값을 구한 다음 문제를 해결한다.

모집단의 확률분포표가 주어지지 않은 경우는 확률분포표를 나타내고 모평균과 모분산을 구한다.

예제 1, 1, 1, 3, 3, 5의 숫자가 하나씩 적힌 6장의 카드가 들어 있는 주머니에서 크기가 2인 표본을 임의추출할 때, 표본평균 $\overline{X}$의 평균과 분산을 구하시오.

해법 코드
모집단의 확률변수 1, 3, 5의 확률분포표를 나타내고 모평균 m과 모분산 σ^2을 구한 다음 이를 이용한다.

셀파 $\text{E}(X)=m$, $\text{V}(X)=\sigma^2$ ⇨ 표본의 크기가 n일 때, $\text{E}(\overline{X})=m$, $\text{V}(\overline{X})=\dfrac{\sigma^2}{n}$

풀이 확률변수 X의 확률분포는 오른쪽 표와 같다.

모평균을 m, 모분산을 σ^2이라 하면

X	1	3	5	합계
$\text{P}(X=x)$	$\dfrac{1}{2}$	$\dfrac{1}{3}$	$\dfrac{1}{6}$	1

$$m=\text{E}(X)=1\times\frac{1}{2}+3\times\frac{1}{3}+5\times\frac{1}{6}=\frac{7}{3}$$

$$\sigma^2=\text{V}(X)=\left(1^2\times\frac{1}{2}+3^2\times\frac{1}{3}+5^2\times\frac{1}{6}\right)-\left(\frac{7}{3}\right)^2=\frac{20}{9}$$

이때 표본의 크기가 $n=2$이므로 표본평균 $\overline{X}$의 평균과 분산은

$$\text{E}(\overline{X})=m=\frac{7}{3}$$

$$\text{V}(\overline{X})=\frac{\sigma^2}{n}=\frac{\dfrac{20}{9}}{2}=\frac{10}{9}$$

표본평균 $\overline{X}$에 대한 확률분포를 구해서 직접 $\overline{X}$의 평균과 분산을 계산하면 안 되나요?

물론 그렇게 구할 수도 있어. 하지만 표본이 만들어지는 경우가 많아지면 일일이 그 확률을 구하기 복잡하지.

확인 문제   정답과 해설 | **65**쪽   **MY 셀파**

02-1 확률변수 X의 확률분포가 오른쪽 표와 같은
(상**중**하) 모집단에서 크기가 n인 표본을 임의추출하였다. 표본평균 $\overline{X}$의 분산이 $\dfrac{1}{9}$일 때, n의 값을 구하시오.

X	-1	0	1	합계
$\text{P}(X=x)$	$\dfrac{1}{6}$	$\dfrac{1}{3}$	$\dfrac{1}{2}$	1

02-1
$$\text{V}(\overline{X})=\frac{\text{V}(X)}{n}=\frac{1}{9}$$
$$\text{V}(X)=\text{E}(X^2)-\{\text{E}(X)\}^2$$

02-2 1, 3, 5, 7의 숫자가 하나씩 적힌 4개의 공이 들어 있는 주머니에서 크기가 2인
(상**중**하) 표본을 임의추출할 때, 표본평균 $\overline{X}$의 평균과 분산을 구하시오.

02-2
$\overline{X}$는 크기가 2인 표본의 평균이다.

모평균에서 임의추출한 표본평균 $\overline{X}$의 확률은 다음과 같이 구한다.

| 1 모집단의 정규분포를 구한다. | ⇨ | 2 표본평균 $\overline{X}$의 정규분포를 구한다. | ⇨ | 3 표본평균 $\overline{X}$를 표준화한다. | ⇨ | 4 표준정규분포표를 이용하여 확률을 구한다. |

01 | 보기 |와 같은 방법으로 다음을 구하시오.

┌ 보기 ┐

정규분포 $N(100, 10^2)$을 따르는 모집단에서 크기가 4인 표본을 임의추출할 때, 표본평균 $\overline{X}$에 대하여 $P(\overline{X} \geq 92.5)$

(단, $P(0 \leq Z \leq 1.5) = 0.4332$)

풀이 모집단이 정규분포 $N(100, 10^2)$을 따르고 표본의 크기 $n=4$이므로 표본평균 $\overline{X}$는 정규분포 $N\left(100, \dfrac{10^2}{4}\right)$, 즉

$N(100, 5^2)$을 따른다.

$\therefore P(\overline{X} \geq 92.5)$

$= P\left(Z \geq \dfrac{92.5 - 100}{5}\right)$

$= P(Z \geq -1.5)$

$= P(-1.5 \leq Z \leq 0) + P(Z \geq 0)$

$= P(0 \leq Z \leq 1.5) + 0.5$

$= 0.4332 + 0.5$

$= \mathbf{0.9332}$

(1) 정규분포 $N(100, 6^2)$을 따르는 모집단에서 크기가 9인 표본을 임의추출할 때, 표본평균 $\overline{X}$에 대하여 $P(\overline{X} \leq 104)$ (단, $P(0 \leq Z \leq 2) = 0.4772$)

(2) 정규분포 $N(500, 25^2)$을 따르는 모집단에서 크기가 25인 표본을 임의추출할 때, 표본평균 $\overline{X}$에 대하여 $P(\overline{X} \geq 505)$

(단, $P(0 \leq Z \leq 1) = 0.3413$)

02 | 보기 |와 같은 방법으로 다음을 구하시오.

┌ 보기 ┐

모평균이 200이고, 모표준편차가 12인 모집단에서 크기가 36인 표본을 임의추출할 때, 표본평균 $\overline{X}$에 대하여 $P(\overline{X} \geq 203)$

(단, $P(0 \leq Z \leq 1.5) = 0.4332$)

풀이 표본의 크기 $n=36$은 충분히 큰 수이고, $m=200$, $\sigma=12$이므로

$E(\overline{X}) = m = 200$,

$\sigma(\overline{X}) = \dfrac{\sigma}{\sqrt{n}} = \dfrac{12}{\sqrt{36}} = 2$

에서 표본평균 $\overline{X}$는 정규분포 $N(200, 2^2)$을 따른다.

$\therefore P(\overline{X} \geq 203)$

$= P\left(Z \geq \dfrac{203 - 200}{2}\right)$

$= P(Z \geq 1.5)$

$= P(Z \geq 0) - P(0 \leq Z \leq 1.5)$

$= 0.5 - 0.4332$

$= \mathbf{0.0668}$

(1) 모평균이 120, 모표준편차가 10인 모집단에서 크기가 100인 표본을 임의추출할 때, 표본평균 $\overline{X}$에 대하여 $P(\overline{X} \leq 122)$

(단, $P(0 \leq Z \leq 2) = 0.4772$)

(2) 모평균이 102, 모분산이 25인 모집단에서 크기가 25인 표본을 임의추출할 때, 표본평균 $\overline{X}$에 대하여 $P(101 \leq \overline{X} \leq 103)$

(단, $P(0 \leq Z \leq 1) = 0.3413$)

평균이 m, 분산이 σ^2인 모집단에서 크기가 n인 표본을 임의추출할 때

❶ 모집단의 분포가 정규분포이면 표본평균 $\overline{X}$는 정규분포 $\mathrm{N}\left(m, \dfrac{\sigma^2}{n}\right)$을 따른다.

❷ 모집단의 분포가 정규분포가 아닐 때도 표본의 크기 n이 충분히 크면 표본평균 $\overline{X}$는
근사적으로 정규분포 $\mathrm{N}\left(m, \dfrac{\sigma^2}{n}\right)$을 따른다.

이때 표본평균 $\overline{X}$를 표준화하여 확률 $\mathrm{P}(a \le \overline{X} \le b)$를 구할 수 있다.

크기가 n인 표본평균 $\overline{X}$의 평균과
분산은 다음과 같다.

$$\mathrm{E}(\overline{X})=m,\ \mathrm{V}(\overline{X})=\frac{\sigma^2}{n}$$

이때 $\dfrac{\overline{X}-m}{\frac{\sigma}{\sqrt{n}}}$을 Z로 놓은 것이 확률

변수 $\overline{X}$를 표준화하는 방법이다.

예제 어느 제과점에서 판매하는 도넛 1개의 무게는 평균이
120 g, 표준편차가 5 g인 정규분포를 따른다고 한다. 이
중에서 100개를 임의추출할 때, 표본의 무게의 평균이
119.5 g 이상 121 g 이하일 확률을 오른쪽 표준정규분포
표를 이용하여 구하시오.

z	$\mathrm{P}(0 \le Z \le z)$
1.0	0.3413
1.5	0.4332
2.0	0.4772

해법 코드

① 모집단이 따르는 정규분포
$\mathrm{N}(120, 5^2)$에서 표본평균 $\overline{X}$가

따르는 정규분포 $\mathrm{N}\left(120, \dfrac{5^2}{100}\right)$

을 구한다.

② $\overline{X}$를 표준화하여 구하는 확률
$\mathrm{P}(119.5 \le \overline{X} \le 121)$을
$\mathrm{P}(□ \le Z \le □)$ 꼴로 나타낸다.

셀파 표본평균 $\overline{X}$는 정규분포 $\mathrm{N}\left(m, \dfrac{\sigma^2}{n}\right)$을 따른다.

풀이 모집단이 정규분포 $\mathrm{N}(120, 5^2)$을 따르고 표본의 크기가 100이므로

표본평균 $\overline{X}$는 정규분포 $\mathrm{N}\left(120, \dfrac{5^2}{100}\right)$, 즉 $\mathrm{N}(120, 0.5^2)$을 따른다.

따라서 $Z = \dfrac{\overline{X}-120}{0.5}$은 표준정규분포 $\mathrm{N}(0, 1)$을 따르므로

$$\begin{aligned}
\mathrm{P}(119.5 \le \overline{X} \le 121) &= \mathrm{P}\left(\frac{119.5-120}{0.5} \le Z \le \frac{121-120}{0.5}\right) \\
&= \mathrm{P}(-1 \le Z \le 2) \\
&= \mathrm{P}(-1 \le Z \le 0) + \mathrm{P}(0 \le Z \le 2) \\
&= \mathrm{P}(0 \le Z \le 1) + \mathrm{P}(0 \le Z \le 2) \\
&= 0.3413 + 0.4772 \\
&= \mathbf{0.8185}
\end{aligned}$$

◉ 모집단은 이 제과점의 도넛 전체이
므로 모평균은 120 g, 모표준편차
는 5 g이다.

참고

확률변수 X가 정규분포 $\mathrm{N}(m, \sigma^2)$을
따를 때

❶ 확률변수 $Z = \dfrac{X-m}{\sigma}$은 표준정규

분포 $\mathrm{N}(0, 1)$을 따른다.

❷ $\mathrm{P}(a \le X \le b)$

$\quad = \mathrm{P}\left(\dfrac{a-m}{\sigma} \le Z \le \dfrac{b-m}{\sigma}\right)$

확인 문제　　　　　　　　　　　　　　정답과 해설 | **67**쪽　　　　　　　　**MY 셀파**

03-1 어느 고등학교 학생들의 수학 점수는 평균이 70점, 표
(상)(중)(하) 준편차가 10점인 정규분포를 따른다고 한다. 이 고등학
교 학생들 중에서 임의추출한 25명의 수학 점수 평균이
67점 이상 72점 이하일 확률을 오른쪽 표준정규분포표
를 이용하여 구하시오.

z	$\mathrm{P}(0 \le Z \le z)$
1.0	0.3413
1.5	0.4332
2.0	0.4772

03-1

정규분포 $\mathrm{N}(70, 10^2)$을 따르는 모집
단에서 크기가 25인 표본을 임의추출
할 때, 표본평균 $\overline{X}$에 대하여
$\mathrm{P}(67 \le \overline{X} \le 72)$를 구한다.

표본평균 $\overline{X}$가 특정한 값의 범위에 속할 확률이 주어진 경우 그 특정한 값 또는 표본의 크기를 표준정규분포표를 이용하여 구할 수 있다.

$\Rightarrow \mathrm{P}(Z \geq a) = p_1$이면 $\mathrm{P}(Z \leq a) = 1 - p_1$

> $\overline{X}$를 표준화할 때는 반드시 표본평균 $\overline{X}$의 표준편차 $\sigma(\overline{X})$를 이용해야 한다.

예제 어떤 회사에서 생산되는 건전지의 수명은 평균이 30시간, 표준편차가 5시간인 정규분포를 따른다고 한다. 이 제품 중에서 100개의 건전지를 임의추출할 때, 표본평균 $\overline{X}$에 대하여 $\mathrm{P}(\overline{X} \geq k) = 0.1587$을 만족시키는 k의 값을 오른쪽 표준정규분포표를 이용하여 구하시오.

z	$\mathrm{P}(0 \leq Z \leq z)$
1.0	0.3413
1.5	0.4332
2.0	0.4772

해법 코드
모평균이 30, 모표준편차가 5이므로 크기가 100인 표본평균 $\overline{X}$는 정규분포 $\mathrm{N}\left(30, \dfrac{5^2}{100}\right)$을 따른다.

셀파 $\mathrm{P}(a \leq \overline{X} \leq b) = \mathrm{P}\left(\dfrac{a-m}{\frac{\sigma}{\sqrt{n}}} \leq \dfrac{\overline{X}-m}{\frac{\sigma}{\sqrt{n}}} \leq \dfrac{b-m}{\frac{\sigma}{\sqrt{n}}}\right) = \mathrm{P}(z_1 \leq Z \leq z_2)$

풀이 모평균이 30, 모표준편차가 5이고 표본의 크기는 100이므로

표본평균 $\overline{X}$는 정규분포 $\mathrm{N}\left(30, \dfrac{5^2}{100}\right)$, 즉 $\mathrm{N}\left(30, \left(\dfrac{1}{2}\right)^2\right)$을 따른다.

이때 $\mathrm{P}(\overline{X} \geq k) = \mathrm{P}\left(Z \geq \dfrac{k-30}{\frac{1}{2}}\right) = \mathrm{P}(Z \geq 2k-60) = 0.1587$이고,

표준정규분포표에서 $\underline{\mathrm{P}(Z \geq 1) = 0.1587}$이므로 ❶

$2k - 60 = 1$　　$\therefore k = 30.5$

❶ $0.5 - 0.1587 = 0.3413$이므로 표준정규분포표에서
$\mathrm{P}(0 \leq Z \leq z) = 0.3413$일 때 $z = 1$
이다. 즉,
$\mathrm{P}(Z \geq 1)$
$= \mathrm{P}(Z \geq 0) - \mathrm{P}(0 \leq Z \leq 1)$
$= 0.5 - 0.3413$
$= 0.1587$

확인 문제　　　　　　　　　　정답과 해설 **67**쪽　　　　　　　　**MY 셀파**

04-1 어느 회사에서 생산되는 샤프심의 길이는 평균이 80 mm, 표준편차가 8 mm인 정규분포를 따른다고 한다. 이 회사에서 생산된 샤프심 중에서 n개의 표본을 임의추출할 때, 표본평균 $\overline{X}$에 대하여 $\mathrm{P}(\overline{X} \leq 84) = 0.9938$을 만족시키는 n의 값을 오른쪽 표준정규분포표를 이용하여 구하시오.

z	$\mathrm{P}(0 \leq Z \leq z)$
1.5	0.4332
2.0	0.4772
2.5	0.4938

04-1
표본평균 $\overline{X}$는 정규분포 $\mathrm{N}\left(80, \dfrac{8^2}{n}\right)$을 따른다.

04-2 정규분포 $\mathrm{N}(0, 10^2)$을 따르는 모집단에서 크기가 25인 표본을 임의추출할 때, 표본평균 $\overline{X}$가 k 이하일 확률이 0.07 이하가 되도록 하는 상수 k의 최댓값을 오른쪽 표준정규분포표를 이용하여 구하시오.

z	$\mathrm{P}(0 \leq Z \leq z)$
1.0	0.34
1.5	0.43
2.0	0.48

04-2
$\mathrm{P}(\overline{X} \leq k) \leq 0.07$을 만족시키는 k의 값의 범위를 구한다.

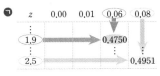

위의 표는 표준정규분포표의 일부이고, 확률변수 Z가 표준정규분포 $\mathrm{N}(0, 1)$을 따를 때, 위 표에서 다음을 알 수 있다.
- $\mathrm{P}(0 \leq Z \leq 1.96) = 0.4750$
- $\mathrm{P}(0 \leq Z \leq 2.58) = 0.4951$

A 우리 학교 2학년 학생 전체의 몸무게의 평균은 얼마일까?
2학년 전체 학생을 조사하기 힘들텐데 일부를 통해 평균을 짐작할 수 있을까?

Q 300명의 몸무게를 전부 계산하기는 무리여서 30명만 임의로 뽑아서 구했어요.
30명의 평균 몸무게는 60 kg이에요.

A 100 % 믿을 수 있는 값일까?

Q 음... 100 %는 아니지만 평균이 55 kg 이상 65 kg 이하일 확률이 99 %가 돼요.
또 57 kg 이상 63 kg 이하일 확률은 95 %가 돼요.

A 선생님이 구하라고 한 것은 모평균, 즉 2학년 학생 전체 몸무게의 평균인데 이것은
30명의 표본평균이니 모평균과 똑같다고 볼 수 없겠지. 하지만 표본평균 60 kg을
이용해서 모평균이 57 kg 이상 63 kg 이하일 거라고 예상할 수는 있어.
이때 모평균값이 속해 있을 것이라고 예상되는 구간을 정하는 것을 추정이라 하고,
그 추정한 구간을 신뢰구간, 또 95 %, 99 % 등을 신뢰도라고 해.

> 정규분포 $\mathrm{N}(m, \sigma^2)$을 따르는 모집단에서 크기가 n인 표본을 임의추출할 때,
> 표준정규분포표에서 $\mathrm{P}(-1.96 \leq Z \leq 1.96) = 0.95$이므로
>
> $$\mathrm{P}\left(-1.96 \leq \dfrac{\overline{X} - m}{\dfrac{\sigma}{\sqrt{n}}} \leq 1.96\right) = 0.95$$
>
> $$\mathrm{P}\left(\overline{X} - 1.96 \times \dfrac{\sigma}{\sqrt{n}} \leq m \leq \overline{X} + 1.96 \times \dfrac{\sigma}{\sqrt{n}}\right) = 0.95$$
>
> 여기서 표본평균 $\overline{X}$의 한 값을 $\overline{x}$라 할 때, 구간
>
> $$\overline{x} - 1.96 \dfrac{\sigma}{\sqrt{n}} \leq m \leq \overline{x} + 1.96 \dfrac{\sigma}{\sqrt{n}}$$
>
> 를 모평균 m의 신뢰도 95 %의 신뢰구간이라 한다.

Q 네. 그럼 모평균 m이 $57 \leq m \leq 63$일 확률이 95 %라고 했으니까 신뢰도 95 %의 신뢰구간이 $57 \leq m \leq 63$이고, $55 \leq m \leq 65$일 확률이 99 %라고 했으니까 신뢰도 99 %의 신뢰구간이 $55 \leq m \leq 65$인 거네요.

▶ 마찬가지 방법으로 모평균 m의 신뢰도 99 %의 신뢰구간을 구하면
$\mathrm{P}(-2.58 \leq Z \leq 2.58) = 0.99$
이므로
$$\overline{x} - 2.58 \dfrac{\sigma}{\sqrt{n}} \leq m \leq \overline{x} + 2.58 \dfrac{\sigma}{\sqrt{n}}$$

▶ 신뢰도가 95 %라는 것은 크기가 n인 표본을 여러 번 임의추출하여 신뢰구간을 각각 구해 보면 그 중에서 95 %는 모평균 m을 포함할 것으로 기대된다는 뜻이다.

확인 체크 01　　　　　　정답과 해설 | **68**쪽

정규분포 $\mathrm{N}(m, 1^2)$을 따르는 모집단에서 크기가 16인 표본을 임의추출하였다. 표본평균이 10일 때, 모평균 m을 신뢰도 95 %로 추정하시오.
$$(단, \mathrm{P}(|Z| \leq 1.96) = 0.95)$$

▶ 주어진 자료를 정리하면
$\overline{x} = 10$, $\sigma = 1$, $n = 16$

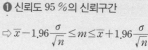
정규분포 $N(m, \sigma^2)$을 따르는 모집단에서 임의추출한 크기가 n인 표본의 표본평균 $\overline{X}$의 값을 $\overline{x}$라 할 때, 모평균 m을 다음과 같은 범위로 추정할 수 있다.

$$\overline{x} - k\frac{\sigma}{\sqrt{n}} \leq m \leq \overline{x} + k\frac{\sigma}{\sqrt{n}}$$
k는 신뢰도에 따라 결정되는 상수

❶ 신뢰도 95 %의 신뢰구간

$\Rightarrow \overline{x} - 1.96\dfrac{\sigma}{\sqrt{n}} \leq m \leq \overline{x} + 1.96\dfrac{\sigma}{\sqrt{n}}$

❷ 신뢰도 99 %의 신뢰구간

$\Rightarrow \overline{x} - 2.58\dfrac{\sigma}{\sqrt{n}} \leq m \leq \overline{x} + 2.58\dfrac{\sigma}{\sqrt{n}}$

예제 어느 과수원에서 생산하는 배의 무게는 표준편차가 30 g인 정규분포를 따른다고 한다. 이 과수원에서 배 100개를 임의추출하여 그 무게를 조사하였더니 평균이 450 g이었다. 신뢰도가 다음과 같을 때, 배의 무게의 평균 m에 대한 신뢰구간을 구하시오. (단, $P(|Z| \leq 1.96) = 0.95$, $P(|Z| \leq 2.58) = 0.99$)

(1) 신뢰도 95 %　　　　　　　　　　　(2) 신뢰도 99 %

해법 코드
$\overline{x} = 450$, $\sigma = 30$, $n = 100$을 대입하여 신뢰구간을 구한다.

셀파 모평균의 추정 $\Rightarrow \overline{x} - k\dfrac{\sigma}{\sqrt{n}} \leq m \leq \overline{x} + k\dfrac{\sigma}{\sqrt{n}}$

풀이 표본평균의 값 $\overline{x} = 450$, 모표준편차 $\sigma = 30$, 표본의 크기 $n = 100$

(1) 모평균 m에 대한 신뢰도 95 %의 신뢰구간의 양 끝 값은

$\overline{x} - 1.96\dfrac{\sigma}{\sqrt{n}} = 450 - 1.96 \times \dfrac{30}{\sqrt{100}} = 450 - 5.88 = 444.12$

$\overline{x} + 1.96\dfrac{\sigma}{\sqrt{n}} = 450 + 1.96 \times \dfrac{30}{\sqrt{100}} = 450 + 5.88 = 455.88$

따라서 구하는 신뢰구간은 **$444.12 \leq m \leq 455.88$** (단위: **g**)

(2) 모평균 m에 대한 신뢰도 99 %의 신뢰구간의 양 끝 값은

$\overline{x} - 2.58\dfrac{\sigma}{\sqrt{n}} = 450 - 2.58 \times \dfrac{30}{\sqrt{100}} = 450 - 7.74 = 442.26$

$\overline{x} + 2.58\dfrac{\sigma}{\sqrt{n}} = 450 + 2.58 \times \dfrac{30}{\sqrt{100}} = 450 + 7.74 = 457.74$

따라서 구하는 신뢰구간은 **$442.26 \leq m \leq 457.74$** (단위: **g**)

> 모평균 m을 신뢰도 95 %로 추정한 결과가 $444.12 \leq m \leq 455.88$ 이라는 것은 이 과수원에서 생산하는 배 전체 무게의 평균이 444.12 g 이상 455.88 g 이하일 확률이 95 %라는 뜻이야.

참고
표본의 크기가 충분히 크면 모표준편차 대신 표본표준편차를 사용해도 된다.

확인 문제　　　　　　　　　　　　　　　　　　　　정답과 해설 | **68**쪽　　　　　　**MY 셀파**

05-1 모의고사 시험에 응시한 수험생 중에서 임의로 추출한 900명의 수학 점수는 평균이 70점, 표준편차가 15점이었다. 신뢰도가 다음과 같을 때, 이 시험에 응시한 전체 수험생의 수학 점수의 평균 m에 대한 신뢰구간을 구하시오.

(단, $P(|Z| \leq 1.96) = 0.95$, $P(|Z| \leq 2.58) = 0.99$)

(1) 신뢰도 95 %　　　　　　　　　　(2) 신뢰도 99 %

05-1
$\overline{x} = 70$, $s = 15$, $n = 900$
이때 표본의 크기가 충분히 크므로 모표준편차 대신 표본표준편차 $s = 15$를 사용해도 된다.

정규분포 $N(m, \sigma^2)$을 따르는 모집단에서 크기가 n인 표본을 임의추출할 때,

❶ 신뢰도 95 %의 신뢰구간의 길이: $2 \times 1.96 \dfrac{\sigma}{\sqrt{n}}$

❷ 신뢰도 99 %의 신뢰구간의 길이: $2 \times 2.58 \dfrac{\sigma}{\sqrt{n}}$

❶ 신뢰도가 일정할 때
⇨ 신뢰구간의 길이는 표본의 크기의 제곱근에 반비례한다.
❷ 표본의 크기가 일정할 때
⇨ 신뢰도가 커지면 신뢰구간의 길이도 길어진다.

예제 정규분포 $N(m, \sigma^2)$을 따르는 모집단에서 |보기|와 같이 표본의 크기가 n인 표본의 표본평균 $\overline{X}$를 이용하여 신뢰도 α %로 모평균 m을 추정할 때, 신뢰구간의 길이가 짧은 순서대로 나열하시오. (단, $P(|Z| \leq 2) = 0.95$, $P(|Z| \leq 3) = 0.99$)

보기

ㄱ. $n = 25$, $\alpha = 95$　　　　　　　　ㄴ. $n = 100$, $\alpha = 95$

ㄷ. $n = 25$, $\alpha = 99$　　　　　　　　ㄹ. $n = 100$, $\alpha = 99$

해법 코드
신뢰구간의 길이는
$2 \times k \dfrac{\sigma}{\sqrt{n}}$ (k는 상수)이다.
σ는 같으므로 n, α를 달리하여 각 경우의 신뢰구간의 길이를 σ로 나타낸다.

셀파 $P(|Z| \leq k) = \dfrac{\alpha}{100}$일 때, 신뢰도 α %의 신뢰구간의 길이 ⇨ $2 \times k \dfrac{\sigma}{\sqrt{n}}$ (단, k는 상수)

풀이 $\alpha = 95$일 때 $k = 2$이고, $\alpha = 99$일 때 $k = 3$이므로 신뢰구간의 길이 $2 \times k \dfrac{\sigma}{\sqrt{n}}$에 ❶
n, k의 값을 각각 대입하면 각 경우의 신뢰구간의 길이는

ㄱ. $2 \times 2 \times \dfrac{\sigma}{\sqrt{25}} = \dfrac{4}{5}\sigma$　　　　　　ㄴ. $2 \times 2 \times \dfrac{\sigma}{\sqrt{100}} = \dfrac{2}{5}\sigma$

ㄷ. $2 \times 3 \times \dfrac{\sigma}{\sqrt{25}} = \dfrac{6}{5}\sigma$　　　　　　ㄹ. $2 \times 3 \times \dfrac{\sigma}{\sqrt{100}} = \dfrac{3}{5}\sigma$

따라서 신뢰구간의 길이가 짧은 순서대로 나열하면 ㄴ, ㄹ, ㄱ, ㄷ이다.

❶ $\overline{x} - k\dfrac{\sigma}{\sqrt{n}} \leq m \leq \overline{x} + k\dfrac{\sigma}{\sqrt{n}}$에서 신뢰구간의 길이는
$\left(\overline{x} + k\dfrac{\sigma}{\sqrt{n}}\right) - \left(\overline{x} - k\dfrac{\sigma}{\sqrt{n}}\right)$
$= 2 \times k\dfrac{\sigma}{\sqrt{n}}$ (단, k는 상수)

확인 문제　　　　　　　　　　　　　　　　정답과 해설 | **68**쪽　　　　　　　　　**MY 셀파**

06-1 정규분포 $N(m, 6^2)$을 따르는 모집단에서 표본의 크기가 10, 신뢰도 α %의 모평균의 신뢰구간의 길이는 4이다. 신뢰도를 바꾸지 않고 표본의 크기가 40일 때의 신뢰구간의 길이를 구하시오.
(상)(중)(하)

06-1
신뢰구간의 길이가 4이므로
$2 \times k\dfrac{\sigma}{\sqrt{n}} = 4$ (k는 상수)이다.

06-2 H고교 학생 전체의 키는 표준편차가 5 cm인 정규분포를 따른다고 한다. 임의추출한 H고교 학생 100명의 키의 평균으로 전체 학생의 키의 평균 m을 추정할 때, 다음 신뢰도의 신뢰구간의 길이를 구하시오.
(상)(중)(하)
(단, $P(|Z| \leq 1.96) = 0.95$, $P(|Z| \leq 2.58) = 0.99$)
(1) 신뢰도 95 %　　　　　　　　(2) 신뢰도 99 %

06-2
신뢰구간의 길이
(1) 신뢰도 95 % ⇨ $2 \times 1.96\dfrac{\sigma}{\sqrt{n}}$
(2) 신뢰도 99 % ⇨ $2 \times 2.58\dfrac{\sigma}{\sqrt{n}}$

해법 07 | 신뢰구간의 길이에 따른 표본의 크기 PLUS ⊕

크기가 n인 표본을 임의추출하여 모평균 m에 대한 신뢰구간을 구할 때, 신뢰구간의 길이는 양 끝 값의 차를 말한다.

따라서 신뢰도 95 %, 신뢰도 99 %의 신뢰구간의 길이는 각각 다음과 같다.

$$2 \times 1.96 \frac{\sigma}{\sqrt{n}}, \ 2 \times 2.58 \frac{\sigma}{\sqrt{n}}$$

모평균 m의 신뢰구간이
$$\alpha \leq m \leq \beta$$
일 때, 신뢰구간의 길이는
$$\Rightarrow \beta - \alpha$$

예제 K시에 있는 전체 남자 고등학생의 키는 평균이 175 cm, 표준편차가 5 cm인 정규분포를 따른다고 한다. 이 고등학교 남학생 중에서 n명을 임의추출하였을 때, 신뢰도 99 %로 모평균 m과 표본평균 $\overline{x}$의 차가 0.6 cm 이하가 되게 하는 n의 최솟값을 구하시오. (단, $P(0 \leq Z \leq 3) = 0.495$)

해법 코드

신뢰도 99 %로 모평균 m과 표본평균 $\overline{x}$의 차 $|m - \overline{x}|$는

$|m - \overline{x}| \leq 3 \dfrac{\sigma}{\sqrt{n}}$ 이다.

셀파 $P(|Z| \leq k) = \dfrac{\alpha}{100}$일 때, 신뢰도 α %의 신뢰구간의 길이 $\Rightarrow 2 \times k \dfrac{\sigma}{\sqrt{n}}$ (단, k는 상수)

풀이 $P(0 \leq Z \leq 3) = 0.495$에서 $P(|Z| \leq 3) = 2 \times 0.495 = 0.99$

❶ 신뢰도 99 %일 때, 모평균 m의 신뢰구간을 구하면

$$\overline{x} - 3 \times \frac{5}{\sqrt{n}} \leq m \leq \overline{x} + 3 \times \frac{5}{\sqrt{n}}$$

$$\therefore \ -3 \times \frac{5}{\sqrt{n}} \leq m - \overline{x} \leq 3 \times \frac{5}{\sqrt{n}}$$

이때 모평균 m과 표본평균 $\overline{x}$의 차가 $|m - \overline{x}| \leq 3 \times \dfrac{5}{\sqrt{n}}$이므로

$3 \times \dfrac{5}{\sqrt{n}} \leq 0.6$에서 $\sqrt{n} \geq 25$ $\quad \therefore \ n \geq 625$

따라서 n의 최솟값은 **625**

❶ $P(|Z| \leq 3) = 0.99$이므로 신뢰도 99 %일 때, 신뢰구간은

$$\overline{x} - 3 \times \frac{5}{\sqrt{n}} \leq m \leq \overline{x} + 3 \times \frac{5}{\sqrt{n}}$$

참고

모평균을 추정할 때, 계산의 편의를 위해 $P(|Z| \leq 1.96) = 0.95$에서 1.96 대신 2를, $P(|Z| \leq 2.58) = 0.99$에서 2.58 대신 3을 문제의 조건으로 제시하기도 한다.

확인 문제 정답과 해설 | **69**쪽

MY 셀파

07-1 (상)(중)(하) 정규분포 $N(m, 1^2)$을 따르는 모집단에서 크기가 n인 표본을 추출하여 모평균 m을 추정하려고 한다. 신뢰도 95 %의 신뢰구간의 길이가 $\dfrac{1}{3}$ 이하가 되도록 하기 위한 표본의 크기 n의 최솟값을 구하시오. (단, $P(0 \leq Z \leq 2) = 0.475$)

07-1

$P(0 \leq Z \leq 2) = 0.475$에서 $P(|Z| \leq 2) = 0.950$이다.

07-2 (상)(중)(하) 어느 회사에서 생산되는 제품의 길이는 표준편차가 5 mm인 정규분포를 따른다고 한다. 이 제품 전체 길이의 평균을 신뢰도 99 %로 추정할 때, 신뢰구간의 길이가 2 mm 이하가 되도록 하는 표본의 크기의 최솟값을 구하시오. (단, $P(|Z| \leq 2.58) = 0.99$)

07-2

신뢰도 99 %의 제품 전체 길이의 평균 m의 신뢰구간의 길이는

$2 \times 2.58 \dfrac{5}{\sqrt{n}}$ 이다.

표본평균 $\overline{X}$의 평균

01 어느 모집단의 확률분포를 표로 나타내면 다음과 같다.
(상)(중)(하)

X	0	1	2	합계
$P(X=x)$	$\dfrac{1}{3}$	a	b	1

이 모집단에서 크기가 4인 표본을 임의추출하여 구한 표본평균을 $\overline{X}$라 하자. $E(\overline{X})=\dfrac{5}{6}$일 때, $a+2b$의 값을 구하시오.

표본평균 $\overline{X}$의 분산

02 어느 모집단의 확률분포를 표로 나타내면 다음과 같다.
(상)(중)(하)

X	-2	0	1	합계
$P(X=x)$	$\dfrac{1}{3}$	$\dfrac{1}{2}$	a	1

이 모집단에서 크기가 16인 표본을 임의추출하여 구한 표본평균을 $\overline{X}$라 할 때, $V(\overline{X})$를 구하시오.

표본평균의 확률

03 어느 공장에서 생산되는 제품 하나의 무게는 평균이
(상)(중)(하) 250 g, 표준편차가 20 g인 정규분포를 따른다고 한다. 이 공장에서 생산된 제품 중 25개를 뽑아 그 표본평균을 $\overline{X}$라 할 때, $P(248 \le \overline{X} \le 258)$을 오른쪽 표준정규분포표를 이용하여 구하시오.

z	$P(0 \le Z \le z)$
0.5	0.1915
1.0	0.3413
1.5	0.4332
2.0	0.4772

표본평균의 확률　　　　서술형

04 정규분포 $N(50, 8^2)$을 따르는 모집단에서 크기가 16
(상)(중)(하) 인 표본을 임의추출하여 구한 표본평균을 $\overline{X}$, 정규분포 $N(75, \sigma^2)$을 따르는 모집단에서 크기가 25인 표본을 임의추출하여 구한 표본평균을 $\overline{Y}$라 하자.
$P(\overline{X} \le 53) + P(\overline{Y} \le 69) = 1$
일 때, $P(\overline{Y} \ge 71)$을 오른쪽 표준정규분포표를 이용하여 구하시오.

z	$P(0 \le Z \le z)$
1.0	0.3413
1.2	0.3849
1.4	0.4192
1.6	0.4452

표본평균의 확률

05 어느 지역의 1인 가구의 월 식료품 구입비는 평균이
(상)(중)(하) 45만 원, 표준편차가 8만 원인 정규분포를 따른다고 한다. 이 지역의 1인 가구 중에서 임의로 추출한 16가구의 월 식료품 구입비의 표본평균이 44만 원 이상이고 47만 원 이하일 확률을 오른쪽 표준정규분포표를 이용하여 구하시오.

z	$P(0 \le Z \le z)$
0.5	0.1915
1.0	0.3413
1.5	0.4332
2.0	0.4772

표본평균의 확률의 활용

06 어느 약품 회사가 생산하는 약품 1병의 용량은 평균이
(상)(중)(하) m, 표준편차가 10인 정규분포를 따른다고 한다. 이 회사가 생산한 약품 중에서 임의로 추출한 25병의 용량의 표본평균이 2000 이상일 확률이 0.9772일 때, m의 값을 오른쪽 표준정규분포표를 이용하여 구하시오. (단, 용량의 단위는 mL이다.)

z	$P(0 \le Z \le z)$
1.5	0.4332
2.0	0.4772
2.5	0.4938
3.0	0.4987

표본평균의 확률의 활용

07 어느 학교 학생들의 통학 시간은 평균이 50분, 표준편
(상)(중)(하) 차가 σ분인 정규분포를 따른다. 이 학교 학생들을 대
상으로 16명을 임의추출하여 조사한 통학 시간의 표
본평균을 $\overline{X}$라 하자.
$P(50 \le \overline{X} \le 56) = 0.4332$일
때, σ의 값을 오른쪽 표준정규
분포표를 이용하여 구하시오.

z	$P(0 \le Z \le z)$
1.0	0.3413
1.5	0.4332
2.0	0.4772

모평균의 신뢰구간

08 모분산이 25인 어떤 모집단에서 크기가 100인 표본을
(상)(중)(하) 임의추출할 때, 표본평균이 70이었다. 다음 물음에 답
하시오.
(단, $P(|Z| \le 2) = 0.95$, $P(|Z| \le 3) = 0.99$)

(1) 신뢰도 95 %로 모평균 m을 추정하시오.

(2) 신뢰도 99 %로 모평균 m을 추정하시오.

모평균의 신뢰구간

09 어느 회사 직원들의 하루 여가 활동 시간은 모평균이
(상)(중)(하) m분, 모표준편차가 10분인 정규분포를 따른다고 한
다. 이 회사 직원 중 n명을 임의추출하여 신뢰도
95 %로 추정한 모평균 m에 대한 신뢰구간이
$38.08 \le m \le 45.92$일 때, n의 값을 구하시오.
(단, $P(0 \le Z \le 1.96) = 0.475$)

신뢰구간과 신뢰도, 표본의 크기 사이의 관계

10 정규분포를 따르는 모집단에서 모평균 m에 대한 신
(상)(중)(하) 뢰도 99 %의 신뢰구간의 길이가 4일 때, 표본의 크기
가 25였다. 신뢰도는 같게 하면서 신뢰구간의 길이
가 1이 되도록 하기 위한 표본의 크기를 구하시오.
(단, $P(|Z| \le 2.58) = 0.99$)

신뢰구간과 신뢰도, 표본의 크기 사이의 관계

11 분산이 σ^2인 정규분포를 따르는 모집단에서 크기가 n
(상)(중)(하) 인 표본을 임의추출하여 모평균 m을 추정한 후 신뢰
구간의 길이를 구하려고 한다.
오른쪽 표준정규분포표를 이
용하여 구한 모평균 m에 대
한 신뢰도 79.6 %의 신뢰구
간의 길이가 l이고, 모평균
m에 대한 신뢰도 α %의 신
뢰구간의 길이는 $2l$이다. 이
때 α의 값을 구하시오.

z	$P(0 \le Z \le z)$
1.27	0.3980
1.69	0.4545
1.96	0.4750
2.54	0.4945
3.29	0.4995

신뢰구간의 길이에 따른 표본의 크기

12 어느 공장에서 생산되는 아령의 무게는 표준편차가
(상)(중)(하) 10 g인 정규분포를 따른다고 한다. 표본평균 $\overline{x}$로 전
체 아령의 무게의 평균 m을 신뢰도 95 %로 추정할
때, 신뢰구간의 길이가 2 g 이하가 되게 하는 표본의
크기의 최솟값을 구하시오.
(단, $P(|Z| \le 1.96) = 0.95$)

7
통계적 추정

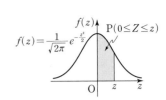

z	0.00	0.01	0.02	0.03	0.04	0.05	0.06	0.07	0.08	0.09
0.0	.0000	.0040	.0080	.0120	.0160	.0199	.0239	.0279	.0319	.0359
0.1	.0398	.0438	.0478	.0517	.0557	.0596	.0636	.0675	.0714	.0753
0.2	.0793	.0832	.0871	.0910	.0948	.0987	.1026	.1064	.1103	.1141
0.3	.1179	.1217	.1255	.1293	.1331	.1368	.1406	.1443	.1480	.1517
0.4	.1554	.1591	.1628	.1664	.1700	.1736	.1772	.1808	.1844	.1879
0.5	.1915	.1950	.1985	.2019	.2054	.2088	.2123	.2157	.2190	.2224
0.6	.2257	.2291	.2324	.2357	.2389	.2422	.2454	.2486	.2517	.2549
0.7	.2580	.2611	.2642	.2673	.2704	.2734	.2764	.2794	.2823	.2852
0.8	.2881	.2910	.2939	.2967	.2995	.3023	.3051	.3078	.3106	.3133
0.9	.3159	.3186	.3212	.3238	.3264	.3289	.3315	.3340	.3365	.3389
1.0	.3413	.3438	.3461	.3485	.3508	.3531	.3554	.3577	.3599	.3621
1.1	.3643	.3665	.3686	.3708	.3729	.3749	.3770	.3790	.3810	.3830
1.2	.3849	.3869	.3888	.3907	.3925	.3944	.3962	.3980	.3997	.4015
1.3	.4032	.4049	.4066	.4082	.4099	.4115	.4131	.4147	.4162	.4177
1.4	.4192	.4207	.4222	.4236	.4251	.4265	.4279	.4292	.4306	.4319
1.5	.4332	.4345	.4357	.4370	.4382	.4394	.4406	.4418	.4429	.4441
1.6	.4452	.4463	.4474	.4484	.4495	.4505	.4515	.4525	.4535	.4545
1.7	.4554	.4564	.4573	.4582	.4591	.4599	.4608	.4616	.4625	.4633
1.8	.4641	.4649	.4656	.4664	.4671	.4678	.4686	.4693	.4699	.4706
1.9	.4713	.4719	.4726	.4732	.4738	.4744	.4750	.4756	.4761	.4767
2.0	.4772	.4778	.4783	.4788	.4793	.4798	.4803	.4808	.4812	.4817
2.1	.4821	.4826	.4830	.4834	.4838	.4842	.4846	.4850	.4854	.4857
2.2	.4861	.4864	.4868	.4871	.4875	.4878	.4881	.4884	.4887	.4890
2.3	.4893	.4896	.4898	.4901	.4904	.4906	.4909	.4911	.4913	.4916
2.4	.4918	.4920	.4922	.4925	.4927	.4929	.4931	.4932	.4934	.4936
2.5	.4938	.4940	.4941	.4943	.4945	.4946	.4948	.4949	.4951	.4952
2.6	.4953	.4955	.4956	.4957	.4959	.4960	.4961	.4962	.4963	.4964
2.7	.4965	.4966	.4967	.4968	.4969	.4970	.4971	.4972	.4973	.4974
2.8	.4974	.4975	.4976	.4977	.4977	.4978	.4979	.4979	.4980	.4981
2.9	.4981	.4982	.4983	.4983	.4984	.4984	.4985	.4985	.4986	.4986
3.0	.4987	.4987	.4987	.4988	.4988	.4989	.4989	.4989	.4990	.4990
3.1	.4990	.4991	.4991	.4991	.4992	.4992	.4992	.4992	.4993	.4993
3.2	.4993	.4993	.4994	.4994	.4994	.4994	.4994	.4995	.4995	.4995
3.3	.4995	.4995	.4996	.4996	.4996	.4996	.4996	.4996	.4996	.4997

누구나 수학을 잘 할 수 있다

자기주도 해결책
고등 셀파 해법수학

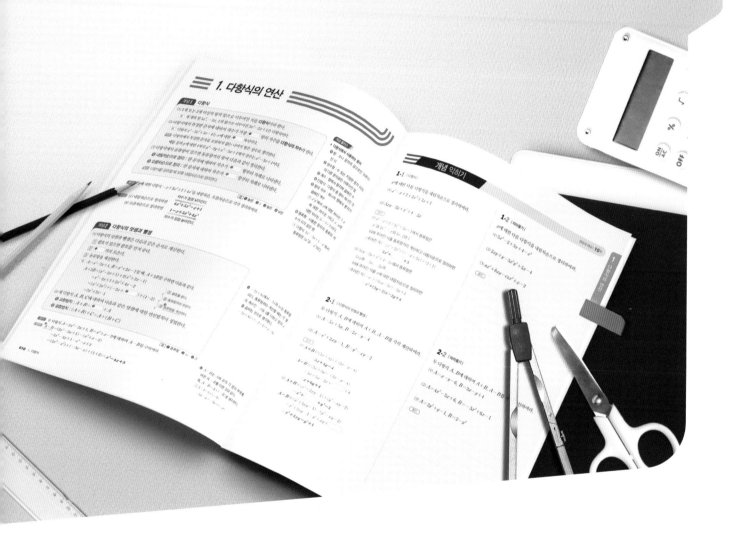

고등 **셀파** 해 법 수 학

내신 · 수능 기초를 다지는 기본서

고등 **셀파** 해법수학 수학 상, 수학 하, 수학 I, 수학 II, 미적분, 확률과 통계, 기하

- 가장 명확하게 정리한 고등 수학의 모든 개념
- 반드시 알아야 할 문제 해결의 기초력 다지기
- 실력을 키우는 다양한 연습 문제
- 차원이 다른 친절한 해설

셀파

해 법 수 학

고등 확률과 통계

2019
고2 적용
새 교육과정 반영

고등 확률과 통계　정답과 해설

천재교육

정답과 해설
빠른 정답

1. 순열과 조합

개념 익히기 본문 | 11, 13 쪽

1-1 (1) 3, 6   (2) 2, 2, 4

1-2 (1) 24   (2) 12

2-1 (1) $_3P_2$ (2) $_3\Pi_2$

2-2 (1) 24   (2) 64

3-1 (1) 5, 10   (2) 2, 2, 30

3-2 (1) 20   (2) 20

4-1 (1) 조합, 2   (2) 중복조합, 9

4-2 (1) 10   (2) 35

확인 문제 본문 | 15~30 쪽

01-1 (1) 144   (2) 24   (3) 12

02-1 10080   **03-1** 30

03-2 30   **04-1** 125

04-2 4   **05-1** 54

05-2 62

셀파 특강 확인 체크 01 (1) 180   (2) 60

06-1 30   **06-2** 220

07-1 280   **07-2** 75600

08-1 90

셀파 특강 확인 체크 02 17

09-1 (1) 36   (2) 15

10-1 (1) 729   (2) 28

11-1 56   **11-2** 60

12-1 (1) 165   (2) 35

12-2 28

집중 연습 본문 | 31 쪽

01 (1) 125   (2) 60

    (3) 10   (4) 35

02 (1) 1296   (2) 360

    (3) 15   (4) 126

연습 문제 본문 | 32~33 쪽

01 48   **02** 240

03 ①   **04** 24

05 24   **06** 243

07 27   **08** 45

09 360   **10** 120

11 60   **12** 1013

13 175   **14** 20

2. 이항정리

개념 익히기 본문 | 37 쪽

1-1 (1) ab^3, $4ab^3$ (2) 6

1-2 (1) $81x^4+216x^3+216x^2+96x+16$

    (2) $1+10x+40x^2+80x^3+80x^4+32x^5$

2-1 $5a^4b$

2-2 (1) $x^6+6x^5+15x^4+20x^3+15x^2+6x+1$

    (2) $x^7+7x^6+21x^5+35x^4+35x^3+21x^2+7x+1$

셀파 특강 확인 체크 01 (1) $a^5+5a^4b+10a^3b^2+10a^2b^3+5ab^4+b^5$

    (2) $a^5-5a^4b+10a^3b^2-10a^2b^3+5ab^4-b^5$

확인 문제 본문 | 39~49 쪽

01-1 (1) -8 (2) 4860

01-2 280   **02-1** -52

02-2 35   **03-1** -45

03-2 2

집중 연습 본문 | 42 쪽

01 (1) 270   (2) 35   (3) 112

    (4) 540   (5) 135

02 (1) 80   (2) 960   (3) 15

    (4) 74   (5) 3

04-1 (1) 21   (2) 495   (3) 126

05-1 (1) 126   (2) 286

06-1 (1) 5   (2) 2^{10}

07-1 (1) 11   (2) 2^{98} (3) $2^{19}-1$

08-1 1   **08-2** 43

연습 문제   본문 | 50~51 쪽

01 -96 **02** 12

03 20   **04** -1 또는 1

05 14   **06** 210

07 -8 **08** 286

09 220   **10** 228

11 (1) 6   (2) 9   **12** 98

13 5   **14** 2^{39}

15 11

---

3. 확률의 뜻과 활용

개념 익히기   본문 | 55, 57 쪽

1-1 (1) 1

1-2 (1) {(H, H), (H, T), (T, H), (T, T)}

     (2) {(H, H), (T, T), (H, T), (T, H)}

2-1 (1) 4   (2) 2

2-2 (1) {1, 2, 3, 4, 6, 8, 10, 12}   (2) {2, 6}

     (3) {4, 5, 7, 8, 9, 10, 11, 12}   (4) {5, 7, 9, 11}

3-1 6, 1, 1   **3-2** $\dfrac{8}{9}$

4-1 8, 7

4-2 (1) $\dfrac{1}{3}$ (2) $\dfrac{2}{3}$

확인 문제   본문 | 58~70 쪽

01-1 (1) {3, 5, 6}

     (2) ∅, {3}, {5}, {6}, {3, 5}, {3, 6}, {5, 6}, {3, 5, 6}

01-2 (1) 배반사건   (2) 배반사건이 아니다.

02-1 (1) $\dfrac{1}{2}$ (2) $\dfrac{2}{5}$

집중 연습   본문 | 60 쪽

01 (1) $\dfrac{1}{6}$ (2) $\dfrac{2}{3}$ (3) $\dfrac{7}{12}$

02 (1) $\dfrac{2}{9}$ (2) $\dfrac{7}{18}$

03 (1) $\dfrac{43}{216}$ (2) $\dfrac{19}{216}$

04 (1) $\dfrac{11}{36}$ (2) $\dfrac{7}{24}$

03-1 $\dfrac{2}{7}$

03-2 (1) $\dfrac{1}{7}$ (2) $\dfrac{1}{21}$

집중 연습   본문 | 62 쪽

01 (1) $\dfrac{1}{2}$ (2) $\dfrac{7}{16}$

02 (1) $\dfrac{3}{5}$ (2) $\dfrac{3}{5}$ (3) $\dfrac{2}{5}$

03 (1) $\dfrac{3}{10}$ (2) $\dfrac{1}{10}$

04 (1) $\dfrac{2}{5}$ (2) $\dfrac{1}{5}$ (3) $\dfrac{2}{5}$

04-1 (1) $\dfrac{5}{28}$ (2) $\dfrac{3}{10}$ (3) $\dfrac{8}{15}$

05-1 (1) $\dfrac{7}{15}$ (2) $\dfrac{33}{65}$

셀파 특강 확인 체크 01 $\dfrac{43}{80}$

06-1 0.182   **06-2** 57

셀파 특강 확인 체크 02 $\dfrac{2}{3}$

07-1 $\dfrac{2}{5}$ **07-2** $1-\dfrac{\pi}{4}$

08-1 $\dfrac{27}{40}$ **08-2** $\dfrac{5}{7}$

09-1 $\dfrac{37}{42}$ **09-2** $\dfrac{17}{21}$

연습 문제   본문 | 71~73 쪽

01 ④   02 $\dfrac{1}{5}$ 03 $\dfrac{3}{10}$

04 $\dfrac{7}{36}$ 05 $\dfrac{7}{15}$ 06 $\dfrac{3}{5}$

07 $\dfrac{1}{7}$ 08 $\dfrac{2}{15}$ 09 $\dfrac{1}{12}$

10 $\dfrac{3}{16}$ 11 $\dfrac{1}{7}$

12 (1) $\dfrac{7}{18}$ (2) $\dfrac{5}{9}$ (3) $\dfrac{7}{18}$

13 $\dfrac{3}{7}$ 14 6   15 57

16 $\dfrac{1}{108}$ 17 $\dfrac{3}{4}$ 18 $\dfrac{1}{4}$

19 $\dfrac{16}{21}$ 20 $\dfrac{1}{4}$ 21 4

22 $\dfrac{6}{11}$

4. 조건부확률

개념 익히기   본문 | 77, 79 쪽

1-1 2, 5   (3) $\mathrm{P}(A)$

1-2 (1) $\dfrac{1}{2}$ (2) $\dfrac{1}{6}$ (3) $\dfrac{1}{3}$

2-1 (1) 2   (2) 5   (3) $\mathrm{P}(A)$

2-2 (1) $\dfrac{5}{8}$ (2) $\dfrac{3}{5}$ (3) $\dfrac{3}{8}$

3-1 (1) 독립   (2) 종속

3-2 (1) 종속   (2) 독립

4-1 (1) 4, 32   (2) 3, 16

4-2 (1) $\dfrac{5}{16}$ (2) $\dfrac{20}{243}$

확인 문제   본문 | 80~93 쪽

01-1 $\dfrac{1}{2}$ 01-2 $\dfrac{5}{9}$

02-1 $\dfrac{1}{3}$ 02-2 $\dfrac{10}{17}$

03-1 (1) $\mathrm{P}(A)=0.5$, $\mathrm{P}(A\cap B)=0.2$ (2) $\dfrac{2}{9}$

04-1 (1) $\dfrac{1}{15}$ (2) $\dfrac{7}{30}$

05-1 0.49

셀파 특강 확인 체크 01 $\dfrac{1}{3}$

06-1 $\dfrac{5}{23}$

집중 연습   본문 | 89 쪽

01 (1) $\dfrac{1}{3}$ (2) $\dfrac{1}{2}$ (3) $\dfrac{1}{2}$

(4) $\dfrac{1}{2}$ (5) $\dfrac{1}{6}$ (6) $\dfrac{1}{3}$

02 (1) $\dfrac{1}{9}$ (2) $\dfrac{5}{6}$

(3) 0.4   (4) $\dfrac{1}{3}$

07-1 (1) 종속   (2) 독립

08-1 0.26   08-2 $\dfrac{3}{20}$

09-1 $\dfrac{40}{729}$ 09-2 3

10-1 $\dfrac{1}{9}$ 10-2 $\dfrac{2}{9}$

셀파 특강 확인 체크 02 $\dfrac{80}{243}$

연습 문제   본문 | 95~97 쪽

01 (1) $\dfrac{2}{9}$ (2) 0.24   (3) 0.55

02 ①   03 $\dfrac{19}{36}$ 04 $\dfrac{4}{7}$

05 $\dfrac{3}{190}$ 06 6   07 $\dfrac{17}{45}$

08 $\dfrac{4}{7}$ 09 $\dfrac{7}{25}$ 10 ㄱ

11 ㄱ   12 $\dfrac{14}{15}$ 13 ③

14 0.452   15 $\dfrac{3}{64}$ 16 $\dfrac{7}{64}$

17 $\dfrac{112}{125}$

5. 확률분포

개념 익히기 본문 | **101, 103, 105** 쪽

1-1 (1) 2   (2) 0, 2, 4

1-2 (1) 0, 1   (2) $\dfrac{1}{3}$, $\dfrac{2}{3}$

2-1 (1) 4, 1   (2) 풀이 참조

2-2 (1) 풀이 참조   (2) 풀이 참조

3-1 (1) 2   (2) 9   (3) 2

3-2 (1) $\dfrac{3}{2}$ (2) $\dfrac{3}{4}$ (3) $\dfrac{\sqrt{3}}{2}$

4-1 (1) 5, 4, 2   (2) 3, 2, 3

4-2 (1) 17, 36, 6   (2) -1, 4, 2

5-1 (1) 3   (2) 2, 4

5-2 (1) $B\left(5, \dfrac{1}{2}\right)$ (2) $\dfrac{5}{16}$

6-1 (1) 12, 4, 3   (2) 120, 5, 100

6-2 (1) $E(X)=10$, $V(X)=9$
     (2) $E(X)=80$, $V(X)=64$

확인 문제 본문 | **106~118** 쪽

01-1 (1) $\dfrac{2}{7}$ (2) $\dfrac{4}{7}$

01-2 (1) $\dfrac{3}{5}$ (2) $\dfrac{1}{2}$

02-1 (1) $\dfrac{1}{30}$ (2) $\dfrac{5}{6}$

02-2 $\dfrac{11}{10}$

03-1 (1) 풀이 참조   (2) $\dfrac{1}{9}$

04-1 1   **04-2** $\dfrac{\sqrt{5}}{2}$

05-1 $E(X)=\dfrac{7}{2}$, $V(X)=\dfrac{35}{12}$

05-2 $E(X)=75$, $V(X)=3125$, $\sigma(X)=25\sqrt{5}$

집중 연습 본문 | **112** 쪽

01 (1) 21   (2) 16   (3) 6

02 (1) 1   (2) 64   (3) 8

03 (1) 49   (2) 144

04 (1) 0   (2) $\dfrac{21}{5}$

06-1 145   **06-2** -24

07-1 (1) $P(X=x)=\begin{cases} {}_5C_0(0.9)^5 & (x=0) \\ {}_5C_x(0.1)^x(0.9)^{5-x} & (x=1, 2, 3, 4) \\ {}_5C_5(0.1)^5 & (x=5) \end{cases}$
    (2) 0.918

08-1 $E(X)=12$, $V(X)=9$, $\sigma(X)=3$

08-2 $\dfrac{45}{4}$

집중 연습 본문 | **117** 쪽

01 (1) 50   (2) 1   (3) 3

02 (1) $E(X)=800$, $\sigma(X)=4\sqrt{10}$
    (2) $E(X)=8$, $\sigma(X)=\dfrac{2\sqrt{30}}{5}$

03 (1) 30   (2) 18
    (3) 3   (4) $E(X)=80$, $V(X)=60$

09-1 12   **09-2** $k=3$, $n=100$

연습 문제 본문 | **120~121** 쪽

01 0   **02** $\dfrac{1}{4}$

03 (1) 풀이 참조   (2) $\dfrac{29}{30}$ **04** 3

05 $\dfrac{9}{10}$ **06** $\dfrac{16}{45}$ **07** $\sqrt{3}$

08 9   **09** 0.068   **10** $\dfrac{7}{128}$

11 45   **12** 35   **13** 8109

6. 정규분포

개념 익히기 본문 | **125, 127** 쪽

1-1 2   **1-2** $\dfrac{1}{2}$

2-1 (1) 낮아지고   (2) 높아지고

2-2 달라지지 않는다.

3-1 (1) 0   (2) 0.3413, 0.1359

3-2 (1) 0.1587   (2) 0.8664

4-1 8, 1.5, 1.5, 0.4332

4-2 11, 2, 2, 0.4772

셀파 특강 **확인 체크 01**   (1) 연속확률변수

         (2) 이산확률변수

확인 문제   본문 | 129~140 쪽

01-1 ㄱ, ㄴ   **02-1** $\dfrac{3}{8}$

02-2 $a=\dfrac{2}{5}$, $b=1$

03-1 (1) 0.8413   (2) 0.8185

셀파 특강 **확인 체크 02**   ㄷ

04-1 (1) 0.2881   (2) 0.1151   (3) 0.8413

집중 연습   본문 | 135 쪽

01 0.0228   **02** 0.9759

03 0.8664   **04** 0.3174

05 0.1587   **06** 0.9332

05-1 2.28 %   **06-1** 86점

셀파 특강 **확인 체크 03**   생물, 물리, 화학

07-1 0.6826   **07-2** 0.7745

08-1 48

연습 문제   본문 | 141~143 쪽

01 ③   **02** $a=4$, $b=\dfrac{1}{5}$

03 19   **04** ㄷ

05 0.5   **06** 0.1359

07 90   **08** 0.9772

09 155   **10** 0.9104

11 0.6587   **12** 0.0013

13 0.7745   **14** 96

15 0.9772   **16** 0.6247

---

7. 통계적 추정

개념 익히기   본문 | 147 쪽

1-1 (2) 1000

1-2 (1) 전국 고등학생들

     (2) 표본 : 조사하기 위해 임의로 뽑은 고등학생 500명

        표본의 크기 : 500

2-1 (1) 4, 16

2-2 (1) 25   (2) 20

확인 문제   본문 | 148~157 쪽

01-1 $E(\overline{X})=10$, $V(\overline{X})=0.09$, $\sigma(\overline{X})=0.3$

01-2 9   **02-1** 5

02-2 $E(\overline{X})=4$, $V(\overline{X})=\dfrac{5}{2}$

집중 연습   본문 | 151 쪽

01 (1) 0.9772   (2) 0.1587

02 (1) 0.9772   (2) 0.6826

03-1 0.7745   **04-1** 25

04-2 −3

셀파 특강 **확인 체크 01** $9.51 \leq m \leq 10.49$

05-1 (1) $69.02 \leq m \leq 70.98$(단위 : 점)

     (2) $68.71 \leq m \leq 71.29$(단위 : 점)

06-1 2

06-2 (1) 1.96 cm   (2) 2.58 cm

07-1 144   **07-2** 167

연습 문제   본문 | 158~159 쪽

01 $\dfrac{5}{6}$ **02** $\dfrac{5}{64}$

03 0.6687   **04** 0.8413

05 0.5328   **06** 2004

07 16

08 (1) $69 \leq m \leq 71$ (2) $68.5 \leq m \leq 71.5$

09 25   **10** 400

11 98.9   **12** 385

1. 순열과 조합

1-1 (1) 4명이 원탁에 둘러앉는 경우의 수는 원순열의 수이므로
$$(4-1)! = \boxed{3}\,! = \boxed{6}$$

(2) 부모를 한 명으로 생각하여 3명이 원탁에 둘러앉는 경우의 수는
$$(3-1)! = 2!$$
그 각각의 경우에 대하여 부모가 자리를 바꾸어 앉는 경우가 $\boxed{2}\,!$ 가지씩 있으므로 구하는 경우의 수는
$$2! \times \boxed{2}\,! = \boxed{4}$$

1-2 (1) 5명이 원탁에 둘러앉는 경우의 수는 원순열의 수이므로
$$(5-1)! = 4! = 24$$

(2) 현아와 지민이를 한 명으로 생각하여 4명이 원탁에 둘러앉는 경우의 수는 $(4-1)! = 3!$
그 각각의 경우에 대하여 현아와 지민이가 자리를 바꾸어 앉는 경우가 2! 가지씩 있으므로 구하는 경우의 수는
$$3! \times 2! = 12$$

2-1 (1) 3개 중에서 2개를 택하여 일렬로 나열하는 것과 같으므로 구하는 경우의 수는
$$\boxed{{}_3\mathrm{P}_2} = 3 \times 2 = 6$$

(2) 3개 중에서 중복을 허용하여 2개를 택하여 일렬로 나열하는 것과 같으므로 구하는 경우의 수는
$$\boxed{{}_3\Pi_2} = 3^2 = 9$$

2-2 (1) 4개의 숫자 1, 2, 3, 4로 중복을 허용하지 않고 세 자리 자연수를 만드는 경우는 4개 중에서 3개를 택하여 일렬로 나열하는 것과 같으므로 구하는 경우의 수는
$$_4\mathrm{P}_3 = 4 \times 3 \times 2 = 24$$

(2) 4개의 숫자 1, 2, 3, 4로 중복을 허용하여 세 자리 자연수를 만드는 경우는 4개 중에서 중복을 허용하여 3개를 택하여 일렬로 나열하는 것과 같으므로 구하는 경우의 수는
$$_4\Pi_3 = 4^3 = 64$$

3-1 (1) 5개의 문자 중 a가 2개, b가 3개이므로 구하는 경우의 수는
$$\frac{\boxed{5}\,!}{2! \times 3!} = \boxed{10}$$

(2) 5개의 숫자 중 1이 2개, 3이 $\boxed{2}$ 개이므로 구하는 경우의 수는
$$\frac{5!}{2! \times \boxed{2}\,!} = \boxed{30}$$

3-2 (1) 5개의 문자 중 y가 3개이므로 구하는 경우의 수는
$$\frac{5!}{3!} = 20$$

(2) 6개의 숫자 중 1이 3개, 2가 3개이므로 구하는 경우의 수는
$$\frac{6!}{3! \times 3!} = 20$$

4-1 (1) 서로 다른 6개에서 4개를 택하는 $\boxed{\text{조합}}$ 의 수와 같으므로 구하는 경우의 수는
$${}_6\mathrm{C}_4 = {}_6\mathrm{C}_{\boxed{2}} = 15$$

(2) 서로 다른 6개에서 4개를 택하는 $\boxed{\text{중복조합}}$ 의 수와 같으므로 구하는 경우의 수는
$${}_6\mathrm{H}_4 = {}_{\boxed{9}}\mathrm{C}_4 = 126$$

4-2 (1) 서로 다른 5개에서 3개를 택하는 조합의 수와 같으므로
　구하는 경우의 수는
　　$_5C_3=_5C_2=\mathbf{10}$

　(2) 서로 다른 5개에서 3개를 택하는 중복조합의 수와 같으
　므로 구하는 경우의 수는
　　$_5H_3=_7C_3=\mathbf{35}$

확인 문제 본문 | **15~30** 쪽

01-1 셀파 (1) 남학생 3명을 한 명으로 생각한다.
　　(2) 부모 중 한 사람이 앉으면 다른 한 사람의 자리는 정해진다.
　　(3) 여학생 또는 남학생을 먼저 앉힌다.

(1) 7명의 학생 중 남학생 A, B, C를 한 명으
　로 생각하면 5명을 원형으로 배열하는 경
　우의 수는
　　$(5-1)!=4!=24$
　이때 각각의 경우에 대하여 A, B, C가 서
　로 자리를 바꾸어 앉는 경우의 수는
　　$3!=6$
　따라서 구하는 경우의 수는
　　$24\times6=\mathbf{144}$

(2) 부모 중 한 사람의 자리가 정해지면 다른 한 사람의 자리는 마
　주 보는 자리로 고정되므로 구하는 경우의 수는 5명이 원탁에
　둘러앉는 경우의 수와 같다.
　따라서 구하는 경우의 수는
　　$(5-1)!=4!=\mathbf{24}$

(3) 여학생 3명이 먼저 원탁에 둘러앉는 경우
　의 수는
　　$(3-1)!=2!=2$
　여학생 3명 사이사이의 3개의 자리에 남학
　생 3명이 앉는 경우의 수는
　　$_3P_3=3!=6$
　따라서 구하는 경우의 수는
　　$2\times6=\mathbf{12}$

02-1 셀파 고정할 수 있는 자리의 수는 2이다.

8명이 원형으로 둘러앉는 경우의 수는
　$(8-1)!=7!=5040$

그런데 한 변에 2명씩 앉는 정사각형 모양의 탁자에서는 원형으
로 둘러앉는 한 가지 경우에 대하여 다음 그림과 같이 2가지의 서
로 다른 경우가 존재한다.

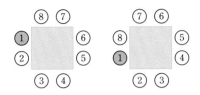

따라서 구하는 경우의 수는
　$5040\times2=\mathbf{10080}$

03-1 셀파 둘레의 4개의 반원은 회전하면 일치하므로 원순열을
　이용한다.

가운데 정사각형에 숫자를 적는 경우의 수는 5
가운데 정사각형을 제외한 나머지 4개의 반원에 숫자를 적는 경
우의 수는 가운데 정사각형에 적은 숫자를 제외한 4개의 숫자를
원형으로 배열하는 원순열의 수와 같으므로
　$(4-1)!=3!=6$
따라서 구하는 경우의 수는
　$5\times6=\mathbf{30}$

03-2 셀파 밑면에 칠할 색을 먼저 정하고 옆면에 색을 칠하는 경
　우는 원순열로 생각한다.

정사각뿔의 밑면을 칠하는 경우의 수는 5
밑면에 칠한 색을 제외한 나머지 4가지 색으로 옆면 4곳을 칠하
는 경우의 수는 4가지 색을 원형으로 배열하는 원순열의 수와 같
으므로
　$(4-1)!=3!=6$
따라서 구하는 경우의 수는
　$5\times6=\mathbf{30}$

LECTURE 정n면체에서 원순열 이용하기

정n면체의 각 면에 1, 2, $\cdots$, n의 숫자 n개를 적는 경우의 수 또는 n가지의 서로 다른 색을 칠하는 경우의 수는 다음 공식을 이용해도 된다.

$$\text{정} n \text{면체} \Rightarrow \frac{(n-1)!}{(\text{한 면의 변의 수})}$$

예 ❶ 정사면체 $\Rightarrow \dfrac{(4-1)!}{3}=2$

❷ 정육면체 $\Rightarrow \dfrac{(6-1)!}{4}=30$

❸ 정팔면체 $\Rightarrow \dfrac{(8-1)!}{3}=1680$

❹ 정십이면체 $\Rightarrow \dfrac{(12-1)!}{5}=\dfrac{11!}{5}$

04-1 셀파 5일의 날짜 중에서 중복을 허용하여 3명의 학생이 택하는 것을 생각한다.

10월 1일부터 10월 5일까지 5일 동안에 3명의 학생이 각자 도서 전시회를 관람하는 날을 선택하는 경우의 수는 서로 다른 5개의 날짜 중에서 3개를 택하는 중복순열의 수와 같다.

따라서 구하는 경우의 수는

$_5\Pi_3=5^3=\mathbf{125}$

04-2 셀파 서로 다른 깃발 3가지 중에서 중복을 허용하여 n개를 택하는 경우의 수는 $_3\Pi_n$이다.

1회에 들어 올릴 수 있는 깃발은 총 3가지이다.

또 2회, 3회, $\cdots$, n회에 들어 올릴 수 있는 깃발도 각각 3가지씩이다.

따라서 3가지 색의 깃발을 n회 들어 올려서 만들 수 있는 신호의 개수는 서로 다른 3개의 깃발 중에서 n개를 택하는 중복순열의 수와 같으므로

$_3\Pi_n=3^n$

이때 이 신호의 개수가 81이므로

$3^n=81=3^4$ $\therefore n=4$

05-1 셀파 천의 자리에는 0이 올 수 없다.

천의 자리에는 0을 제외한 1, 2가 올 수 있으므로 그 경우의 수는

2

백의 자리, 십의 자리, 일의 자리에는 각각 0, 1, 2가 모두 올 수 있으므로 그 경우의 수는

$_3\Pi_3=3^3=27$

따라서 구하는 네 자리 자연수의 개수는

$2\times27=\mathbf{54}$

| 다른 풀이 |

3개의 숫자에서 중복을 허용하여 4개를 뽑아 나열하는 경우의 수는 $_3\Pi_4$

이때 맨 앞자리에 0이 오는 경우의 수는 3개의 숫자에서 중복을 허용하여 3개를 뽑아 나열하는 경우의 수이므로 $_3\Pi_3$

따라서 구하는 네 자리 자연수의 개수는

$_3\Pi_4-_3\Pi_3=3^4-3^3=54$

05-2 셀파 1, 2로 만들 수 있는 n자리 자연수의 개수는 $_2\Pi_n=2^n$

다섯 자리를 넘지 않는 자연수는 한 자리 자연수부터 다섯 자리 자연수까지이다.

이때 2개의 숫자 1, 2로 중복을 허용하여 만들 수 있는 n자리 자연수의 개수는 $_2\Pi_n=2^n$이므로

한 자리 자연수의 개수는 $_2\Pi_1=2$

두 자리 자연수의 개수는 $_2\Pi_2=2^2=4$

세 자리 자연수의 개수는 $_2\Pi_3=2^3=8$

네 자리 자연수의 개수는 $_2\Pi_4=2^4=16$

다섯 자리 자연수의 개수는 $_2\Pi_5=2^5=32$

따라서 구하는 자연수의 개수는

$2+4+8+16+32=\mathbf{62}$

셀파 특강 확인 체크 01

(1) 6개의 숫자 1, 2, 2, 3, 4, 4 중 2가 2개, 4가 2개이므로 구하는 여섯 자리 자연수의 개수는

$$\frac{6!}{2!\times2!}=\mathbf{180}$$

(2) 6개의 문자 b, a, n, a, n, a 중 n이 2개, a가 3개이므로 일렬로 나열하는 경우의 수는

$$\frac{6!}{2!\times3!}=\mathbf{60}$$

06-1 【셀파】 1, 1, 2, 2, 3에서 4개의 숫자를 택한 다음 각각을 일렬로 나열하는 경우의 수를 구한다.

1, 1, 2, 2, 3에서 4개의 숫자를 택하는 경우는
$(1, 1, 2, 2), (1, 1, 2, 3), (1, 2, 2, 3)$이다.
각 경우에 대하여 네 자리 자연수의 개수는 다음과 같다.
(i) $(1, 1, 2, 2)$일 때
　같은 것이 2개, 2개가 포함된 4개를 일렬로 나열하는 경우의 수는
$$\frac{4!}{2! \times 2!} = 6$$
(ii) $(1, 1, 2, 3)$일 때
　같은 것이 2개가 포함된 4개를 일렬로 나열하는 경우의 수는
$$\frac{4!}{2!} = 12$$
(iii) $(1, 2, 2, 3)$일 때
　같은 것이 2개가 포함된 4개를 일렬로 나열하는 경우의 수는
$$\frac{4!}{2!} = 12$$
(i), (ii), (iii)에서 구하는 네 자리 자연수의 개수는
$6 + 12 + 12 = \mathbf{30}$

06-2 【셀파】 맨 앞자리에 0이 오는 경우를 제외한다.

일의 자리의 숫자가 0 또는 2일 때, 짝수가 된다.
(i) 일의 자리에 0이 오는 경우 : □□□□□□0 꼴
　0, 1, 2, 2, 2, 3을 일렬로 나열하는 경우의 수는
$$\frac{6!}{3!} = 120$$
　이때 맨 앞자리에 0이 오는 경우의 수는 $\frac{5!}{3!} = 20$
　따라서 일의 자리에 0이 오는 경우의 수는
　$120 - 20 = 100$
(ii) 일의 자리에 2가 오는 경우 : □□□□□□2 꼴
　0, 0, 1, 2, 2, 3을 일렬로 나열하는 경우의 수는
$$\frac{6!}{2! \times 2!} = 180$$
　이때 맨 앞자리에 0이 오는 경우의 수는 $\frac{5!}{2!} = 60$
　따라서 일의 자리에 2가 오는 경우의 수는
　$180 - 60 = 120$
(i), (ii)에서 구하는 짝수의 개수는
$100 + 120 = \mathbf{220}$

07-1 【셀파】 3, 4, 5, 6을 모두 a로 생각하고 같은 것이 있는 순열의 수를 이용한다.

3, 4, 5, 6은 순서가 정해져 있으므로 3, 4, 5, 6을 모두 a로 생각하여 1, 1, 1, 2, a, a, a, a를 일렬로 나열한다.
따라서 구하는 경우의 수는
$$\frac{8!}{3! \times 4!} = \mathbf{280}$$

| 참고 |
1, 1, 1, 2, a, a, a, a를 일렬로 나열한 것에서 첫 번째 a는 3, 두 번째 a는 4, 세 번째 a는 5, 네 번째 a는 6으로 바꾼 것과 같다.

07-2 【셀파】 L, R를 모두 X로 생각하고 같은 것이 있는 순열의 수를 이용한다.

L이 R보다 앞에 오도록 나열하려면 L, R를 모두 X로 생각하여 10개의 문자 A, C, C, E, X, E, X, A, T, E를 일렬로 나열한다.
따라서 구하는 경우의 수는
$$\frac{10!}{2! \times 2! \times 2! \times 3!} = \mathbf{75600}$$
| 참고 |
A, C, C, E, X, E, X, A, T, E를 일렬로 나열한 것에서 첫 번째 X는 L, 두 번째 X는 R로 바꾼 것과 같다.

08-1 【셀파】 A 지점에서 C 지점까지 최단 거리로 가는 경우는 순서에 상관없이 오른쪽으로 4칸, 위쪽으로 2칸 가는 것이다.

오른쪽으로 한 칸 가는 것을 a, 위쪽으로 한 칸 가는 것을 b라 하면
(i) A 지점에서 C 지점까지 최단 거리로 가는 경우의 수는 4개의 a와 2개의 b를 일렬로 나열하는 경우의 수와 같으므로
$$\frac{6!}{4! \times 2!} = 15$$

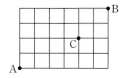

(ii) C 지점에서 B 지점까지 최단 거리로 가는 경우의 수는 2개의 a와 2개의 b를 일렬로 나열하는 경우의 수와 같으므로
$$\frac{4!}{2! \times 2!} = 6$$
(i), (ii)에서 구하는 경우의 수는
$15 \times 6 = \mathbf{90}$

오른쪽 그림과 같이 세 지점 P, Q, R 를 잡으면 A 지점에서 B 지점까지 최단 거리로 가는 경우는 지점 P, Q, R 중 어느 한 지점을 꼭 지나고, 동시에 두 지점을 지나는 경우는 없다.

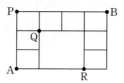

(ⅰ) A → P → B로 가는 경우의 수
$$\Rightarrow 1 \times 1 = 1$$

(ⅱ) A → Q → B로 가는 경우의 수
$$\Rightarrow \frac{3!}{2!} \times \frac{4!}{3!} = 12$$

(ⅲ) A → R → B로 가는 경우의 수
$$\Rightarrow 1 \times \frac{4!}{3!} = 4$$

(ⅰ), (ⅱ), (ⅲ)에서 구하는 경우의 수는
$$1 + 12 + 4 = \mathbf{17}$$

| 다른 풀이 |

오른쪽 도로망과 같이 지나갈 수 없는 길을 점선으로 연결하고, 그 교차점을 T로 놓으면 점선 길까지 포함하여 A → B로 가는 경우의 수는

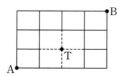

$$\frac{7!}{4! \times 3!} = 35$$

A → T → B로 가는 경우의 수는

$$\frac{3!}{2!} \times \frac{4!}{2! \times 2!} = 18$$

따라서 구하는 경우의 수는 전체 경우의 수에서 교차점 T를 지나는 경우의 수를 빼면 되므로

$$35 - 18 = 17$$

LECTURE 합의 법칙을 이용하여 최단 거리로 가는 경우의 수 구하기

최단 거리로 가는 경우의 수를 구할 때, 오른쪽 그림에서 T 지점으로 가는 길은 M 지점에서 가는 길과 N 지점에서 가는 길의 2가지 뿐이다.
이때 출발점에서 M 지점까지 최단 거리로 가는 경우의 수가 m, 출발점에서 N 지점까지 최단 거리로 가는 경우의 수가 n이면 출발점에서 T 지점까지 최단 거리로 가는 경우의 수는 $m + n$이 된다.

이 방법으로 위 문제를 오른쪽 그림과 같이 합의 법칙을 이용하여 풀 수도 있다.

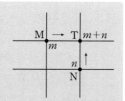

09-1 셀파 서로 다른 n개에서 중복을 허용하여 r개를 택하는 조합의 수는 $_nH_r = _{n+r-1}C_r$이다.

(1) 서로 다른 3종류의 쇼핑백 A, B, C 중에서 7개를 택하는 중복조합의 수와 같으므로 구하는 경우의 수는
$$_3H_7 = _{3+7-1}C_7 = _9C_7 = _9C_2 = \mathbf{36}$$

(2) 먼저 3개의 상품을 쇼핑백 A, B, C에 각각 넣은 다음 나머지 4개의 상품을 3개의 쇼핑백에 넣으면 된다.
따라서 서로 다른 3종류의 쇼핑백 A, B, C 중에서 4개를 택하는 중복조합의 수와 같으므로 구하는 경우의 수는
$$_3H_4 = _{3+4-1}C_4 = _6C_4 = _6C_2 = \mathbf{15}$$

10-1 셀파 기명투표 ⇨ 중복순열, 무기명투표 ⇨ 중복조합

(1) 후보가 3명이므로 6명의 선거인이 기명 투표를 하는 경우의 수는 3명의 후보 중에서 6개를 택하는 중복순열의 수와 같다.
따라서 구하는 경우의 수는
$$_3\Pi_6 = 3^6 = \mathbf{729}$$

(2) 후보가 3명이므로 6명의 선거인이 무기명 투표를 하는 경우의 수는 3명의 후보 중에서 6개를 택하는 중복조합의 수와 같다.
따라서 구하는 경우의 수는
$$_3H_6 = _{3+6-1}C_6 = _8C_6 = _8C_2 = \mathbf{28}$$

11-1 셀파 $(a+b+c+d)^5$의 전개식의 각 항은 $a^k b^l c^m d^n$ 꼴이다. 이때 $k+l+m+n=5$이다.

$$(a+b+c+d)^5$$
$$= \underbrace{(a+b+c+d)(a+b+c+d) \times \cdots \times (a+b+c+d)}_{5개}$$

이므로 $(a+b+c+d)^5$의 전개식에서 서로 다른 항의 개수는 4개의 문자 a, d, c, d 중에서 5개를 택하는 중복조합의 수와 같다.
따라서 구하는 서로 다른 항의 개수는
$$_4H_5 = _{4+5-1}C_5 = _8C_5 = _8C_3 = \mathbf{56}$$

11-2 셀파 $(a+b)^n$의 전개식에서 서로 다른 항의 개수는 $_2H_n$이다.

(ⅰ) $(a+b)^3$의 전개식에서 서로 다른 항의 개수는 2개의 문자 a, b 중에서 3개를 택하는 중복조합의 수와 같으므로 그 개수는
$$_2H_3 = _{2+3-1}C_3 = _4C_3 = _4C_1 = 4$$

(ii) $(x+y+z)^4$의 전개식에서 서로 다른 항의 개수는 3개의 문자 x, y, z 중에서 4개를 택하는 중복조합의 수와 같으므로 그 개수는

$$_3H_4 = {}_{3+4-1}C_4 = {}_6C_4 = {}_6C_2 = 15$$

(i), (ii)에서 구하는 서로 다른 항의 개수는

$$4 \times 15 = \mathbf{60}$$

12-1 【셀파】 방정식의 정수해의 개수는 중복조합을 이용한다.

(1) 방정식 $x+y+z+w=8$의 음이 아닌 정수해의 하나인 $x=2$, $y=2$, $z=2$, $w=2$의 경우는 $xxyyzzww$와 같이 나타낼 수 있다.

따라서 구하는 해의 개수는 4개의 문자 x, y, z, w 중에서 8개를 택하는 중복조합의 수와 같으므로

$$_4H_8 = {}_{4+8-1}C_8 = {}_{11}C_8 = {}_{11}C_3 = \mathbf{165}$$

(2) 방정식 $x+y+z+w=8$의 양의 정수해의 개수는 $x=1+a$, $y=1+b$, $z=1+c$, $w=1+d$로 놓으면 방정식 $a+b+c+d=4$의 음이 아닌 정수해의 개수와 같다.

따라서 구하는 해의 개수는 4개의 문자 a, b, c, d 중에서 4개를 택하는 중복조합의 수와 같으므로

$$_4H_4 = {}_{4+4-1}C_4 = {}_7C_4 = {}_7C_3 = \mathbf{35}$$

12-2 【셀파】 방정식 $a+b+c=r$ (r는 자연수)에서 음이 아닌 정수해의 개수는 $_3H_r$이다.

$x+y+z=10$에서 $x \geq 1$, $y \geq 2$, $z \geq 1$이므로

$x=1+a$, $y=2+b$, $z=1+c$로 놓으면

$(a+1)+(b+2)+(c+1)=10$, 즉 $a+b+c=6$의 음이 아닌 정수해의 개수와 같다.

따라서 구하는 해의 개수는 3개의 문자 a, b, c 중에서 6개를 택하는 중복조합의 수와 같으므로

$$_3H_6 = {}_{3+6-1}C_6 = {}_8C_6 = {}_8C_2 = \mathbf{28}$$

집중 연습

본문 | **31** 쪽

01 (1) 두 집합 $X=\{1, 2, 3\}$, $Y=\{1, 2, 3, 4, 5\}$에 대하여 X에서 Y로의 함수의 개수는 공역의 서로 다른 5개의 수 중에서 3개를 택하는 중복순열의 수와 같으므로

$$_5\Pi_3 = 5^3 = \mathbf{125}$$

(2) 두 집합 $X=\{1, 2, 3\}$, $Y=\{1, 2, 3, 4, 5\}$에 대하여 X에서 Y로의 일대일함수의 개수는 공역의 서로 다른 5개의 수 중에서 3개를 택하는 순열의 수와 같으므로

$$_5P_3 = \mathbf{60}$$

(3) 주어진 조건에 따라 정의역의 원소 1, 2, 3에 대한 함숫값 $f(1)$, $f(2)$, $f(3)$은 $f(1)<f(2)<f(3)$이다.

따라서 함수 f의 개수는 공역의 서로 다른 5개의 수 중에서 3개를 택하는 조합의 수와 같으므로

$$_5C_3 = {}_5C_2 = \mathbf{10}$$

(4) 주어진 조건에 따라 정의역의 원소 1, 2, 3에 대한 함숫값 $f(1)$, $f(2)$, $f(3)$은 $f(1)\leq f(2)\leq f(3)$이다.

따라서 함수 f의 개수는 공역의 서로 다른 5개의 수 중에서 3개를 택하는 중복조합의 수와 같으므로

$$_5H_3 = {}_{5+3-1}C_3 = {}_7C_3 = \mathbf{35}$$

02 (1) 두 집합 $X=\{1, 2, 3, 4\}$, $Y=\{1, 2, 3, 4, 5, 6\}$에 대하여 X에서 Y로의 함수의 개수는 공역의 서로 다른 6개의 수 중에서 4개를 택하는 중복순열의 수와 같으므로

$$_6\Pi_4 = 6^4 = \mathbf{1296}$$

(2) 두 집합 $X=\{1, 2, 3, 4\}$, $Y=\{1, 2, 3, 4, 5, 6\}$에 대하여 X에서 Y로의 일대일함수의 개수는 공역의 서로 다른 6개의 수 중에서 4개를 택하는 순열의 수와 같으므로

$$_6P_4 = \mathbf{360}$$

(3) 주어진 조건에 따라 정의역의 원소 1, 2, 3, 4에 대한 함숫값 $f(1)$, $f(2)$, $f(3)$, $f(4)$는 $f(1)<f(2)<f(3)<f(4)$이다.

따라서 함수 f의 개수는 공역의 서로 다른 6개의 수 중에서 4개를 택하는 조합의 수와 같으므로

$$_6C_4 = {}_6C_2 = \mathbf{15}$$

(4) 주어진 조건에 따라 정의역의 원소 1, 2, 3, 4에 대한 함숫값 $f(1)$, $f(2)$, $f(3)$, $f(4)$는 $f(1)\leq f(2)\leq f(3)\leq f(4)$이다.

따라서 함수 f의 개수는 공역의 서로 다른 6개의 수 중에서 4개를 택하는 중복조합의 수와 같으므로

$$_6H_4 = {}_{6+4-1}C_4 = {}_9C_4 = \mathbf{126}$$

본문 | **32~33** 쪽

01 [셀파] 부모 사이에 앉을 한 명을 뽑아 (부, 뽑은 한 명, 모)를 한 명으로 생각한다.

(ⅰ) 자녀가 4명이므로 부모 사이에 앉는 한 명을 뽑는 경우의 수는 4이다.

(ⅱ) (부, 뽑은 한 명, 모)를 한 명으로 생각하면 4명이 원탁에 둘러앉는 경우의 수는
$$(4-1)!=3!=6$$

(ⅲ) 각 경우에 대하여 부모가 서로 자리를 바꾸어 앉는 경우의 수는 $2!=2$

(ⅰ), (ⅱ), (ⅲ)에서 구하는 경우의 수는
$$4 \times 6 \times 2 = \mathbf{48}$$

02 [셀파] 고정할 수 있는 자리는 원의 들어간 부분의 탁자이다.

A, B를 한 사람으로 생각하고 원의 들어간 부분의 탁자에 고정시키면 나머지 5명을 앉히는 경우의 수는 5명을 일렬로 세우는 순열의 수와 같으므로
$$5!=120$$
이때 A, B가 서로 자리를 바꾸어 앉는 경우의 수는 $2!=2$
따라서 구하는 경우의 수는
$$120 \times 2 = \mathbf{240}$$

03 [셀파] 고정할 수 있는 자리의 수는 4개이다.

8명이 원형으로 둘러앉는 경우의 수는
$$(8-1)!=7!$$
그런데 직사각형 모양의 탁자에서는 원형으로 둘러앉는 한 가지 경우에 대하여 다음 그림과 같이 4가지의 서로 다른 경우가 존재한다.

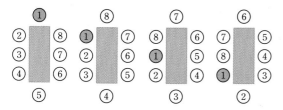

따라서 구하는 경우의 수는
$$7! \times 4 = \frac{8!}{2}$$
그러므로 구하는 답은 ①

04 [셀파] 원순열의 수를 이용한다.

5가지 색을 모두 사용하여 옆면 5곳을 칠하는 경우의 수는 5가지 색을 원형으로 배열하는 원순열의 수와 같으므로
$$(5-1)!=4!=\mathbf{24}$$

05 [셀파] 한 날개에 빨간색을 칠해 놓고 생각한다.

6개의 날개 중 한 날개에 빨간색을 칠하면 파란색은 맞은편의 날개에 칠해야 하므로 서로 다른 5가지의 색을 원형으로 배열하는 원순열의 수와 같다.
따라서 구하는 경우의 수는
$$(5-1)!=4!=\mathbf{24}$$

| 다른 풀이 |

6개의 날개 중 한 날개에 빨간색을 칠하고 고정하면 파란색은 맞은편의 날개에 칠해야 하므로 나머지 4개의 날개에 4가지의 색을 칠하는 경우의 수는 $4!=24$

06 [셀파] 중복 가능한 것은 우체통이다.

서로 다른 3개의 우체통에서 편지를 넣을 5개의 우체통을 택하는 중복순열의 수와 같으므로
$$_3\Pi_5 = 3^5 = \mathbf{243}$$

07 [셀파] $f(1)=0$이므로 정의역의 나머지 원소에 대하여 생각한다.

$f(1)=0$으로 고정되어 있으므로 함수 f의 개수는 $\{2, 3, 4\}$에서 $Y=\{0, 1, 2\}$로의 함수의 개수와 같다.
따라서 공역의 서로 다른 3개의 수 중에서 3개를 뽑는 중복순열의 수와 같으므로 구하는 함수의 개수는
$$_3\Pi_3 = 3^3 = \mathbf{27}$$

08 셀파 **1□□□, 21□□, 22□□꼴인 경우의 수를 구한다.**

(i) 1□□□ 꼴인 경우

서로 다른 3개의 숫자에서 3개를 택하는 중복순열의 수와 같으므로 그 개수는

$$_3\Pi_3=3^3=27$$

(ii) 21□□ 꼴인 경우

서로 다른 3개의 숫자에서 2개를 택하는 중복순열의 수와 같으므로 그 개수는

$$_3\Pi_2=3^2=9$$

(iii) 22□□ 꼴인 경우

서로 다른 3개의 숫자에서 2개를 택하는 중복순열의 수와 같으므로 그 개수는

$$_3\Pi_2=3^2=9$$

(i), (ii), (iii)에서 구하는 자연수의 개수는

$$27+9+9=\mathbf{45}$$

09 셀파 **모음 a, i, e를 한 묶음으로 생각한다.**

양쪽 끝에 s를 배열한 다음 모음 a, i, e를 한 묶음으로 생각하여 이 묶음과 문자 h, p, p, n을 일렬로 나열하는 방법의 수는

$$\frac{5!}{2!}=60$$

모음 a, i, e가 자리를 바꾸는 경우의 수는 $3!=6$

따라서 구하는 경우의 수는

$$60\times 6=\mathbf{360}$$

10 셀파 **A, B, C의 순서로 결승선을 통과한다.**

A, B, C의 순서가 고정되어 있으므로 A, B, C를 모두 X로 생각하여 X, X, X, D, E, F를 일렬로 나열한 다음 첫 번째 X는 A, 두 번째 X는 B, 세 번째 X는 C로 바꾸면 된다.

따라서 구하는 경우의 수는

$$\frac{6!}{3!}=\mathbf{120}$$

11 셀파 **같은 것이 있는 순열을 이용한다.**

㉮ 두 직사각형의 꼭짓점이 연결된 부분을 C 지점이라 하면 A 지점에서 C 지점까지 최단 거리로 가는 경우의 수는

$$\frac{4!}{2!\times 2!}=6$$

㉯ C 지점에서 B 지점까지 최단 거리로 가는 경우의 수는

$$\frac{5!}{3!\times 2!}=10$$

㉰ 따라서 구하는 경우의 수는

$$6\times 10=\mathbf{60}$$

채점 기준	배점
㉮ A 지점에서 C 지점까지 최단 거리로 가는 경우의 수를 구한다.	40%
㉯ C 지점에서 B 지점까지 최단 거리로 가는 경우의 수를 구한다.	40%
㉰ A 지점에서 B 지점까지 최단 거리로 가는 경우의 수를 구한다.	20%

12 셀파 **기명 투표 ⇨ 중복순열, 무기명 투표 ⇨ 중복조합**

(i) 기명으로 투표하는 경우의 수는 2명의 후보 중에서 10개를 택하는 중복순열의 수와 같으므로

$$a=_2\Pi_{10}=2^{10}=1024$$

(ii) 무기명으로 투표하는 경우의 수는 2명의 후보 중에서 10개를 택하는 중복조합의 수와 같으므로

$$b=_2H_{10}=_{2+10-1}C_{10}=_{11}C_{10}=_{11}C_1=11$$

(i), (ii)에서

$$a-b=1024-11=\mathbf{1013}$$

13 셀파 $(a+b+c+d)^n$**의 전개식에서 서로 다른 항의 개수는** $_4H_n$**이다.**

(i) $(a+b+c+d)^4$의 전개식에서 서로 다른 항의 개수는 a, b, c, d 중에서 4개를 택하는 중복조합의 수와 같으므로 그 개수는

$$_4H_4=_7C_4=_7C_3=35$$

(ii) $(a+b+c+d+e)$의 항의 개수는 5이다.

(i), (ii)에서 구하는 항의 개수는

$$35\times 5=\mathbf{175}$$

14 셀파 $x+y+z$**의 값이 0, 1, 2, 3인 해의 개수를 각각 구한다.**

(i) $x+y+z=0$의 음이 아닌 정수해의 개수는

$$_3H_0=_2C_0=1$$

(ii) $x+y+z=1$의 음이 아닌 정수해의 개수는

$$_3H_1=_3C_1=3$$

(iii) $x+y+z=2$의 음이 아닌 정수해의 개수는

$$_3H_2=_4C_2=6$$

(iv) $x+y+z=3$의 음이 아닌 정수해의 개수는

$$_3H_3=_5C_3=10$$

(i)~(iv)에서 구하는 해의 개수는

$$1+3+6+10=\mathbf{20}$$

2. 이항정리

본문 | **37** 쪽

개념 익히기

1-1 (1) $(a+b)^4$

$={}_4C_0a^4+{}_4C_1a^3b+{}_4C_2a^2b^2+{}_4C_3\boxed{ab^3}+{}_4C_4b^4$

$=a^4+4a^3b+6a^2b^2+\boxed{4ab^3}+b^4$

(2) $(a-b)^4$

$=\{a+(-b)\}^4$

$={}_4C_0a^4+{}_4C_1a^3(-b)+{}_4C_2a^2(-b)^2+{}_4C_3a(-b)^3$
$\qquad\qquad\qquad\qquad\qquad\qquad+{}_4C_4(-b)^4$

$=a^4-4a^3b+\boxed{6}a^2b^2-4ab^3+b^4$

1-2 (1) $(3x+2)^4$

$={}_4C_0(3x)^4+{}_4C_1(3x)^3\times2+{}_4C_2(3x)^2\times2^2$
$\qquad\qquad\qquad\qquad+{}_4C_33x\times2^3+{}_4C_42^4$

$=1\times81x^4+4\times54x^3+6\times36x^2+4\times24x+1\times16$

$=81x^4+216x^3+216x^2+96x+16$

(2) $(1+2x)^5$

$={}_5C_0+{}_5C_12x+{}_5C_2(2x)^2+{}_5C_3(2x)^3+{}_5C_4(2x)^4$
$\qquad\qquad\qquad\qquad\qquad\qquad+{}_5C_5(2x)^5$

$=1+5\times2x+10\times4x^2+10\times8x^3+5\times16x^4$
$\qquad\qquad\qquad\qquad\qquad\qquad+1\times32x^5$

$=1+10x+40x^2+80x^3+80x^4+32x^5$

2-1 파스칼의 삼각형을 이용하여 $(a+b)^5$을 전개하면

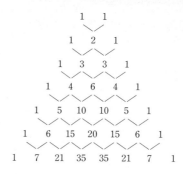

$\therefore (a+b)^5=a^5+\boxed{5a^4b}+10a^3b^2+10a^2b^3+5ab^4+b^5$

2-2 파스칼의 삼각형을 이용하여 $(x+1)^6$, $(x+1)^7$을 전개하면

```
        1   1
      1   2   1
    1   3   3   1
  1   4   6   4   1
1   5  10  10   5   1
1  6  15  20  15   6   1
1  7  21  35  35  21   7   1
```

(1) $(x+1)^6=x^6+6x^5+15x^4+20x^3+15x^2+6x+1$

(2) $(x+1)^7$

$=x^7+7x^6+21x^5+35x^4+35x^3+21x^2+7x+1$

셀파 특강 확인 체크 01

(1) $(a+b)^5={}_5C_0a^5+{}_5C_1a^4b+{}_5C_2a^3b^2+{}_5C_3a^2b^3+{}_5C_4ab^4+{}_5C_5b^5$

$=a^5+5a^4b+10a^3b^2+10a^2b^3+5ab^4+b^5$

(2) $(a-b)^5=\{a+(-b)\}^5$

$={}_5C_0a^5+{}_5C_1a^4(-b)+{}_5C_2a^3(-b)^2+{}_5C_3a^2(-b)^3$
$\qquad\qquad\qquad\qquad+{}_5C_4a(-b)^4+{}_5C_5(-b)^5$

$=a^5-5a^4b+10a^3b^2-10a^2b^3+5ab^4-b^5$

셀파 세미나 $(a+b)^3$, $(a+b)^4$, $(a+b)^5$ 등의 전개

$(a+b)^3=(a+b)(a+b)(a+b)$ ······㉠

에서 우변을 전개하면

$(a+b)^3=a^3+3a^2b+3ab^2+b^3$ ······㉡

㉡에서 a^2b항을 살펴보면 ㉠의 우변의 세 개의 인수 중에서 a를 2개, b를 1개 택한 단항식

$$aab,\ aba,\ baa$$

의 합이다.

여기서 b에 주목하면 a^2b의 계수는 ㉠의 우변의 세 개의 인수 중 한 개에서 b를 택하는 조합의 수 ${}_3C_1$과 같다.

같은 방법으로 a^3, ab^2, b^3의 계수는 각각 ${}_3C_0$, ${}_3C_2$, ${}_3C_3$이 된다.

따라서 $(a+b)^3$의 전개식은

$(a+b)^3={}_3C_0a^3+{}_3C_1a^2b+{}_3C_2ab^2+{}_3C_3b^3$

같은 방법으로 하여 $(a+b)^4$, $(a+b)^5$을 전개할 수 있다.

01-1 셀파 $(a+b)^n$의 전개식의 일반항은 $_nC_r a^{n-r}b^r$

(1) $(x-2y)^4$의 전개식의 일반항은
$$_4C_r x^{4-r}(-2y)^r = {}_4C_r \times (-2)^r \times x^{4-r}y^r$$
이때 x^3y항은 $4-r=3$에서 $r=1$
따라서 x^3y의 계수는
$$_4C_1 \times (-2)^1 = 4 \times (-2) = -8$$

(2) $\left(3x - \dfrac{2}{x}\right)^6$의 전개식의 일반항은
$$_6C_r (3x)^{6-r}\left(-\frac{2}{x}\right)^r = {}_6C_r 3^{6-r}x^{6-r} \times (-2)^r x^{-r}$$
$$= {}_6C_r 3^{6-r} \times (-2)^r \times x^{6-2r}$$
이때 x^2항은 $6-2r=2$에서 $r=2$
따라서 x^2의 계수는
$$_6C_2 \times 3^4 \times (-2)^2 = \mathbf{4860}$$

01-2 셀파 $(2x+1)^n$의 전개식의 일반항은 $_nC_r(2x)^r$

$(2x+1)^n$의 전개식의 일반항은
$$_nC_r(2x)^r = {}_nC_r \times 2^r \times x^r$$
이때 x^2항은 $r=2$
x^2의 계수가 84이므로
$$_nC_2 \times 2^2 = 84, \ \frac{n(n-1)}{2} \times 4 = 84$$
$$n(n-1) = 42 = 7 \times 6 \text{에서 } n=7$$
따라서 x^3의 계수는
$$_7C_3 \times 2^3 = \mathbf{280}$$

| 참고 |
$(2x+1)^n = (1+2x)^n$이므로 전개식의 일반항을 $_nC_r(2x)^r$으로 놓을 수 있다.

02-1 셀파 $(x-2)^3$의 전개식의 일반항은 $_3C_r(-2)^{3-r}x^r$

$(x-2)^3$의 전개식의 일반항은 $_3C_r(-2)^{3-r}x^r$
따라서 $(2x-3)(x-2)^3$의 전개식의 일반항은
$$(2x-3) \times {}_3C_r(-2)^{3-r}x^r$$
$$= 2 \times {}_3C_r(-2)^{3-r}x^{r+1} - 3 \times {}_3C_r(-2)^{3-r}x^r \qquad \cdots\cdots \text{㉠}$$

㉠에서 x항은
(i) $2 \times {}_3C_r(-2)^{3-r}x^{r+1}$에서 $r+1=1$, 즉 $r=0$일 때이므로
$$2 \times {}_3C_0(-2)^3x = -16x$$
(ii) $-3 \times {}_3C_r(-2)^{3-r}x^r$에서 $r=1$일 때이므로
$$-3 \times {}_3C_1(-2)^2x = -36x$$
(i), (ii)에서 x의 계수는
$$-16-36 = \mathbf{-52}$$

| 주의 |
식 ㉠에서 앞의 항과 뒤의 항의 r값이 같아야 하는 것으로 착각하지 않도록 한다. 즉, 앞의 항에서 x항의 계수와 뒤의 항에서 x항의 계수가 나오는 경우를 각각 구해서 더해야 한다.

02-2 셀파 $\left(x + \dfrac{1}{x}\right)^6$의 전개식의 일반항은 $_6C_r x^{6-r}\left(\dfrac{1}{x}\right)^r$

$\left(x + \dfrac{1}{x}\right)^6$의 전개식의 일반항은
$$_6C_r x^{6-r}\left(\frac{1}{x}\right)^r = {}_6C_r x^{6-2r}$$
따라서 $(x^2+1)\left(x+\dfrac{1}{x}\right)^6$의 전개식의 일반항은
$$(x^2+1) \times {}_6C_r x^{6-2r} = {}_6C_r x^{8-2r} + {}_6C_r x^{6-2r} \qquad \cdots\cdots \text{㉠}$$
㉠에서 상수항은
(i) $_6C_r x^{8-2r}$에서 $8-2r=0$, 즉 $r=4$일 때이므로
$$_6C_4 = {}_6C_2 = 15$$
(ii) $_6C_r x^{6-2r}$에서 $6-2r=0$, 즉 $r=3$일 때이므로
$$_6C_3 = 20$$
(i), (ii)에서 상수항은 $15+20 = \mathbf{35}$

03-1 셀파 $(x-2)^2$, $(x+3)^3$의 전개식의 일반항을 각각 구한다.

$(x-2)^2$의 전개식의 일반항은 $_2C_r(-2)^{2-r}x^r$
$(x+3)^3$의 전개식의 일반항은 $_3C_s 3^{3-s}x^s$
따라서 $(x-2)^2(x+3)^3$의 전개식의 일반항은
$$_2C_r(-2)^{2-r}x^r \times {}_3C_s 3^{3-s}x^s$$
$$= {}_2C_r \times {}_3C_s \times (-2)^{2-r} \times 3^{3-s} \times x^{r+s} \qquad \cdots\cdots \text{㉠}$$
㉠에서 x^2항은 $r+s=2$일 때이므로
(i) $r=0$, $s=2$일 때
$$_2C_0 \times {}_3C_2 \times (-2)^2 \times 3 = 1 \times 3 \times 4 \times 3 = 36$$
(ii) $r=1$, $s=1$일 때
$$_2C_1 \times {}_3C_1 \times (-2)^1 \times 3^2 = 2 \times 3 \times (-2) \times 9 = -108$$

(iii) $r=2$, $s=0$일 때

$\quad _2C_2 \times {}_3C_0 \times (-2)^0 \times 3^3 = 1 \times 1 \times 1 \times 27 = 27$

(i), (ii), (iii)에서 x^2의 계수는 $36 + (-108) + 27 = \mathbf{-45}$

03-2 셀파 전개식의 일반항끼리 곱한다.

$(x+k)^3$의 전개식의 일반항은 ${}_3C_r k^{3-r} x^r$

$(x+1)^4$의 전개식의 일반항은 ${}_4C_s x^s$

따라서 $(x+k)^3(x+1)^4$의 전개식의 일반항은

$\quad {}_3C_r k^{3-r} x^r \times {}_4C_s x^s = {}_3C_r \times {}_4C_s k^{3-r} x^{r+s}$ ······㉠

㉠에서 x항은 $r+s=1$일 때이므로

(i) $r=0$, $s=1$일 때 $\Rightarrow {}_3C_0 \times {}_4C_1 \times k^3 = 4k^3$

(ii) $r=1$, $s=0$일 때 $\Rightarrow {}_3C_1 \times {}_4C_0 \times k^2 = 3k^2$

(i), (ii)에서 x의 계수는 $4k^3 + 3k^2$이므로

$4k^3 + 3k^2 = 44$, $4k^3 + 3k^2 - 44 = 0$

$(k-2)(4k^2 + 11k + 22) = 0$

$\therefore \mathbf{k=2}$ ($\because k$는 실수)

집중 연습

본문 | **42** 쪽

01 (1) $(3x+y)^5$의 전개식의 일반항은

$\quad {}_5C_r (3x)^{5-r} y^r = {}_5C_r \times 3^{5-r} \times x^{5-r} y^r$

$x^3 y^2$항은 $5-r=3$, 즉 $r=2$일 때이므로

$x^3 y^2$의 계수는 ${}_5C_2 \times 3^{5-2} = \mathbf{270}$

(2) $(x^2-1)^7$의 전개식의 일반항은

$\quad {}_7C_r (x^2)^{7-r}(-1)^r = {}_7C_r(-1)^r \times x^{14-2r}$

x^6항은 $14-2r=6$, 즉 $r=4$일 때이므로

x^6의 계수는 ${}_7C_4 \times (-1)^4 = \mathbf{35}$

(3) $(x-2y)^8$의 전개식의 일반항은

$\quad {}_8C_r x^{8-r}(-2y)^r = {}_8C_r \times (-2)^r \times x^{8-r} y^r$

$x^6 y^2$항은 $8-r=6$, 즉 $r=2$일 때이므로

$x^6 y^2$의 계수는 ${}_8C_2 \times (-2)^2 = \mathbf{112}$

(4) $\left(3x^2 + \dfrac{1}{x}\right)^6$의 전개식의 일반항은

$\quad {}_6C_r (3x^2)^{6-r}\left(\dfrac{1}{x}\right)^r = {}_6C_r \times 3^{6-r} \times x^{12-2r} \times \left(\dfrac{1}{x}\right)^r$

$\qquad\qquad = {}_6C_r \times 3^{6-r} \times x^{12-3r}$

x^3항은 $12-3r=3$, 즉 $r=3$일 때이므로

x^3의 계수는 ${}_6C_3 \times 3^{6-3} = \mathbf{540}$

(5) $\left(x - \dfrac{3}{x}\right)^6$의 전개식의 일반항은

$\quad {}_6C_r x^{6-r}\left(-\dfrac{3}{x}\right)^r = {}_6C_r \times (-3)^r \times x^{6-2r}$

x^2항은 $6-2r=2$, 즉 $r=2$일 때이므로

x^2의 계수는 ${}_6C_2 \times (-3)^2 = \mathbf{135}$

02 (1) $(1+2x)^6$의 전개식의 일반항은

$\quad {}_6C_r (2x)^r = {}_6C_r \times 2^r \times x^r$

따라서 $(1+2x)^6(1-x)$의 전개식의 일반항은

$\quad {}_6C_r \times 2^r \times x^r \times (1-x) = {}_6C_r \times 2^r \times x^r - {}_6C_r \times 2^r \times x^{r+1}$

$\qquad\qquad$ ······㉠

㉠에서 x^4항은

(i) ${}_6C_r \times 2^r \times x^r$에서 $r=4$일 때이므로

$\quad {}_6C_4 \times 2^4 = 240$

(ii) $-{}_6C_r \times 2^r \times x^{r+1}$에서 $r+1=4$, 즉 $r=3$일 때이므로

$\quad -{}_6C_3 \times 2^3 = -160$

(i), (ii)에서 x^4의 계수는 $240 - 160 = \mathbf{80}$

(2) $(2x+3y)^5$의 전개식의 일반항은

$\quad {}_5C_r (2x)^{5-r}(3y)^r = {}_5C_r \times 2^{5-r} \times 3^r \times x^{5-r} y^r$

따라서 $(x+y)(2x+3y)^5$의 전개식의 일반항은

$(x+y) \times {}_5C_r \times 2^{5-r} \times 3^r \times x^{5-r} y^r$

$= {}_5C_r \times 2^{5-r} \times 3^r \times x^{6-r} y^r + {}_5C_r \times 2^{5-r} \times 3^r \times x^{5-r} y^{r+1}$

$\qquad\qquad$ ······㉠

㉠에서 $x^4 y^2$항은

(i) ${}_5C_r \times 2^{5-r} \times 3^r \times x^{6-r} y^r$에서 $r=2$일 때이므로

$\quad {}_5C_2 \times 2^3 \times 3^2 = 720$

(ii) ${}_5C_r \times 2^{5-r} \times 3^r \times x^{5-r} y^{r+1}$에서 $r=1$일 때이므로

$\quad {}_5C_1 \times 2^4 \times 3^1 = 240$

(i), (ii)에서 $x^4 y^2$의 계수는 $720 + 240 = \mathbf{960}$

(3) $\left(x - \dfrac{1}{x}\right)^6$의 전개식의 일반항은

$\quad {}_6C_r x^{6-r}\left(-\dfrac{1}{x}\right)^r = {}_6C_r \times (-1)^r \times x^{6-2r}$

따라서 $(x^2+x)\left(x - \dfrac{1}{x}\right)^6$의 전개식의 일반항은

$(x^2+x) \times {}_6C_r \times (-1)^r \times x^{6-2r}$

$= {}_6C_r \times (-1)^r \times x^{8-2r} + {}_6C_r \times (-1)^r \times x^{7-2r}$ ······㉠

㉠에서 상수항은

(i) $8-2r=0$, 즉 $r=4$일 때이므로

$\quad {}_6\mathrm{C}_4 \times (-1)^4 = 15$

(ii) $7-2r=0$을 만족시키는 정수 r는 존재하지 않는다.

(i), (ii)에서 상수항은 **15**

(4) $(1+2x)^4$의 전개식의 일반항은 ${}_4\mathrm{C}_r(2x)^r$

$(1+x)^5$의 전개식의 일반항은 ${}_5\mathrm{C}_s x^s$

따라서 $(1+2x)^4(1+x)^5$의 전개식의 일반항은

$\quad {}_4\mathrm{C}_r(2x)^r \times {}_5\mathrm{C}_s x^s = {}_4\mathrm{C}_r \times {}_5\mathrm{C}_s \times 2^r \times x^{r+s}$ $\quad$ ……㉠

㉠에서 x^2항은 $r+s=2$일 때이므로

(i) $r=0$, $s=2$일 때

$\quad {}_4\mathrm{C}_0 \times {}_5\mathrm{C}_2 \times 2^0 = 10$

(ii) $r=1$, $s=1$일 때

$\quad {}_4\mathrm{C}_1 \times {}_5\mathrm{C}_1 \times 2^1 = 40$

(iii) $r=2$, $s=0$일 때

$\quad {}_4\mathrm{C}_2 \times {}_5\mathrm{C}_0 \times 2^2 = 24$

(i), (ii), (iii)에서 x^2의 계수는 $10+40+24=$ **74**

(5) $(3x+1)^3$의 전개식의 일반항은 ${}_3\mathrm{C}_r(3x)^r$

$(1-x)^6$의 전개식의 일반항은 ${}_6\mathrm{C}_s(-x)^s$

따라서 $(3x+1)^3(1-x)^6$의 전개식의 일반항은

$\quad {}_3\mathrm{C}_r(3x)^r \times {}_6\mathrm{C}_s(-x)^s = {}_3\mathrm{C}_r \times {}_6\mathrm{C}_s \times 3^r \times (-1)^s \times x^{r+s}$

$\qquad$ ……㉠

㉠에서 x항은 $r+s=1$일 때이므로

(i) $r=0$, $s=1$일 때

$\quad {}_3\mathrm{C}_0 \times {}_6\mathrm{C}_1 \times 3^0 \times (-1)^1 = -6$

(ii) $r=1$, $s=0$일 때

$\quad {}_3\mathrm{C}_1 \times {}_6\mathrm{C}_0 \times 3^1 \times (-1)^0 = 9$

(i), (ii)에서 x의 계수는 $-6+9=$ **3**

04-1 〔셀파〕 파스칼의 삼각형에서 ${}_{n-1}\mathrm{C}_{r-1} + {}_{n-1}\mathrm{C}_r = {}_n\mathrm{C}_r$가 성립한다.

(1)

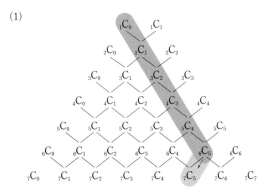

구하는 식의 값은 그림과 같이 파스칼의 삼각형에서 ${}_1\mathrm{C}_0$부터 오른쪽 아래 대각선 방향으로 나열된 이항계수를 더한 값이다.

${}_1\mathrm{C}_0 + {}_2\mathrm{C}_1 + {}_3\mathrm{C}_2 + {}_4\mathrm{C}_3 + {}_5\mathrm{C}_4 + {}_6\mathrm{C}_5$

$= ({}_2\mathrm{C}_0 + {}_2\mathrm{C}_1) + {}_3\mathrm{C}_2 + {}_4\mathrm{C}_3 + {}_5\mathrm{C}_4 + {}_6\mathrm{C}_5$

$= ({}_3\mathrm{C}_1 + {}_3\mathrm{C}_2) + {}_4\mathrm{C}_3 + {}_5\mathrm{C}_4 + {}_6\mathrm{C}_5$

$= ({}_4\mathrm{C}_2 + {}_4\mathrm{C}_3) + {}_5\mathrm{C}_4 + {}_6\mathrm{C}_5$

$= ({}_5\mathrm{C}_3 + {}_5\mathrm{C}_4) + {}_6\mathrm{C}_5$

$= {}_6\mathrm{C}_4 + {}_6\mathrm{C}_5 = {}_7\mathrm{C}_5 = {}_7\mathrm{C}_2 = $ **21**

| 다른 풀이 |

${}_1\mathrm{C}_0 + {}_2\mathrm{C}_1 + {}_3\mathrm{C}_2 + {}_4\mathrm{C}_3 + {}_5\mathrm{C}_4 + {}_6\mathrm{C}_5$

$= {}_1\mathrm{C}_0 + {}_2\mathrm{C}_1 + {}_3\mathrm{C}_1 + {}_4\mathrm{C}_1 + {}_5\mathrm{C}_1 + {}_6\mathrm{C}_1$

$= 1+2+3+4+5+6 = 21$

(2)

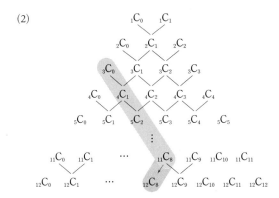

구하는 식의 값은 그림과 같이 파스칼의 삼각형에서 ${}_3\mathrm{C}_0$부터 오른쪽 아래 대각선 방향으로 나열된 이항계수를 더한 값이다.

${}_3\mathrm{C}_0 + {}_4\mathrm{C}_1 + {}_5\mathrm{C}_2 + \cdots + {}_{11}\mathrm{C}_8$

$= ({}_4\mathrm{C}_0 + {}_4\mathrm{C}_1) + {}_5\mathrm{C}_2 + \cdots + {}_{11}\mathrm{C}_8$

$= ({}_5\mathrm{C}_1 + {}_5\mathrm{C}_2) + {}_6\mathrm{C}_3 + \cdots + {}_{11}\mathrm{C}_8$

$\qquad \vdots$

$= {}_{11}\mathrm{C}_7 + {}_{11}\mathrm{C}_8 = {}_{12}\mathrm{C}_8 = {}_{12}\mathrm{C}_4 = $ **495**

(3)

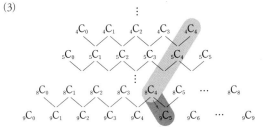

구하는 식의 값은 그림과 같이 파스칼의 삼각형에서 ${}_4\mathrm{C}_4$부터 왼쪽 아래 대각선 방향으로 나열된 이항계수를 더한 값이다.

${}_4\mathrm{C}_4 + {}_5\mathrm{C}_4 + {}_6\mathrm{C}_4 + {}_7\mathrm{C}_4 + {}_8\mathrm{C}_4$

$= ({}_5\mathrm{C}_5 + {}_5\mathrm{C}_4) + {}_6\mathrm{C}_4 + {}_7\mathrm{C}_4 + {}_8\mathrm{C}_4$

$= ({}_6\mathrm{C}_5 + {}_6\mathrm{C}_4) + {}_7\mathrm{C}_4 + {}_8\mathrm{C}_4$

$= ({}_7\mathrm{C}_5 + {}_7\mathrm{C}_4) + {}_8\mathrm{C}_4$

$= {}_8\mathrm{C}_5 + {}_8\mathrm{C}_4 = {}_9\mathrm{C}_5 = {}_9\mathrm{C}_4 = $ **126**

05-1 🔵셀파 (1) $(1+x)^n$의 전개식에서 x^3의 계수는 $_nC_3$
(2) $(1+x^3)^n$의 전개식에서 x^6의 계수는 $_nC_2$

(1) $(1+x)^n$의 전개식의 일반항은 $_nC_rx^r$이고
$3 \leq n \leq 8$인 경우에만 x^3항이 나오므로
$(1+x)^3$의 전개식에서 x^3의 계수는 $_3C_3$
$(1+x)^4$의 전개식에서 x^3의 계수는 $_4C_3$
$\vdots$
$(1+x)^8$의 전개식에서 x^3의 계수는 $_8C_3$
따라서 x^3의 계수는
$_3C_3+_4C_3+_5C_3+_6C_3+_7C_3+_8C_3$
$=(_4C_4+_4C_3)+_5C_3+_6C_3+_7C_3+_8C_3$
$=(_5C_4+_5C_3)+_6C_3+_7C_3+_8C_3$
$=(_6C_4+_6C_3)+_7C_3+_8C_3$
$=(_7C_4+_7C_3)+_8C_3$
$=_8C_4+_8C_3=_9C_4=\mathbf{126}$

(2) $(1+x^3)^n$의 전개식의 일반항은 $_nC_r(x^3)^r=_nC_rx^{3r}$이고
$2 \leq n \leq 12$인 경우에만 x^6항이 나온다.
이때 $3r=6$에서 $r=2$
$(1+x^3)^2$의 전개식에서 x^6의 계수는 $_2C_2$
$(1+x^3)^3$의 전개식에서 x^6의 계수는 $_3C_2$
$\vdots$
$(1+x^3)^{12}$의 전개식에서 x^6의 계수는 $_{12}C_2$
따라서 x^6의 계수는
$_2C_2+_3C_2+_4C_2+\cdots+_{12}C_2$
$=(_3C_3+_3C_2)+_4C_2+\cdots+_{12}C_2$
$=(_4C_3+_4C_2)+_5C_2+\cdots+_{12}C_2$
$=(_5C_3+_5C_2)+_6C_2+\cdots+_{12}C_2$
$\vdots$
$=_{12}C_3+_{12}C_2=_{13}C_3=\mathbf{286}$

| 다른 풀이 |
(1) $(1+x)+(1+x)^2+(1+x)^3+\cdots+(1+x)^8$ ······㉠
㉠은 첫째항이 $1+x$, 공비가 $1+x$, 항수가 8인 등비수열의 합이므로
$$\frac{(1+x)\{(1+x)^8-1\}}{(1+x)-1}=\frac{(1+x)^9-(1+x)}{x}$$
㉠의 전개식에서 x^3의 계수는 $(1+x)^9$의 전개식에서 x^4의 계수와 같다.
$(1+x)^9$의 전개식의 일반항은 $_9C_rx^r$이므로 $r=4$
따라서 구하는 계수는 $_9C_4=126$

(2) $(1+x^3)+(1+x^3)^2+(1+x^3)^3+\cdots+(1+x^3)^{12}$ ······㉠
㉠은 첫째항이 $1+x^3$, 공비가 $1+x^3$, 항수가 12인 등비수열의 합이므로
$$\frac{(1+x^3)\{(1+x^3)^{12}-1\}}{(1+x^3)-1}=\frac{(1+x^3)^{13}-(1+x^3)}{x^3}$$
㉠의 전개식에서 x^6의 계수는 $(1+x^3)^{13}$의 전개식에서 x^9의 계수와 같다.
$(1+x^3)^{13}$의 전개식의 일반항은 $_{13}C_r(x^3)^r=_{13}C_rx^{3r}$
이때 x^9의 계수는 $3r=9$, 즉, $r=3$일 때이므로
구하는 계수는 $_{13}C_3=286$

06-1 🔵셀파 $(1+x)^n=_nC_0+_nC_1x+_nC_2x^2+\cdots+_nC_nx^n$
(1) 이항정리에서
$(1+x)^n=_nC_0+_nC_1x+_nC_2x^2+\cdots+_nC_nx^n$ ······㉠
㉠의 양변에 $x=2$, $n=10$을 대입하면
$_{10}C_0+2\times_{10}C_1+2^2\times_{10}C_2+\cdots+2^{10}\times_{10}C_{10}=3^{10}$
$\therefore \log_9(_{10}C_0+2\times_{10}C_1+2^2\times_{10}C_2+\cdots+2^{10}\times_{10}C_{10})$
$=\log_9 3^{10}=\log_{3^2}3^{10}=\frac{10}{2}\log_3 3=\mathbf{5}$

(2) 이항정리에서
$(1+x)^n=_nC_0+_nC_1x+_nC_2x^2+\cdots+_nC_nx^n$ ······㉠
㉠의 양변에 $x=1$, $n=11$을 대입하면
$_{11}C_0+_{11}C_1+_{11}C_2+\cdots+_{11}C_{11}=2^{11}$
또한 $_nC_r=_nC_{n-r}$에서
$_{11}C_6=_{11}C_5$, $_{11}C_7=_{11}C_4$, $_{11}C_8=_{11}C_3$,
$_{11}C_9=_{11}C_2$, $_{11}C_{10}=_{11}C_1$, $_{11}C_{11}=_{11}C_0$
이므로
$_{11}C_6+_{11}C_7+_{11}C_8+_{11}C_9+_{11}C_{10}+_{11}C_{11}$
$=_{11}C_0+_{11}C_1+_{11}C_2+_{11}C_3+_{11}C_4+_{11}C_5$
$\therefore _{11}C_0+_{11}C_1+_{11}C_2+_{11}C_3+_{11}C_4+_{11}C_5+\cdots+_{11}C_{10}+_{11}C_{11}$
$=2(_{11}C_0+_{11}C_1+_{11}C_2+_{11}C_3+_{11}C_4+_{11}C_5)$
이때
$2(_{11}C_0+_{11}C_1+_{11}C_2+_{11}C_3+_{11}C_4+_{11}C_5)=2^{11}$
이므로
$_{11}C_0+_{11}C_1+_{11}C_2+_{11}C_3+_{11}C_4+_{11}C_5=\mathbf{2^{10}}$

07-1 셀파 $(1+x)^n={}_nC_0+{}_nC_1x+\cdots+{}_nC_nx^n$의 양변의 x에 적당한 값을 대입한다.

(1) ${}_nC_0+{}_nC_1+{}_nC_2+{}_nC_3+\cdots+{}_nC_n=2^n$이므로

$2000<2^n-1<3000$, $2001<2^n<3001$

이때 $2^{10}=1024$, $2^{11}=2048$, $2^{12}=4096$이므로

구하는 자연수 n의 값은 **11**

(2) ${}_nC_r={}_nC_{n-r}$에서 ${}_{99}C_0={}_{99}C_{99}$, ${}_{99}C_1={}_{99}C_{98}$, $\cdots$, ${}_{99}C_{49}={}_{99}C_{50}$

${}_{99}C_0+{}_{99}C_1+{}_{99}C_2+\cdots+{}_{99}C_{49}+{}_{99}C_{50}+{}_{99}C_{51}+\cdots+{}_{99}C_{99}$
$=2^{99}$

이므로

$2({}_{99}C_{50}+{}_{99}C_{51}+{}_{99}C_{52}+\cdots+{}_{99}C_{99})=2^{99}$

$\therefore {}_{99}C_{50}+{}_{99}C_{51}+{}_{99}C_{52}+\cdots+{}_{99}C_{99}=\dfrac{1}{2}\times2^{99}=\boldsymbol{2^{98}}$

(3) ${}_{20}C_0+{}_{20}C_2+{}_{20}C_4+\cdots+{}_{20}C_{20}=2^{19}$이므로

${}_{20}C_2+{}_{20}C_4+\cdots+{}_{20}C_{20}=2^{19}-{}_{20}C_0=\boldsymbol{2^{19}-1}$

08-1 셀파 $11^{10}=(1+10)^{10}$으로 놓는다.

$11^{10}=(1+10)^{10}$
$={}_{10}C_0+{}_{10}C_1\times10+{}_{10}C_2\times10^2+\cdots+{}_{10}C_{10}\times10^{10}$

이때 ${}_{10}C_1\times10+{}_{10}C_2\times10^2+\cdots+{}_{10}C_{10}\times10^{10}$은 100으로 나누어 떨어진다.

따라서 11^{10}을 100으로 나누었을 때의 나머지는 ${}_{10}C_0$을 100으로 나누었을 때의 나머지와 같으므로 구하는 나머지는 ${}_{10}C_0=\boldsymbol{1}$

08-2 셀파 $8^{20}=(1+7)^{20}$으로 놓는다.

$8^{20}=(1+7)^{20}$
$={}_{20}C_0+{}_{20}C_1\times7+{}_{20}C_2\times7^2+\cdots+{}_{20}C_{20}\times7^{20}$

이때 ${}_{20}C_2\times7^2+\cdots+{}_{20}C_{20}\times7^{20}$은 98로 나누어떨어진다.

따라서 8^{20}을 98로 나누었을 때의 나머지는 ${}_{20}C_0+{}_{20}C_1\times7$을 98로 나누었을 때의 나머지와 같다.

${}_{20}C_0+{}_{20}C_1\times7=1+20\times7=141$

그런데 $141=98\times1+43$이므로 구하는 나머지는 **43**

01 셀파 $(2x^2-3x)^4$의 전개식의 일반항은 ${}_4C_r(2x^2)^{4-r}(-3x)^r$

$(2x^2-3x)^4$의 전개식의 일반항은
${}_4C_r(2x^2)^{4-r}(-3x)^r={}_4C_r\times2^{4-r}\times(-3)^r\times x^{8-r}$

이때 x^7항은 $8-r=7$, 즉 $r=1$일 때이므로

x^7의 계수는 ${}_4C_1\times2^{4-1}\times(-3)^1=\boldsymbol{-96}$

02 셀파 $(1+ax)^5$의 전개식의 일반항은 ${}_5C_r(ax)^r$

$(1+ax)^5$의 전개식의 일반항은
${}_5C_r(ax)^r={}_5C_ra^rx^r$

이때 x^2항은 $r=2$일 때이므로 ${}_5C_2a^2x^2=10a^2x^2$

주어진 조건에서 x^2의 계수가 1440이므로

$10a^2=1440$, $a^2=144$ $\qquad\therefore \boldsymbol{a=12}$ $(\because a>0)$

03 셀파 $\left(\dfrac{x}{2}+\dfrac{2}{x}\right)^6$의 전개식의 일반항은 ${}_6C_r\left(\dfrac{x}{2}\right)^{6-r}\left(\dfrac{2}{x}\right)^r$

$\left(\dfrac{x}{2}+\dfrac{2}{x}\right)^6$의 전개식의 일반항은

${}_6C_r\left(\dfrac{x}{2}\right)^{6-r}\left(\dfrac{2}{x}\right)^r={}_6C_r\times x^{6-r}2^{-6+r}\times2^rx^{-r}$
$\qquad\qquad\qquad\qquad={}_6C_r\times2^{-6+2r}\times x^{6-2r}$

이때 상수항은 $6-2r=0$일 때이므로 $r=3$

따라서 상수항은 ${}_6C_3\times2^0=\boldsymbol{20}$

04 셀파 전개식의 일반항을 구한다.

$\left(ax^3+\dfrac{2y}{x^2}\right)^4$의 전개식의 일반항은

${}_4C_r(ax^3)^{4-r}\left(\dfrac{2y}{x^2}\right)^r={}_4C_r\times2^r\times a^{4-r}x^{12-5r}y^r$

이때 x^2y^2항은 $12-5r=2$, 즉 $r=2$일 때이므로

${}_4C_2\times2^2\times a^2x^2y^2=24a^2x^2y^2$

주어진 조건에서 x^2y^2의 계수가 24이므로

$24a^2=24$, $a^2=1$

$\therefore \boldsymbol{a=-1}$ 또는 $\boldsymbol{a=1}$

05 셀파 $\left(x+\dfrac{1}{x^n}\right)^{10}$의 전개식의 일반항은 $_{10}C_r x^{10-r}\left(\dfrac{1}{x^n}\right)^r$

$\left(x+\dfrac{1}{x^n}\right)^{10}$의 전개식의 일반항은

$_{10}C_r x^{10-r}\left(\dfrac{1}{x^n}\right)^r=_{10}C_r x^{10-r}x^{-nr}=_{10}C_r\times x^{10-(n+1)r}$

주어진 식이 상수항을 가지려면 $10-(n+1)r=0$이고 $n>0$, $0\le r\le n$인 정수 $n,\,r$의 값이 존재해야 한다.

$(n+1)r=10$에서 $(n,\,r)=(1,\,5),\,(4,\,2),\,(9,\,1)$

따라서 구하는 자연수 n의 값의 합은

$1+4+9=$ **14**

06 셀파 $\left(x-\dfrac{1}{x}\right)^{10}$의 전개식의 일반항은 $_{10}C_r x^{10-r}\left(-\dfrac{1}{x}\right)^r$

$\left(x-\dfrac{1}{x}\right)^{10}$의 전개식의 일반항은

$_{10}C_r x^{10-r}\left(-\dfrac{1}{x}\right)^r=_{10}C_r(-1)^r x^{10-2r}$

따라서 $(x+1)\left(x-\dfrac{1}{x}\right)^{10}$의 전개식의 일반항은

$_{10}C_r(-1)^r x^{11-2r}+_{10}C_r(-1)^r x^{10-2r}$ ······㉠

㉠에서 x^2항은

(i) $11-2r=2$일 때, 이 식을 만족시키는 정수 r의 값은 존재하지 않는다.

(ii) $10-2r=2$, 즉 $r=4$일 때이므로 $_{10}C_4(-1)^4=210$

(i), (ii)에서 x^2의 계수는 **210**

07 셀파 $(1+2x)^3$의 전개식의 일반항은 $_3C_r(2x)^r$
$(1-x)^5$의 전개식의 일반항은 $_5C_s(-x)^s$

㉮ $(1+2x)^3$의 전개식의 일반항은 $_3C_r(2x)^r=_3C_r 2^r x^r$
$(1-x)^5$의 전개식의 일반항은 $_5C_s(-x)^s=_5C_s(-1)^s x^s$
따라서 $(1+2x)^3(1-x)^5$의 전개식의 일반항은
$_3C_r 2^r x^r\times_5C_s(-1)^s x^s=_3C_r\times_5C_s\times2^r\times(-1)^s\times x^{r+s}$

······㉠

㉯ ㉠에서 x^2항은 $r+s=2$일 때이므로
(i) $r=0$, $s=2$일 때 $\Rightarrow _3C_0\times_5C_2\times2^0\times(-1)^2=10$
(ii) $r=1$, $s=1$일 때 $\Rightarrow _3C_1\times_5C_1\times2\times(-1)^1=-30$
(iii) $r=2$, $s=0$일 때 $\Rightarrow _3C_2\times_5C_0\times2^2\times(-1)^0=12$

㉰ (i), (ii), (iii)에서 x^2의 계수는
$10+(-30)+12=$ **-8**

채점 기준	배점
㉮ $(1+2x)^3(1-x)^5$의 전개식의 일반항을 구한다.	40%
㉯ 주어진 식의 전개식에서 x^2항을 찾아 각각의 계수를 구한다.	40%
㉰ x^2의 계수를 구한다.	20%

08 셀파 $(1-x)^n$의 전개식의 일반항은 $_nC_r(-x)^r$

$(1-x)^2$의 전개식에서 x^2의 계수는 $_2C_2(-1)^2$
$(1-x)^3$의 전개식에서 x^2의 계수는 $_3C_2(-1)^2$
$\vdots$
$(1-x)^{12}$의 전개식에서 x^2의 계수는 $_{12}C_2(-1)^2$

따라서 x^2의 계수는

$_2C_2+_3C_2+_4C_2+\cdots+_{12}C_2$
$=(_3C_3+_3C_2)+_4C_2+\cdots+_{12}C_2$
$=(_4C_3+_4C_2)+_5C_2+\cdots+_{12}C_2$
$\vdots$
$=_{12}C_3+_{12}C_2=_{13}C_3=$ **286**

| 다른 풀이 |

$(1-x)+(1-x)^2+(1-x)^3+\cdots+(1-x)^{12}$ ······㉠

㉠은 첫째항이 $1-x$, 공비가 $1-x$, 항수가 12인 등비수열의 합이므로

$\dfrac{(1-x)\{1-(1-x)^{12}\}}{1-(1-x)}=\dfrac{(1-x)-(1-x)^{13}}{x}$

㉠의 전개식에서 x^2의 계수는 $-(1-x)^{13}$의 전개식에서 x^3의 계수와 같다.

이때 $-(1-x)^{13}$의 전개식의 일반항은
$-_{13}C_r(-x)^r=-_{13}C_r(-1)^r x^r$

x^3항은 $r=3$일 때이므로 x^3의 계수는
$-_{13}C_3(-1)^3=_{13}C_3=286$

LECTURE 파스칼의 삼각형

❶ 이항계수를 배열한 파스칼의 삼각형에서 일반적으로
$_nC_r=_nC_{n-r}$이므로 $(a+b)^n$의 전개식에서 $a^{n-r}b^r$과 $a^r b^{n-r}$
의 계수는 서로 같다.
따라서 파스칼의 삼각형에서 각 행에 배열된 수는 좌우 대칭이다.

❷ $1\le r<n$일 때
$_{n-1}C_{r-1}+_{n-1}C_r$
$=\dfrac{(n-1)!}{(r-1)!\{(n-1)-(r-1)\}!}+\dfrac{(n-1)!}{r!\{(n-1)-r\}!}$
$=\dfrac{(n-1)!}{(r-1)!(n-r)!}+\dfrac{(n-1)!}{r!(n-r-1)!}$
$=\dfrac{r(n-1)!}{r!(n-r)!}+\dfrac{(n-r)(n-1)!}{r!(n-r)!}$
$=\dfrac{(n-1)!\{r+(n-r)\}}{r!(n-r)!}$
$=\dfrac{(n-1)!\times n}{r!(n-r)!}=\dfrac{n!}{r!(n-r)!}=_nC_r$

즉, $_{n-1}C_{r-1}+_{n-1}C_r=_nC_r$이므로 파스칼의 삼각형의 각 행에서 이웃하는 두 수의 합은 그 두 수의 아래쪽 중앙에 있는 수와 같다.

09 셀파 구하는 식을 파스칼의 삼각형 위에 나타내 본다.

구하는 식의 값은 파스칼의 삼각형에서 $_2C_2$부터 왼쪽 아래 대각선 방향으로 이항계수를 더한 값과 같다.

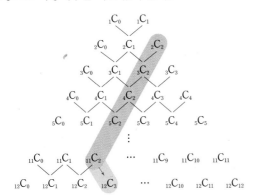

$$\therefore {}_2C_2+{}_3C_2+{}_4C_2+\cdots+{}_{11}C_2$$
$$=({}_3C_3+{}_3C_2)+{}_4C_2+\cdots+{}_{11}C_2$$
$$=({}_4C_3+{}_4C_2)+{}_5C_2+\cdots+{}_{11}C_2$$
$$\vdots$$
$$={}_{11}C_3+{}_{11}C_2={}_{12}C_3=\mathbf{220}$$

10 셀파 $_2C_0+{}_3C_1+{}_4C_2+\cdots+{}_{10}C_8={}_{11}C_8$

(i) $_2C_0+{}_3C_1+{}_4C_2+\cdots+{}_{10}C_8$
$\quad=({}_3C_0+{}_3C_1)+{}_4C_2+\cdots+{}_{10}C_8$
$\quad=({}_4C_1+{}_4C_2)+{}_5C_3+\cdots+{}_{10}C_8$
$\qquad\vdots$
$\quad={}_{10}C_7+{}_{10}C_8$
$\quad={}_{11}C_8={}_{11}C_3=165$

(ii) $_1C_0+{}_2C_1+{}_3C_2+\cdots+{}_{10}C_9={}_{11}C_9$이므로
$\quad {}_2C_1+{}_3C_2+\cdots+{}_{10}C_9={}_{11}C_9-{}_1C_0={}_{11}C_2-1=54$

(iii) $_2C_2+{}_3C_3+\cdots+{}_{10}C_{10}=\underbrace{1+1+\cdots+1}_{9개}=9$

(i), (ii), (iii)에서 색칠한 부분의 모든 수의 합은
$165+54+9=228$

11 셀파 이항계수의 성질을 이용한다.

(1) $_nC_0+{}_nC_1+{}_nC_2+\cdots+{}_nC_n=2^n$에서
$\quad {}_6C_0+{}_6C_1+{}_6C_2+{}_6C_3+{}_6C_4+{}_6C_5+{}_6C_6=2^6$
$\qquad \therefore \boldsymbol{n=6}$

(2) $_nC_0+{}_nC_1+{}_nC_2+{}_nC_3+\cdots+{}_nC_n=2^n=512=2^9$
$\qquad \therefore \boldsymbol{n=9}$

12 셀파 $_nC_r={}_nC_{n-r}$

$_{99}C_0={}_{99}C_{99},\ {}_{99}C_1={}_{99}C_{98},\ {}_{99}C_2={}_{99}C_{97},\ \cdots,$
$_{99}C_{48}={}_{99}C_{51},\ {}_{99}C_{49}={}_{99}C_{50}$이므로
$_{99}C_0+{}_{99}C_1+\cdots+{}_{99}C_{49}={}_{99}C_{50}+{}_{99}C_{51}+\cdots+{}_{99}C_{99}$
이때 $_{99}C_0+{}_{99}C_1+\cdots+{}_{99}C_{99}=2^{99}$이므로
$2({}_{99}C_0+{}_{99}C_1+\cdots+{}_{99}C_{49})=2^{99}$
$_{99}C_0+{}_{99}C_1+\cdots+{}_{99}C_{49}=2^{98}$
$\therefore \log_2({}_{99}C_0+{}_{99}C_1+{}_{99}C_2+\cdots+{}_{99}C_{49})=\log_2 2^{98}=\mathbf{98}$

13 셀파 이항정리를 이용하여 $(1-3)^{10}$을 전개한다.

$(1+x)^n={}_nC_0+{}_nC_1x+{}_nC_2x^2+\cdots+{}_nC_nx^n$
의 양변에 $x=-3,\ n=10$을 대입하면
$_{10}C_0-3\times{}_{10}C_1+3^2\times{}_{10}C_2-3^3\times{}_{10}C_3+\cdots+3^{10}\times{}_{10}C_{10}$
$=(1-3)^{10}=(-2)^{10}=2^{10}$
$\therefore \log_4({}_{10}C_0-3\times{}_{10}C_1+3^2\times{}_{10}C_2-3^3\times{}_{10}C_3+\cdots+3^{10}\times{}_{10}C_{10})$
$\quad=\log_4 2^{10}=\log_{2^2}2^{10}=\dfrac{10}{2}\log_2 2=\mathbf{5}$

14 셀파 $(1+x)^n={}_nC_0+{}_nC_1x+{}_nC_2x^2+\cdots+{}_nC_nx^n$

$(1+x)^n={}_nC_0+{}_nC_1x+{}_nC_2x^2+\cdots+{}_nC_nx^n$에서
첫 번째 항은 $_nC_0$, 두 번째 항은 $_nC_1x$, 세 번째 항은 $_nC_2x^2$, $\cdots$이므로 16번째 항은 $_nC_{15}x^{15}$, 26번째 항은 $_nC_{25}x^{25}$이다.
이때 16번째 항의 계수와 26번째 항의 계수가 같으므로
$_nC_{15}={}_nC_{25}$이고, $_nC_r={}_nC_{n-r}$에서 $_nC_{15}={}_nC_{25}={}_nC_{n-25}$이므로
$15=n-25 \qquad \therefore n=40$
$\therefore {}_{40}C_0+{}_{40}C_2+{}_{40}C_4+\cdots+{}_{40}C_{40}=2^{40-1}=\mathbf{2^{39}}$

| 주의 |

16번째 항과 26번째 항이라고 해서 직관적으로 $_nC_{16}x^{16}$, $_nC_{26}x^{26}$으로 생각하지 않도록 한다. 첫 번째 항이 $_nC_0x^0$으로 시작하므로 16번째 항은 $_nC_{15}x^{15}$이고, 26번째 항은 $_nC_{25}x^{25}$이다.

15 셀파 $21^{12}=(1+20)^{12}$으로 놓는다.

$21^{12}=(1+20)^{12}$
$\quad={}_{12}C_0+{}_{12}C_1\times20+{}_{12}C_2\times20^2+{}_{12}C_3\times20^3+$
$\qquad\qquad\qquad\qquad\qquad\cdots+{}_{12}C_{12}\times20^{12}$
$\quad=1+240+26400+1760000+\cdots+20^{12}$
$\quad=26641+1760000+\cdots+20^{12}$

에서 1760000부터 이후에 더해진 수는 백의 자리 이하에 영향을 주지 않는다.
따라서 21^{12}의 백의 자리 수 $a=6$, 십의 자리 수 $b=4$, 일의 자리 수 $c=1$이므로
$a+b+c=6+4+1=\mathbf{11}$

3. 확률의 뜻과 활용

개념 익히기　　본문 | **55, 57** 쪽

1-1 (1) $S=\{\boxed{1}, 2, 3, 4, 5, 6\}$

(2) 한 개의 주사위를 던지면 항상 6 이하의 눈이 나오므로 6 이하의 눈이 나오는 사건은 $\{1, 2, 3, 4, 5, 6\}$

1-2 서로 다른 두 개의 동전을 던지는 시행에서

(1) 표본공간 S는
$$S=\{(H, H), (H, T), (T, H), (T, T)\}$$

(2) 같은 면 또는 다른 면이 나오는 사건은
$$\{(H, H), (T, T), (H, T), (T, H)\}$$

| 참고 |
근원사건은
$\{(H, H)\}, \{(H, T)\}, \{(T, H)\}, \{(T, T)\}$

2-1 한 개의 주사위를 던지는 시행에서 표본공간 S는
$S=\{1, 2, 3, 4, 5, 6\}$
$A=\{2, 4, 6\}$, $B=\{1, 2, 3, 6\}$이므로

(1) $A\cup B=\{1, 2, 3, \boxed{4}, 6\}$

(2) $A\cap B=\{\boxed{2}, 6\}$

(3) $A^C=\{1, 3, 5\}$

(4) $A^C=\{1, 3, 5\}$, $B^C=\{4, 5\}$이므로
$A^C\cup B^C=\{1, 3, 4, 5\}$

| 다른 풀이 |
(4) $A^C\cup B^C=(A\cap B)^C$이므로
$A^C\cup B^C=\{1, 3, 4, 5\}$

2-2 정십이면체 모양의 주사위를 던지는 시행에서 표본공간 S는
$S=\{1, 2, 3, 4, 5, 6, 7, 8, 9, 10, 11, 12\}$
$A=\{1, 2, 3, 6\}$, $B=\{2, 4, 6, 8, 10, 12\}$이므로

(1) $A\cup B=\{1, 2, 3, 4, 6, 8, 10, 12\}$

(2) $A\cap B=\{2, 6\}$

(3) $A^C=\{4, 5, 7, 8, 9, 10, 11, 12\}$

(4) $A^C=\{4, 5, 7, 8, 9, 10, 11, 12\}$,
$B^C=\{1, 3, 5, 7, 9, 11\}$
이므로
$A^C\cap B^C=\{5, 7, 9, 11\}$

3-1 한 개의 주사위를 던질 때 일어나는 모든 사건을 S, 짝수의 눈이 나오는 사건을 A, 3의 배수의 눈이 나오는 사건을 B라 하면
$S=\{1, 2, 3, 4, 5, 6\}$, $A=\{2, 4, 6\}$, $B=\{3, 6\}$
이때 짝수이면서 3의 배수인 눈이 나오는 사건 $A\cap B$는
$A\cap B=\{\boxed{6}\}$이므로
$$P(A)=\frac{n(A)}{n(S)}=\frac{3}{6}$$
$$P(B)=\frac{n(B)}{n(S)}=\frac{2}{6}$$
$$P(A\cap B)=\frac{n(A\cap B)}{n(S)}=\frac{\boxed{1}}{6}$$
따라서 구하는 확률은
$$P(A\cup B)=P(A)+P(B)-P(A\cap B)$$
$$=\frac{3}{6}+\frac{2}{6}-\frac{\boxed{1}}{6}=\frac{2}{3}$$

3-2 $S=\{1, 2, 3, 4, 5, 6, 7, 8, 9\}$,
$A=\{1, 2, 3, 4, 5, 6\}$, $B=\{1, 3, 5, 7, 9\}$
에서 $A\cap B=\{1, 3, 5\}$이므로
$$P(A)=\frac{n(A)}{n(S)}=\frac{6}{9}$$
$$P(B)=\frac{n(B)}{n(S)}=\frac{5}{9}$$
$$P(A\cap B)=\frac{n(A\cap B)}{n(S)}=\frac{3}{9}$$
$$\therefore P(A\cup B)=P(A)+P(B)-P(A\cap B)$$
$$=\frac{6}{9}+\frac{5}{9}-\frac{3}{9}=\frac{8}{9}$$

4-1 세 개의 동전을 동시에 던질 때, 앞면이 적어도 한 개 나오는 사건을 A라 하면 A의 여사건 A^C은 세 개 모두 뒷면이 나오는 사건이다.

세 개의 동전을 동시에 던질 때, 나오는 모든 경우의 수는
$$2 \times 2 \times 2 = 8$$

이때 세 개 모두 뒷면이 나오는 경우의 수는 1이므로
$$P(A^C) = \frac{1}{\boxed{8}}$$

따라서 구하는 확률은
$$P(A) = 1 - P(A^C) = 1 - \frac{1}{8} = \frac{\boxed{7}}{\boxed{8}}$$

4-2 2개 모두 당첨 제비가 아닌 사건을 A라 하면

(1) $P(A) = \dfrac{{}_6C_2}{{}_{10}C_2} = \dfrac{15}{45} = \dfrac{1}{3}$

(2) 적어도 1개가 당첨 제비인 사건은 A의 여사건이므로
$$P(A^C) = 1 - P(A) = 1 - \frac{1}{3} = \frac{2}{3}$$

| 다른 풀이 |

적어도 1개가 당첨 제비인 사건은 당첨 제비가 1개 또는 2개 나오는 사건이므로 구하는 확률은
$$\frac{{}_4C_1 \times {}_6C_1}{{}_{10}C_2} + \frac{{}_4C_2}{{}_{10}C_2} = \frac{24}{45} + \frac{6}{45} = \frac{30}{45} = \frac{2}{3}$$

세미나 확률의 기본 성질

당첨 제비 k개를 포함한 10개의 제비 중에서 한 개를 뽑을 때, 그것이 당첨 제비일 확률을 $P(A)$라 하면
$$P(A) = \frac{k}{10}$$

이때 당첨 제비의 수 k는 $0 \le k \le 10$이다.
여기서 $k = 10$이면 10개 모두 당첨 제비이므로
$$P(A) = \frac{10}{10} = 1$$

이 경우는 제비를 뽑을 때 반드시 당첨이 된다.
또 $k = 0$이면 당첨 제비가 하나도 없으므로
$$P(A) = \frac{0}{10} = 0$$

이 경우는 제비를 뽑을 때 절대로 당첨이 될 수 없다.

따라서 표본공간 S와 절대로 일어나지 않는 사건 $\varnothing$, 임의의 사건 A에 대하여 $P(S) = 1$, $P(\varnothing) = 0$이고
$$0 \le n(A) \le n(S)에서 \ 0 \le \frac{n(A)}{n(S)} \le 1$$

이때 $\dfrac{n(A)}{n(S)} = P(A)$이므로 $0 \le P(A) \le 1$

01-1 **셀파** 사건을 집합으로 생각한다.

표본공간을 S라 하면
$$S = \{1, 2, 3, 4, 5, 6\}$$
4의 약수의 눈이 나오는 사건이 A이므로 $A = \{1, 2, 4\}$

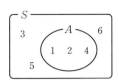

(1) $A^C = \{3, 5, 6\}$

(2) $A^C = \{3, 5, 6\}$이고 A와 A^C의 부분집합이 서로 배반사건이므로 사건 A와 서로 배반인 사건은
$$\varnothing, \{3\}, \{5\}, \{6\}, \{3, 5\}, \{3, 6\}, \{5, 6\}, \{3, 5, 6\}$$

01-2 **셀파** $A \cap B = \varnothing$일 때 A와 B는 서로 배반사건이다.

앞면을 H, 뒷면을 T로 나타내고 표본공간을 S라 하면
$$S = \{(H, H), (H, T), (T, H), (T, T)\}$$
$$A = \{(H, H)\}, \ B = \{(T, T)\}$$

(1) $A \cap B = \varnothing$이므로 A와 B는 서로 **배반사건**이다.

(2) $A^C = \{(H, T), (T, H), (T, T)\}$,
$\ B^C = \{(H, H), (H, T), (T, H)\}$이므로
$$A^C \cap B^C = \{(H, T), (T, H)\} \ne \varnothing$$
즉, A^C과 B^C은 서로 **배반사건이 아니다**.

02-1 **셀파** 사건 A의 수학적 확률 $\Rightarrow \dfrac{n(A)}{n(S)}$

(1) 표본공간을 S라 하면
$S = \{1, 2, 3, 4, 5, 6\}$이므로 $n(S) = 6$
4 이상의 눈이 나오는 사건을 A라 하면
$A = \{4, 5, 6\}$이므로 $n(A) = 3$
따라서 구하는 확률은
$$P(A) = \frac{n(A)}{n(S)} = \frac{3}{6} = \frac{1}{2}$$

(2) 표본공간을 S라 하면
$S = \{1, 2, 3, 4, 5, 6, 7, 8, 9, 10\}$이므로 $n(S) = 10$
10과 서로소인 수가 적힌 카드를 뽑는 사건을 A라 하면

$A=\{1, 3, 7, 9\}$이므로 $n(A)=4$

따라서 구하는 확률은

$$P(A)=\frac{n(A)}{n(S)}=\frac{4}{10}=\frac{2}{5}$$

|참고|

10 이하의 자연수 중에서 $10=2\times 5$와 서로소인 자연수의 집합은 2의 배수 또는 5의 배수가 아닌 수의 집합이다. 따라서 $\{1, 3, 7, 9\}$이다.

집중 연습

본문 | **60** 쪽

01 표본공간을 S라 하면

$$S=\{(1, 1), (1, 2), (1, 3), \cdots, (6, 5), (6, 6)\}$$

이므로 $n(S)=6\times 6=36$

(1) 나오는 눈의 수의 합이 10 이상인 사건을 A라 하면

$$A=\{(4, 6), (5, 5), (5, 6), (6, 4), (6, 5), (6, 6)\}$$

이므로 $n(A)=6$

$$\therefore P(A)=\frac{n(A)}{n(S)}=\frac{6}{36}=\frac{1}{6}$$

(2) 나오는 눈의 수의 차가 0 이상 2 이하인 사건을 A라 하면

(ⅰ) 눈의 수의 차가 0인 경우

$(1, 1), (2, 2), (3, 3), (4, 4), (5, 5), (6, 6)$

$\Rightarrow 6$

(ⅱ) 눈의 수의 차가 1인 경우

$(1, 2), (2, 3), (3, 4), (4, 5), (5, 6)$
$(2, 1), (3, 2), (4, 3), (5, 4), (6, 5)$ $\Rightarrow 10$

(ⅲ) 눈의 수의 차가 2인 경우

$(1, 3), (2, 4), (3, 5), (4, 6)$
$(3, 1), (4, 2), (5, 3), (6, 4)$ $\Rightarrow 8$

(ⅰ), (ⅱ), (ⅲ)에서 $n(A)=6+10+8=24$

$$\therefore P(A)=\frac{n(A)}{n(S)}=\frac{24}{36}=\frac{2}{3}$$

(3) 나오는 눈의 수 중 큰 수가 짝수인 사건을 A라 하면

나오는 눈의 수 중 큰 수가 짝수인 경우는

$(1, 2), (1, 4), (1, 6), (2, 2), (2, 4), (2, 6),$
$(3, 4), (3, 6), (4, 4), (4, 6), (5, 6), (6, 6),$
$(2, 1), (4, 1), (6, 1), (4, 2), (6, 2),$
$(4, 3), (6, 3), (6, 4), (6, 5)$

이므로 $n(A)=21$

$$\therefore P(A)=\frac{n(A)}{n(S)}=\frac{21}{36}=\frac{7}{12}$$

02 표본공간을 S라 하면 $n(S)=6\times 6=36$

(1) 두 수의 곱 ab가 제곱수인 사건을 A라 하면

두 수의 곱 ab가 제곱수인 경우는

$(1, 1), (2, 2), (3, 3), (4, 4), (5, 5), (6, 6),$
$(1, 4), (4, 1)$

이므로 $n(A)=8$

$$\therefore P(A)=\frac{n(A)}{n(S)}=\frac{8}{36}=\frac{2}{9}$$

(2) b가 a의 배수인 사건을 A라 하면

b가 a의 배수인 경우는

$(1, 1), (1, 2), (1, 3), (1, 4), (1, 5), (1, 6),$
$(2, 2), (2, 4), (2, 6), (3, 3), (3, 6), (4, 4),$
$(5, 5), (6, 6)$

이므로 $n(A)=14$

$$\therefore P(A)=\frac{n(A)}{n(S)}=\frac{14}{36}=\frac{7}{18}$$

03 표본공간을 S라 하면

$$S=\{(1, 1, 1), (1, 1, 2), \cdots, (6, 6, 5), (6, 6, 6)\}$$

이므로

$$n(S)=6\times 6\times 6=216$$

나오는 눈의 수의 합이 5의 배수인 사건을 A라 하면

(1) (ⅰ) 눈의 수의 합이 5인 경우

$(1, 1, 3) \Rightarrow \dfrac{3!}{2!}=3,\ (1, 2, 2) \Rightarrow \dfrac{3!}{2!}=3$

이므로 $3+3=6$

(ⅱ) 눈의 수의 합이 10인 경우

$(1, 3, 6) \Rightarrow 3!=6,\ (1, 4, 5) \Rightarrow 3!=6$

$(2, 2, 6) \Rightarrow \dfrac{3!}{2!}=3,\ (2, 3, 5) \Rightarrow 3!=6$

$(2, 4, 4) \Rightarrow \dfrac{3!}{2!}=3,\ (3, 3, 4) \Rightarrow \dfrac{3!}{2!}=3$

이므로 $6+6+3+6+3+3=27$

(ⅲ) 눈의 수의 합이 15인 경우

$(3, 6, 6) \Rightarrow \dfrac{3!}{2!}=3,\ (4, 5, 6) \Rightarrow 3!=6$

$(5, 5, 5) \Rightarrow 1$

이므로 $3+6+1=10$

(ⅰ), (ⅱ), (ⅲ)에서 $n(A)=6+27+10=43$

$$\therefore P(A)=\frac{n(A)}{n(S)}=\frac{43}{216}$$

(2) 나오는 눈의 수 중 가장 큰 수가 3인 사건을 A라 하면
  나오는 눈의 수 중 가장 큰 수가 3인 경우는

$$(1, 1, 3) \Rightarrow \frac{3!}{2!} = 3, \quad (1, 2, 3) \Rightarrow 3! = 6$$

$$(2, 2, 3) \Rightarrow \frac{3!}{2!} = 3, \quad (1, 3, 3) \Rightarrow \frac{3!}{2!} = 3$$

$$(2, 3, 3) \Rightarrow \frac{3!}{2!} = 3, \quad (3, 3, 3) \Rightarrow 1$$

  이므로 $n(A) = 3 + 6 + 3 + 3 + 3 + 1 = 19$

$$\therefore \mathrm{P}(A) = \frac{n(A)}{n(S)} = \frac{19}{216}$$

| 참고 |

1, 2, 3으로 만들 수 있는 중복순열의 수는 $_3\Pi_3$이고, 3이 적어도 한 번 나와야 하므로 1, 2로 만들 수 있는 중복순열의 수를 빼면 $_3\Pi_3 - _2\Pi_3 = 27 - 8 = 19$로 생각해도 된다.

(3) 6개의 숫자 중에서 2개를 뽑는 경우의 수는 $_6C_2 = 15$
  같은 눈이 두 번만 나오는 사건을 A라 하면
  뽑은 두 수를 a, b라 할 때, 같은 눈이 두 번만 나오는 경우는

$$(a, a, b) \Rightarrow \frac{3!}{2!} = 3, \quad (a, b, b) \Rightarrow \frac{3!}{2!} = 3$$

  이므로 $n(A) = 15 \times (3 + 3) = 90$

$$\therefore \mathrm{P}(A) = \frac{n(A)}{n(S)} = \frac{90}{216} = \frac{5}{12}$$

04 표본공간을 S라 하면 $n(S) = 6 \times 6 \times 6 = 216$

(1) $(a-b)(b-c) = 0$인 사건을 A라 하면
  $(a-b)(b-c) = 0$인 경우는
  (i) $a = b$인 경우 $\Rightarrow 6 \times 6 = 36$
  (ii) $b = c$인 경우 $\Rightarrow 6 \times 6 = 36$
  (iii) $a = b = c$인 경우 $\Rightarrow 6$
  (i), (ii), (iii)에서 $n(A) = 36 + 36 - 6 = 66$

$$\therefore \mathrm{P}(A) = \frac{n(A)}{n(S)} = \frac{66}{216} = \frac{11}{36}$$

(2) a, b, c를 세 변의 길이로 하는 삼각형이 정삼각형이 아닌
  이등변삼각형이 되는 사건을 A라 하면

a, b, c를 세 변의 길이로 하는 삼각형이 정삼각형이 아닌
이등변삼각형인 경우는

(i) $a = b \neq c$인 이등변삼각형인 경우
  $a + b > c$에서
  $a = b = 2$일 때 $\Rightarrow c = 1, 3$
  $a = b = 3$일 때 $\Rightarrow c = 1, 2, 4, 5$
  $a = b = 4$일 때 $\Rightarrow c = 1, 2, 3, 5, 6$
  $a = b = 5$일 때 $\Rightarrow c = 1, 2, 3, 4, 6$
  $a = b = 6$일 때 $\Rightarrow c = 1, 2, 3, 4, 5$
  이므로 21

(ii) $b = c \neq a$, $a = c \neq b$인 이등변삼각형인 경우에도 (i)과
  마찬가지로 각각 21

(i), (ii)에서 $n(A) = 3 \times 21 = 63$

$$\therefore \mathrm{P}(A) = \frac{n(A)}{n(S)} = \frac{63}{216} = \frac{7}{24}$$

03-1 셀파 모음 a와 e를 한 묶음으로 생각한다.

7개의 문자를 일렬로 나열하는 경우의 수는 7!

모음 a와 e를 한 묶음으로 생각하여 6개를 일렬로 세우는 경우의 수는 6!

또 a와 e가 서로 자리를 바꾸는 경우의 수는 2!

따라서 구하는 확률은

$$\frac{6! \times 2!}{7!} = \frac{2}{7}$$

03-2 셀파 (1) 이웃한 것들을 묶어 하나로 생각한다.

7명이 일렬로 서는 경우의 수는 7!

(1) A, B, C 3명을 한 묶음으로 생각하면 5명을 일렬로 세우는 경우의 수는 5!

  A, B, C 3명이 서로 자리를 바꾸어 서는 경우의 수는 3!

  따라서 구하는 확률은

$$\frac{5! \times 3!}{7!} = \frac{3 \times 2}{7 \times 6} = \frac{1}{7}$$

(2) A와 B를 양쪽 끝에 세우는 경우의 수는 2

  이때 가운데에 나머지 5명을 일렬로 세우는 경우의 수는 5!

  따라서 구하는 확률은

$$\frac{2 \times 5!}{7!} = \frac{2}{7 \times 6} = \frac{1}{21}$$

01 네 개의 숫자로 중복을 허용하여 만들 수 있는 세 자리 수의 개수는

$_4\Pi_3=4^3=64$

(1) 세 자리 수가 짝수이려면 일의 자리의 숫자가 2 또는 4이어야 한다.

일의 자리의 숫자가 2인 경우와 4인 경우의 세 자리 수의 개수는 각각 4개의 숫자 중에서 중복을 허용하여 2개를 택하는 중복순열의 수와 같으므로 $_4\Pi_2=4^2=16$

따라서 구하는 확률은 $\dfrac{2\times16}{64}=\dfrac{1}{2}$

(2) 320보다 큰 수는 32□, 33□, 34□, 4□□이다.

(ⅰ) 32□, 33□, 34□ ⇨ $3\times4=12$

(ⅱ) 4□□ ⇨ $4\times4=16$

(ⅰ), (ⅱ)에서 320보다 큰 수의 개수는 $12+16=28$

따라서 구하는 확률은 $\dfrac{28}{64}=\dfrac{7}{16}$

02 a, a, b, b, c를 일렬로 나열하는 경우의 수는

$\dfrac{5!}{2!2!}=\dfrac{5\times4\times3}{2}=30$

(1) 맨 앞에 자음이 오는 경우는

$b□□□□ \Rightarrow \dfrac{4!}{2!}=12$

$c□□□□ \Rightarrow \dfrac{4!}{2!2!}=\dfrac{4\times3}{2}=6$

이므로 $12+6=18$

따라서 구하는 확률은 $\dfrac{18}{30}=\dfrac{3}{5}$

(2) 문자 a 두 개가 이웃하는 경우의 수는 두 개의 a를 한 묶음으로 생각하여 4개를 일렬로 나열하는 경우의 수와 같으므로 $\dfrac{4!}{2!}=12$

따라서 구하는 확률은 $1-\dfrac{12}{30}=\dfrac{18}{30}=\dfrac{3}{5}$

| 다른 풀이 |

b, b, c를 일렬로 나열하는 경우의 수는

$\dfrac{3!}{2!}=3$

양 끝과 사이사이에 두 개의 a를 나열하는 경우의 수는 $_4C_2=6$

따라서 구하는 확률은 $\dfrac{3\times6}{30}=\dfrac{3}{5}$

(3) 문자 a 두 개가 이웃하는 경우의 수는 $\dfrac{4!}{2!}=12$

문자 b 두 개가 이웃하는 경우의 수는 $\dfrac{4!}{2!}=12$

a끼리 이웃하고 b끼리도 이웃하는 경우의 수는 $3!=6$

이므로 같은 문자가 서로 이웃하는 경우의 수는

$12+12-6=18$

따라서 구하는 확률은 $1-\dfrac{18}{30}=\dfrac{12}{30}=\dfrac{2}{5}$

LECTURE 이웃하는 경우와 이웃하지 않는 경우의 순열의 수

(1) **이웃하는 경우의 순열의 수**

이웃하는 것을 하나의 묶음으로 생각한다. 즉,

(이웃하는 경우의 수)

=(한 묶음으로 보고 구한 순열의 수)

×(묶음 속의 순열의 수)

(2) **이웃하지 않는 경우의 순열의 수**

이웃해도 상관없는 것을 먼저 배열한다. 즉,

(이웃하지 않는 경우의 수)

=(이웃해도 상관 없는 것의 순열의 수)

×(사이사이와 양 끝에 이웃하지 않는 것을 넣는 순열의 수)

03 6명이 원탁에 둘러앉는 경우의 수는 $(6-1)!=5!$

(1) 남학생 3명을 한 묶음으로 생각하면 4명이 원탁에 둘러앉는 경우의 수는 $(4-1)!=3!$

남학생 3명이 서로 자리를 바꾸는 경우의 수는 $3!$

이므로 남학생끼리 이웃하여 앉는 경우의 수는

$(4-1)!\times3!=3!\times3!$

따라서 구하는 확률은

$\dfrac{3!\times3!}{5!}=\dfrac{3\times2}{5\times4}=\dfrac{3}{10}$

(2) 남학생 3명이 원탁에 둘러앉는 경우의 수는

$(3-1)!=2!$

남학생 사이사이에 여학생 3명이 앉는 경우의 수는 $3!$

이므로 남학생과 여학생이 교대로 앉는 경우의 수는

$2!\times3!$

따라서 구하는 확률은

$\dfrac{2!\times3!}{5!}=\dfrac{2}{5\times4}=\dfrac{1}{10}$

04 6명이 원탁에 둘러앉는 경우의 수는 $(6-1)!=5!$

(1) A, B를 한 묶음으로 생각하면 5명이 원탁에 둘러앉는 경우의 수는 $(5-1)!=4!$

A, B가 서로 자리를 바꾸는 경우의 수는 $2!$

이므로 A, B가 이웃하여 앉는 경우의 수는 $4!\times2!$

따라서 구하는 확률은 $\dfrac{4!\times2!}{5!}=\dfrac{2}{5}$

(2) A의 자리가 정해지면 맞은편에 B의 자리도 정해진다.

A와 B를 하나로 취급하면 A, B가 마주 보고 앉는 경우의 수는 5명이 원탁에 앉는 경우의 수와 같으므로 $(5-1)!=4!$

따라서 구하는 확률은 $\dfrac{4!}{5!}=\dfrac{1}{5}$

(3) A, B 사이에 앉는 한 명을 정하는 경우의 수는 $_4C_1=4$

A, B와 고른 한 명을 한 묶음으로 생각하면 4명이 원탁에 둘러앉는 경우의 수는 $(4-1)!=3!$

A, B가 서로 자리를 바꾸는 경우의 수는 $2!$

이므로 A, B 사이에 한 명만 앉는 경우의 수는 $4\times3!\times2!$

따라서 구하는 확률은 $\dfrac{4\times3!\times2!}{5!}=\dfrac{4\times2}{5\times4}=\dfrac{2}{5}$

세미나 순열의 수를 이용한 확률의 계산

(1) **순열의 수**

❶ 서로 다른 n개를 순서를 생각하여 일렬로 나열하는 방법의 수

⇨ $_nP_n=n!=n(n-1)(n-2)\times\cdots\times2\times1$

❷ 서로 다른 n개에서 r개를 택하는 순열의 수

⇨ $_nP_r=n(n-1)(n-2)\times\cdots\times(n-r+1)$

$=\dfrac{n!}{(n-r)!}$ (단, $0\le r\le n$)

(2) **원순열의 수**

서로 다른 n개를 원형으로 배열하는 순열의 수

⇨ $\dfrac{n!}{n}=(n-1)!$

(3) **중복순열의 수**

서로 다른 n개에서 중복을 허용하여 r개를 택하는 순열의 수

⇨ $_n\Pi_r=n^r$

(4) **같은 것이 있는 순열의 수**

n개 중에서 같은 것이 각각 p개, q개, $\cdots$, r개씩 있을 때, n개를 일렬로 나열하는 순열의 수

⇨ $\dfrac{n!}{p!q!\cdots r!}$ (단, $p+q+\cdots+r=n$)

04-1 **셀파** 꼭 포함되거나 포함되지 않는 것은 제외하고, 나머지 중에서 생각한다.

(1) 흰 공 3개, 검은 공 5개가 들어 있는 주머니에서 임의로 3개의 공을 동시에 꺼내는 경우의 수는 $_8C_3=56$

이때 3개 모두 검은 공을 꺼내는 경우의 수는 $_5C_3=_5C_2=10$

따라서 구하는 확률은 $\dfrac{10}{56}=\dfrac{5}{28}$

(2) 6권의 서로 다른 공책 A, B, C, D, E, F 중에서 3권을 사는 경우의 수는 $_6C_3=20$

이때 공책 A는 사고, 공책 F는 사지 않는 경우의 수는 공책 A는 사고 공책 A, F를 제외한 4권 중에서 2권을 사는 경우의 수와 같으므로 $_4C_2=6$

따라서 구하는 확률은 $\dfrac{6}{20}=\dfrac{3}{10}$

(3) 10명 중에서 4명을 뽑는 경우의 수는 $_{10}C_4=210$

이때 갑, 을 중에서 1명만 뽑는 경우의 수는 갑과 을 중에서 1명을 뽑고, 갑과 을을 제외한 8명 중에서 3명을 뽑는 경우의 수와 같으므로 $2\times_8C_3=112$

따라서 구하는 확률은 $\dfrac{112}{210}=\dfrac{8}{15}$

05-1 **셀파** 동시에 일어나는 사건의 경우의 수는 곱의 법칙을 이용한다.

(1) 강정 10개 중에서 3개를 꺼내는 경우의 수는 $_{10}C_3=120$

이때 쌀강정 8개 중 2개, 보리강정 2개 중 1개를 꺼내는 경우의 수는 $_8C_2\times_2C_1=28\times2=56$

따라서 구하는 확률은 $\dfrac{56}{120}=\dfrac{7}{15}$

(2) 15장의 카드 중에서 3장의 카드를 동시에 뽑는 경우의 수는 $_{15}C_3=455$

(ⅰ) 세 수가 모두 짝수일 경우

1부터 15까지의 짝수 7개 중에서 3개를 뽑는 경우의 수는 $_7C_3=35$

(ii) 한 개의 수는 짝수, 두 개의 수는 홀수일 경우

1부터 15까지의 짝수 7개 중에서 1개를 뽑고, 1부터 15까지의 홀수 8개 중에서 2개를 뽑는 경우의 수는

$_7C_1 \times _8C_2 = 7 \times 28 = 196$

(i), (ii)에서 세 수의 합이 짝수가 되는 경우의 수는

$35 + 196 = 231$

따라서 구하는 확률은

$\dfrac{231}{455} = \dfrac{33}{65}$

세미나 조합의 수를 이용한 확률의 계산

(1) 조합의 수

서로 다른 n개에서 r개를 택하는 조합의 수

$\Rightarrow _nC_r = \dfrac{_nP_r}{r!} = \dfrac{n!}{r!(n-r)!}$ (단, $0 \le r \le n$)

$\Rightarrow$ 조합의 수는 뽑는 순서, 나열하는 순서를 생각하지 않아도 되는 경우에 이용한다.

(2) 중복조합의 수

서로 다른 n개에서 r개를 택하는 중복조합의 수

$\Rightarrow _nH_r = _{n+r-1}C_r$

셀파 특강 확인 체크 01

던진 횟수 1600은 충분히 큰 수이고, 1600번의 시행 중에서 앞면이 860번 나왔으므로 이 단추를 한 번 던져 앞면이 나올 확률은

$\dfrac{860}{1600} = \dfrac{43}{80}$

06-1 **셀파** 사건 A의 통계적 확률 $\Rightarrow \dfrac{(사건 A가 일어난 횟수)}{(전체 시행 횟수)}$

전체 학생 수는 1000명이고 교복 디자인에 불만을 갖고 있는 학생은 만족도 조사에서 불만 또는 매우 불만에 답한 학생으로 $110 + 72 = 182$(명)이다.

따라서 구하는 확률은

$\dfrac{182}{1000} = 0.182$

06-2 **셀파** $\dfrac{4450}{5000} \times \square \ge 50$으로 놓고 $\square$의 값의 범위를 구한다.

달걀 5000개 중에서 4450개가 부화하므로 달걀 하나가 부화할

확률은 $\dfrac{4450}{5000} = 0.89$

같은 조건에서 x개의 달걀 중 50개 이상을 부화시킨다고 하면

$0.89 \times x \ge 50$ ∴ $x \ge 56.17 \times \times \times$

따라서 50개 이상의 달걀을 부화시키기 위해 필요한 최소한의 달걀의 개수는 **57**

셀파 특강 확인 체크 02

정사각형 모양의 과녁의 한 변의 길이를 $3a$라 하면

사건이 일어날 수 있는 전체 영역의 넓이는 과녁의 넓이이므로

$3a \times 3a = 9a^2$

6 이하의 숫자가 적힌 영역의 넓이는

$3a \times 2a = 6a^2$

따라서 구하는 확률은

$\dfrac{6a^2}{9a^2} = \dfrac{2}{3}$

07-1 **셀파** 주어진 영역이 선분이므로 길이를 생각한다.

선분 AB의 길이는 5

선분 PQ의 길이는 2

따라서 구하는 확률은

$\dfrac{(\overline{PQ}의 길이)}{(\overline{AB}의 길이)} = \dfrac{2}{5}$

07-2 **셀파** 점이 존재하는 영역이 평면도형이므로 넓이를 이용한다.

정사각형 ABCD의 넓이는 $2 \times 2 = 4$

네 꼭짓점으로부터의 거리가 모두 1 이상인 영역은 오른쪽 그림에서 색칠한 부분(경계 포함)이다.

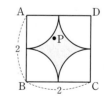

이때 색칠한 부분의 넓이는

$4 - 4 \times \left(\dfrac{1}{4} \times \pi \times 1^2 \right) = 4 - \pi$

따라서 구하는 확률은

$\dfrac{4-\pi}{4} = 1 - \dfrac{\pi}{4}$

08-1 [셀파] $P(A \cup B) = P(A) + P(B) - P(A \cap B)$

2의 배수가 나오는 사건을 A, 3의 배수가 나오는 B라 하면

$A = \{2, 4, 6, \cdots, 40\}$, $B = \{3, 6, 9, \cdots, 39\}$

$A \cap B = \{6, 12, 18, \cdots, 36\}$이므로

$n(A) = 20$, $n(B) = 13$, $n(A \cap B) = 6$

따라서 구하는 확률은

$P(A \cup B) = P(A) + P(B) - P(A \cap B)$

$$= \frac{20}{40} + \frac{13}{40} - \frac{6}{40} = \frac{27}{40}$$

08-2 [셀파] 8개의 구슬이 들어 있는 상자에서 3개의 구슬을 동시에 꺼내는 경우의 수는 $_8C_3$이다.

8개의 구슬이 들어 있는 상자에서 3개의 구슬을 동시에 꺼내는 경우의 수는 $_8C_3 = 56$

이때 노란색 구슬이 0개 나오는 사건을 A, 1개 나오는 사건을 B라 하면

(i) 노란색 구슬이 0개 나오는 경우

$\Rightarrow {}_5C_3 \times {}_3C_0 = 10$

(ii) 노란색 구슬이 1개 나오는 경우

$\Rightarrow {}_5C_2 \times {}_3C_1 = 30$

(i), (ii)에서 $n(A) = 10$, $n(B) = 30$이고 두 사건은 서로 배반사건이다.

따라서 구하는 확률은

$P(A \cup B) = P(A) + P(B)$

$$= \frac{10}{56} + \frac{30}{56} = \frac{40}{56} = \frac{5}{7}$$

09-1 [셀파] 불량품이 적어도 하나 있는 사건의 여사건은 불량품이 하나도 없는 사건이다.

불량품이 적어도 하나 있는 사건을 A라 하면 A의 여사건은 불량품이 하나도 없는 사건이다.

9개의 제품 중에서 4개를 동시에 꺼내는 경우의 수는 $_9C_4 = 126$

이때 불량품이 하나도 없는 사건은 불량품이 아닌 6개 중에서 4개를 꺼내는 사건이므로 경우의 수는 $_6C_4 = {}_6C_2 = 15$

따라서 $P(A^C) = \frac{15}{126} = \frac{5}{42}$이므로

$P(A) = 1 - P(A^C) = 1 - \frac{5}{42} = \frac{37}{42}$

09-2 [셀파] 주어진 조건이 성립하는 사건을 모두 찾기 힘들 때, 여사건의 확률을 이용한다.

15장의 카드 중에서 2장의 카드를 동시에 뽑는 경우의 수는

$_{15}C_2 = 105$

뽑은 2장의 카드에 적혀 있는 수가 서로 다른 사건을 A라 하면 A의 여사건은 2장의 카드에 적혀 있는 수가 서로 같은 사건이다.

이때 같은 수가 적혀 있는 2장의 카드를 뽑는 경우의 수는

(i) 2가 적힌 카드 2장 중에서 2장을 뽑는 경우의 수 $_2C_2 = 1$

(ii) 3이 적힌 카드 3장 중에서 2장을 뽑는 경우의 수 $_3C_2 = 3$

(iii) 4가 적힌 카드 4장 중에서 2장을 뽑는 경우의 수 $_4C_2 = 6$

(iv) 5가 적힌 카드 5장 중에서 2장을 뽑는 경우의 수 $_5C_2 = 10$

(i)~(iv)에서 $1 + 3 + 6 + 10 = 20$

따라서 $P(A^C) = \frac{20}{105} = \frac{4}{21}$이므로

$P(A) = 1 - P(A^C) = 1 - \frac{4}{21} = \frac{17}{21}$

연습 문제 본문 | 71~73쪽

01 [셀파] 두 사건 A, B가 서로 배반사건 $\Rightarrow A \cap B = \varnothing$

$A = \{2, 4\}$, $B = \{2, 3, 5\}$, $C = \{1, 2, 3\}$, $D = \{1, 4\}$

이때 $B \cap D = \varnothing$이므로 서로 배반사건인 것은 B와 D이다.

따라서 구하는 답은 ④

02 [셀파] 15로 나누어떨어지는 수는 3의 배수인 동시에 5의 배수이다.

1, 2, 3, 4, 5의 숫자를 한 번씩 사용하여 다섯 자리 수를 만드는 경우의 수는 $5! = 120$

15로 나누어떨어지는 수는 3의 배수인 동시에 5의 배수이다.

(i) 3의 배수는 각 자리 수의 합이 3의 배수이다.

1, 2, 3, 4, 5로 이루어진 다섯 자리 수에서 각 자리 수의 합이 15이므로 3의 배수이다.

(ii) 5의 배수는 일의 자리 수가 0 또는 5이다.

1, 2, 3, 4, 5로 이루어진 다섯 자리의 수가 5의 배수가 되려면 일의 자리 수가 5이어야 한다.

일의 자리 수 5를 제외한 1, 2, 3, 4를 나열하는 방법의 수는

$4! = 24$

(i), (ii)에서 구하는 확률은

$\frac{24}{120} = \frac{1}{5}$

03 셀파 **먼저 A와 B를 이웃하게 배치한 후 나머지 세 명을 배치한다.**

다섯 명이 5개의 좌석에 앉게 되는 경우의 수는 $5!=120$
A와 B의 좌석 번호를 각각 x, y라 하고 순서쌍 (x, y)로 나타내면 두 사람이 이웃해서 앉게 되는 경우는
$(F3, F4), (F4, F3), (F5, F6), (F6, F5), (F6, F7),$
$(F7, F6)$의 6가지이다.
그 각각에 대하여 나머지 세 명이 남은 세 좌석에 앉는 경우의 수는 $3!$이므로 A와 B가 이웃해서 앉게 되는 경우의 수는
$6 \times 3! = 6 \times 6 = 36$

따라서 구하는 확률은 $\dfrac{36}{120} = \dfrac{3}{10}$

04 셀파 **이차방정식이 허근을 가지려면 이차방정식의 판별식을 D라 할 때, $D < 0$이어야 한다.**

주사위를 두 번 던져 나오는 경우의 수는 $6 \times 6 = 36$
이차방정식 $x^2 + 2px + q = 0$이 허근을 가지려면 판별식
$\dfrac{D}{4} = p^2 - q < 0$을 만족시켜야 한다.

$p^2 < q$인 p, q를 순서쌍 (p, q)로 나타내면
$(1, 2), (1, 3), (1, 4), (1, 5), (1, 6), (2, 5), (2, 6)$

따라서 구하는 확률은 $\dfrac{7}{36}$

05 셀파 **342보다 큰 경우는 345, 35□, 4□□, 5□□ 꼴이다.**

1, 2, 3, 4, 5 중에서 서로 다른 숫자 3개로 세 자리 수를 만드는 경우의 수는 $_5P_3 = 60$
이때 세 자리 수가 342보다 큰 경우는
(i) 345 ⇨ 1
(ii) 35□

　□에 1, 2, 4 중에서 1개를 넣으면 되므로 ⇨ $_3P_1 = 3$
(iii) 4□□

　□□에 1, 2, 3, 5 중에서 2개를 넣으면 되므로 ⇨ $_4P_2 = 12$
(iv) 5□□

　□□에 1, 2, 3, 4 중에서 2개를 넣으면 되므로 ⇨ $_4P_2 = 12$
(i)~(iv)에서 342보다 큰 경우의 수는
$1 + 3 + 12 + 12 = 28$

따라서 구하는 확률은 $\dfrac{28}{60} = \dfrac{7}{15}$

06 셀파 **남학생을 먼저 원탁에 앉힌 후 남학생 사이사이에 여학생을 앉힌다.**

6명이 원탁에 둘러앉는 경우의 수는 $(6-1)! = 5! = 120$
남학생 4명이 원탁에 둘러앉는 경우의 수는 $(4-1)! = 3! = 6$
이때 남학생 사이사이의 4자리 중 여학생 2명이 앉는 경우의 수는 $_4P_2 = 12$이므로 여학생끼리 이웃하지 않게 앉는 경우의 수는
$6 \times 12 = 72$

따라서 구하는 확률은 $\dfrac{72}{120} = \dfrac{3}{5}$

| 다른 풀이 |
여학생끼리 이웃하지 않게 앉는 경우의 수는 6명이 원탁에 둘러앉는 경우의 수에서 여학생끼리 이웃하게 앉는 경우의 수를 빼 주어도 된다.
2명의 여학생을 한 묶음으로 생각하고 5명이 원탁에 둘러앉는 경우의 수는
$(5-1)! = 4!$
2명의 여학생이 자리를 바꾸는 경우의 수는 2이므로 2명의 여학생이 이웃하게 앉는 경우의 수는
$4! \times 2 = 48$

따라서 구하는 확률은 $1 - \dfrac{48}{120} = \dfrac{72}{120} = \dfrac{3}{5}$

07 셀파 **원순열의 수를 이용한다.**

서로 다른 8가지 색을 원판에 모두 칠하는 경우의 수는
$(8-1)! = 7!$
빨간색을 칠한 맞은편에 파란색을 칠하고, 나머지 6가지 색을 6개의 영역에 칠하는 경우의 수는 $6!$
→ 원판에 칠하는 것이므로 빨간색이 칠해지는 위치는 구분하지 않는다.

따라서 구하는 확률은 $\dfrac{6!}{7!} = \dfrac{1}{7}$

08 셀파 **투수와 포수를 제외한 나머지 8명 중에서 2명을 뽑고, 투수와 포수를 포함시킨다.**

10명의 야구 선수 중에서 4명을 뽑는 경우의 수는
$_{10}C_4 = 210$
투수와 포수가 모두 포함되는 경우의 수는 투수와 포수를 제외한 8명 중에서 2명을 뽑는 경우의 수와 같으므로
$_8C_2 = 28$

따라서 구하는 확률은 $\dfrac{28}{210} = \dfrac{2}{15}$

09 셀파 원소의 개수가 5인 집합 A에서 A로의 일대일대응의 개수는 $5!$이다.

집합 $A = \{1, 2, 3, 4, 5\}$에서 A로 정의된 일대일대응의 개수는
$5! = 120$

자기 자신으로 대응되는 원소 3개를 고
르는 방법의 수는 $_5C_3$이고, 나머지 2개
의 원소는 서로 다른 원소에 대응되므
로 방법의 수는 1

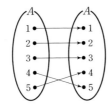

따라서 구하는 확률은
$$\frac{_5C_3 \times 1}{120} = \frac{10}{120} = \frac{1}{12}$$

10 셀파 포함되는 원소 4는 제외하고 나머지 원소 1, 2, 3, 5 중에서 2개를 택하는 경우를 생각한다.

집합 $X = \{1, 2, 3, 4, 5\}$의 부분집합의 개수는 $2^5 = 32$
4를 포함하고 원소의 개수가 3인 부분집합의 개수는 4를 제외한
1, 2, 3, 5 중에서 2개를 택하는 경우의 수와 같으므로 $_4C_2 = 6$
따라서 구하는 확률은 $\dfrac{6}{32} = \dfrac{3}{16}$

11 셀파 흰 공만 3개 나오는 경우와 검은 공만 3개 나오는 경우로 나누어 생각한다.

㉮ 7개의 공 중에서 3개의 공을 동시에 꺼내는 경우의 수는
$_7C_3 = 35$

㉯ 3개 모두 같은 색의 공이 나오는 경우는
  (ⅰ) 흰 공 4개 중에서 3개를 꺼내는 경우
  $_4C_3 = 4$
  (ⅱ) 검은 공 3개 중에서 3개를 꺼내는 경우
  $_3C_3 = 1$
  (ⅰ), (ⅱ)는 동시에 일어나지 않으므로 $4 + 1 = 5$

㉰ 따라서 구하는 확률은 $\dfrac{5}{35} = \dfrac{1}{7}$

채점 기준	배점
㉮ 7개의 공 중에서 3개의 공을 동시에 꺼내는 경우의 수를 구한다.	30%
㉯ 꺼낸 공의 색이 같은 경우의 수를 구한다.	60%
㉰ 확률을 구한다.	10%

12 셀파 (2) 홀수 중에서 1개, 짝수 중에서 1개를 꺼낸다.

9개의 공 중에서 2개를 꺼내는 경우의 수는
$_9C_2 = 36$

(1) 1, 2가 적힌 공 중에서 1개, 나머지 7개 공 중에서 1개를 꺼내는 경우의 수는
$_2C_1 \times _7C_1 = 14$
따라서 구하는 확률은 $\dfrac{14}{36} = \dfrac{7}{18}$

(2) 꺼낸 두 공에 적힌 번호의 합이 홀수이려면 짝수 4개 중에서 1개, 홀수 5개 중에서 1개를 꺼내야 하므로 경우의 수는
$_4C_1 \times _5C_1 = 20$
따라서 구하는 확률은 $\dfrac{20}{36} = \dfrac{5}{9}$

(3) 꺼낸 두 공에 적힌 번호를 각각 a, b $(a < b)$라 하고 순서쌍 (a, b)로 나타낼 때 분수 $\dfrac{b}{a}$가 정수가 되는 경우는

$(1, 2), (1, 3), (1, 4), (1, 5), (1, 6), (1, 7), (1, 8),$
$(1, 9), (2, 4), (2, 6), (2, 8), (3, 6), (3, 9), (4, 8)$
의 14가지이다.
따라서 구하는 확률은 $\dfrac{14}{36} = \dfrac{7}{18}$

13 셀파 두 꼭짓점을 이은 선분의 길이가 $\sqrt{2}$가 되려면 그 선분은 정육면체의 한 면의 대각선이어야 한다.

정육면체의 꼭짓점의 개수는 8이므로 이 중에서 임의의 두 꼭짓점을 택하는 경우의 수는
$_8C_2 = 28$

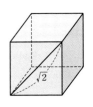

한 모서리의 길이가 1인 정육면체에서 두 꼭짓점을 이은 선분의 길이가 $\sqrt{2}$가 되려면 그 선분은 한 면의 대각선이어야 한다.
정육면체의 면은 6개이고 각 면에 대각선은 2개가 있으므로 두 꼭짓점을 택하여 이은 선분의 길이가 $\sqrt{2}$가 되는 경우의 수는
$2 \times 6 = 12$

따라서 구하는 확률은 $\dfrac{12}{28} = \dfrac{3}{7}$

14 셀파 $(n+3)$개의 바둑돌에서 2개를 동시에 꺼내는 방법의 수는 $_{n+3}C_2$

$(n+3)$개의 바둑돌 중에서 2개를 꺼내는 방법의 수는

$$_{n+3}C_2 = \frac{(n+3)(n+2)}{2}$$

검은 바둑돌 3개 중에서 2개를 꺼내는 방법의 수는

$$_3C_2 = {}_3C_1 = 3$$

이 주머니에서 꺼낸 2개의 바둑돌이 모두 검은 바둑돌일 확률이 $\frac{1}{12}$이므로

$$\frac{3}{\frac{(n+3)(n+2)}{2}} = \frac{1}{12}, \ (n+3)(n+2) = 72$$

$$n^2 + 5n - 66 = 0, \ (n-6)(n+11) = 0$$

$$\therefore n = 6 \ (\because n\text{은 자연수})$$

15 셀파 안타를 칠 통계적 확률이 0.285이다.

어느 프로야구 선수가 매번 타석에 서서 안타를 칠 통계적 확률이 0.285이므로 200번의 타석에서 x개의 안타를 친다고 하면

$$\frac{x}{200} = 0.285$$

$$\therefore x = 200 \times 0.285 = 57$$

16 셀파 주어진 조건에서 $f(1) = 0, \ b = 2a$이다.

주사위 한 개를 세 번 던져서 나오는 모든 경우의 수는

$$6 \times 6 \times 6 = 216$$

이때 함수 $f(x) = ax^2 + bx - c$의 그래프가 점 $(1, 0)$을 지나므로 $f(1) = 0$에서 $a + b - c = 0$ $\quad \therefore a + b = c$ $\quad \cdots\cdots \ㄱ$

또 꼭짓점의 x좌표가 -1이므로

$$-\frac{b}{2a} = -1\text{에서} \ \frac{b}{2a} = 1 \quad \therefore b = 2a \quad \cdots\cdots \ㄴ$$

ㄱ, ㄴ을 연립하여 풀면 $c = 3a$ $\quad \cdots\cdots \ㄷ$

a, b, c가 될 수 있는 수는 1, 2, 3, 4, 5, 6 중 하나이므로

ㄴ, ㄷ에서 $a = 1$이면 $b = 2, c = 3$, $a = 2$이면 $b = 4, c = 6$

즉, a, b, c가 주어진 조건을 만족하는 경우의 수는 2

따라서 구하는 확률은 $\dfrac{2}{216} = \dfrac{1}{108}$

17 셀파 $P(A \cup B) = P(A) + P(B) - P(A \cap B)$

두 사건 A, B가 서로 배반사건이므로

$$P(A \cup B) = P(A) + P(B) \quad \cdots\cdots \ㄱ$$

$P(A \cup B) = 4P(B) = 1$에서 $P(B) = \dfrac{1}{4}$

$P(A \cup B) = 1, \ P(B) = \dfrac{1}{4}$을 ㄱ에 대입하면

$$1 = P(A) + \frac{1}{4} \quad \therefore P(A) = \frac{3}{4}$$

18 셀파 을이 뽑은 카드에 적힌 수를 a, 갑이 뽑은 카드에 적힌 두 수의 곱을 b라 하고, $b < a$인 경우를 구한다.

4장의 카드 중에서 갑이 2장을 뽑고, 을이 남은 2장 중에서 1장을 뽑는 경우의 수는 $_4C_2 \times {}_2C_1 = 12$

을이 뽑은 1장의 카드에 적힌 수를 a라 하고, 갑이 뽑은 2장의 카드에 적힌 두 수의 곱을 b라 하면 $b < a$인 경우의 수는 다음과 같다.

(ⅰ) $a = 3$일 때, $b = 1 \times 2$의 1

(ⅱ) $a = 4$일 때, $b = 1 \times 2$ 또는 $b = 1 \times 3$의 2

(ⅰ), (ⅱ)에서 구하는 확률은

$$\frac{1}{12} + \frac{2}{12} = \frac{3}{12} = \frac{1}{4}$$

19 셀파 6개의 공을 동시에 꺼낼 때, 흰 공이 붉은 공보다 많은 경우를 생각한다.

㉮ 9개의 공 중에서 6개의 공을 동시에 꺼내는 경우의 수는

$$_9C_6 = {}_9C_3 = 84$$

㉯ 흰 공이 붉은 공보다 많은 경우는

(ⅰ) 흰 공 6개와 붉은 공 0개를 꺼내는 경우

흰 공 6개 중에서 6개를 꺼내고, 붉은 공 3개 중에서 0개를 꺼내는 경우의 수는 $_6C_6 \times {}_3C_0 = 1$

(ⅱ) 흰 공 5개와 붉은 공 1개를 꺼내는 경우

흰 공 6개 중에서 5개를 꺼내고, 붉은 공 3개 중에서 1개를 꺼내는 경우의 수는 $_6C_5 \times {}_3C_1 = {}_6C_1 \times {}_3C_1 = 18$

(ⅲ) 흰 공 4개와 붉은 공 2개를 꺼내는 경우

흰 공 6개 중에서 4개를 꺼내고 붉은 공 3개 중에서 2개를 꺼내는 경우의 수는 $_6C_4 \times {}_3C_2 = {}_6C_2 \times {}_3C_1 = 45$

(i), (ii), (iii)에서 6개의 공을 동시에 꺼낼 때, 흰 공이 붉은 공보다 많은 확률은 ←(i), (ii), (iii)은 서로 배반사건이다.

$$\frac{1}{84}+\frac{18}{84}+\frac{45}{84}=\frac{64}{84}=\frac{16}{21}$$

채점 기준	배점
㉮ 9개의 공 중에서 6개의 공을 꺼내는 경우의 수를 구한다.	30%
㉯ 흰 공이 붉은 공보다 많은 각각의 경우의 수를 구한다.	60%
㉰ 확률을 구한다.	10%

20 셀파 $P(A^c \cap B^c)=1-P(A \cup B)$

$A^c \cap B^c=(A \cup B)^c$이므로

$$P(A^c \cap B^c)=P((A \cup B)^c)=1-P(A \cup B)=\frac{1}{4}$$

$$\therefore P(A \cup B)=\frac{3}{4}$$

이때 두 사건 A, B가 서로 배반사건이므로
$P(A \cup B)=P(A)+P(B)$에서

$$\frac{3}{4}=\frac{1}{2}+P(B) \qquad \therefore P(B)=\frac{1}{4}$$

| 다른 풀이 |

두 사건 A, B가 서로 배반사건이므로 벤다이어그램으로 나타내면 오른쪽 그림과 같다.
이때 $A^c \cap B^c$은 파란색으로 색칠한 부분과 같고, A는 붉은색 부분과 같다.

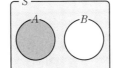

또 $P(S)=1$이므로

$$P(B)=P(S)-P(A^c \cap B^c)-P(A)$$
$$=1-\frac{1}{4}-\frac{1}{2}=\frac{1}{4}$$

21 셀파 여사건의 확률을 생각한다.

흰 구슬이 적어도 한 개 이상 나올 사건을 A라 하면 A의 여사건은 2개 모두 검은 구슬이 나오는 사건이다.
$(n+6)$개의 구슬 중에서 2개를 동시에 꺼내는 경우의 수는

$$_{n+6}C_2=\frac{(n+6)(n+5)}{2}$$

6개의 검은 구슬 중에서 2개의 구슬을 꺼내는 경우의 수는

$$_6C_2=15$$

따라서 흰 구슬이 적어도 한 개 이상 나올 확률은

$$P(A)=1-P(A^c)=\frac{2}{3}$$

$$1-\frac{15}{\frac{(n+6)(n+5)}{2}}=\frac{2}{3}$$

$$\frac{30}{(n+6)(n+5)}=\frac{1}{3}$$
$$(n+6)(n+5)=90,\ n^2+11n-60=0$$
$$(n-4)(n+15)=0$$
$$\therefore n=4\ (\because n>0)$$

22 셀파 (선분의 길이가 무리수일 확률)
$=1-$(선분의 길이가 유리수일 확률)을 이용한다.

선분의 길이가 무리수일 사건을 A라 하면 A의 여사건은 선분의 길이가 유리수인 사건이다.
12개의 꼭짓점 중에서 두 꼭짓점을 택하는 경우의 수는

$$_{12}C_2=66$$

선분의 길이가 유리수인 경우의 수는
(i) 선분의 길이가 1인 경우 ⇨ 17
(ii) 선분의 길이가 2인 경우 ⇨ 10
(iii) 선분의 길이가 3인 경우 ⇨ 3
(i), (ii), (iii)에서

$$P(A^c)=\frac{17}{66}+\frac{10}{66}+\frac{3}{66}=\frac{30}{66}=\frac{5}{11}$$

따라서 구하는 확률은

$$P(A)=1-P(A^c)=1-\frac{5}{11}=\frac{6}{11}$$

4. 조건부확률

개념 익히기   본문 | **77, 79** 쪽

1-1 표본공간을 S라 하면 $S=\{1, 2, 3, 4, 5, 6\}$
$A=\{1, 3, 5\}$, $B=\{\boxed{2}, 3, 5\}$이므로
$A\cap B=\{3, \boxed{5}\}$

(1) $P(A)=\dfrac{3}{6}=\dfrac{1}{2}$

(2) $P(A\cap B)=\dfrac{2}{6}=\dfrac{1}{3}$

(3) $P(B|A)=\dfrac{P(A\cap B)}{\boxed{P(A)}}=\dfrac{\frac{1}{3}}{\frac{1}{2}}=\dfrac{2}{3}$

1-2 표본공간을 S라 하면 $S=\{1, 2, 3, 4, 5, 6\}$
$A=\{2, 4, 6\}$, $B=\{3, 6\}$이므로
$A\cap B=\{6\}$

(1) $P(A)=\dfrac{3}{6}=\dfrac{1}{2}$

(2) $P(A\cap B)=\dfrac{1}{6}$

(3) $P(B|A)=\dfrac{P(A\cap B)}{P(A)}=\dfrac{\frac{1}{6}}{\frac{1}{2}}=\dfrac{1}{3}$

2-1 (1) 첫 번째에 꺼낸 구슬이 흰 구슬일 확률은
$P(A)=\dfrac{4}{6}=\dfrac{\boxed{2}}{\boxed{3}}$

(2) 첫 번째에 꺼낸 구슬이 흰 구슬일 때, 두 번째에 꺼낸 구슬도 흰 구슬일 확률은
$P(B|A)=\dfrac{3}{\boxed{5}}$

(3) $P(A\cap B)=\boxed{P(A)}P(B|A)=\dfrac{2}{3}\times\dfrac{3}{5}=\dfrac{2}{5}$

2-2 (1) 첫 번째에 꺼낸 구슬이 검은 구슬일 확률은
$P(A)=\dfrac{10}{16}=\dfrac{5}{8}$

(2) 첫 번째에 꺼낸 구슬이 검은 구슬일 때, 두 번째에 꺼낸 구슬도 검은 구슬일 확률은
$P(B|A)=\dfrac{9}{15}=\dfrac{3}{5}$

(3) $P(A\cap B)=P(A)P(B|A)=\dfrac{5}{8}\times\dfrac{3}{5}=\dfrac{3}{8}$

3-1 (1) $P(A)P(B)=0.15\times0.2=0.03=P(A\cap B)$
이므로 두 사건 A, B는 서로 $\boxed{독립}$이다.

(2) $P(A)P(B)=0.31\times0.1=0.031\neq P(A\cap B)$
이므로 두 사건 A, B는 서로 $\boxed{종속}$이다.

3-2 (1) $P(A)P(B)=0.4\times0.5=0.2\neq P(A\cap B)$
이므로 두 사건 A, B는 서로 **종속**이다.

(2) $P(A)P(B)=0.7\times0.3=0.21=P(A\cap B)$
이므로 두 사건 A, B는 서로 **독립**이다.

4-1 (1) 1회의 시행에서 짝수의 눈이 나올 확률은 $\dfrac{1}{2}$이므로
${}_5C_4\left(\dfrac{1}{2}\right)^{\boxed{4}}\left(\dfrac{1}{2}\right)^1=\dfrac{5}{\boxed{32}}$

(2) 1회의 시행에서 소수의 눈이 나올 확률은 $\dfrac{1}{2}$이므로
${}_5C_2\left(\dfrac{1}{2}\right)^2\left(\dfrac{1}{2}\right)^{\boxed{3}}=\dfrac{5}{\boxed{16}}$

4-2 (1) 1회의 시행에서 홀수의 눈이 나올 확률은 $\dfrac{1}{2}$이므로
${}_6C_3\left(\dfrac{1}{2}\right)^3\left(\dfrac{1}{2}\right)^3=\dfrac{5}{16}$

(2) 1회의 시행에서 6의 약수의 눈이 나올 확률은 $\dfrac{4}{6}=\dfrac{2}{3}$이므로
${}_6C_2\left(\dfrac{2}{3}\right)^2\left(\dfrac{1}{3}\right)^4=\dfrac{20}{243}$

01-1 셀파 $A^C \cap B^C = (A \cup B)^C$이므로
$P(A^C \cap B^C) = 1 - P(A \cup B)$이다.

$P(A^C \cap B^C) = P((A \cup B)^C) = 1 - P(A \cup B) = 0.5$이므로

$P(A \cup B) = 1 - 0.5 = 0.5$

$P(A \cap B) = P(A) + P(B) - P(A \cup B)$

$\qquad\qquad = 0.2 + 0.4 - 0.5 = 0.1$

$\therefore P(B|A) = \dfrac{P(A \cap B)}{P(A)} = \dfrac{0.1}{0.2} = \dfrac{1}{2}$

01-2 셀파 $A \cap B^C = A - B = A - (A \cap B)$

$A \cap B^C = A - B = A - (A \cap B)$에서

$P(A \cap B^C) = P(A) - P(A \cap B)$이므로

$P(A \cap B) = P(A) - P(A \cap B^C) = \dfrac{3}{4} - \dfrac{1}{3} = \dfrac{5}{12}$

$\therefore P(B|A) = \dfrac{P(A \cap B)}{P(A)} = \dfrac{\frac{5}{12}}{\frac{3}{4}} = \dfrac{5}{9}$

LECTURE $P(A), P(A \cap B), P(A|B)$ **구분하기**

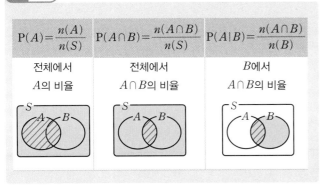

02-1 셀파 여자 회원은 모두 12명이고, 이 중에서 동아리 A의 회원은 4명이다.

임의로 택한 한 사람이 여자 회원인 사건을 E, 동아리 A의 회원인 사건을 A라 하면 임의로 택한 한 사람이 여자 회원이었을 때, 이 회원이 동아리 A의 회원일 확률은 $P(A|E)$이다.

주어진 조건에서

$P(E) = \dfrac{12}{30} = \dfrac{2}{5}$, $P(A \cap E) = \dfrac{4}{30} = \dfrac{2}{15}$

따라서 구하는 확률은

$P(A|E) = \dfrac{P(A \cap E)}{P(E)} = \dfrac{\frac{2}{15}}{\frac{2}{5}} = \dfrac{1}{3}$

| 참고 |

(i) $P(A)$는 S를 표본공간으로 생각했을 때, 사건 A가 일어날 확률을 뜻하므로

$$P(A) = \dfrac{n(A)}{n(S)} = \dfrac{12}{30} = \dfrac{2}{5}$$

(ii) $P(A|E)$는 사건 E를 표본공간으로 생각했을 때, 사건 A가 일어날 확률을 뜻하므로

$$P(A|E) = \dfrac{n(E \cap A)}{n(E)} = \dfrac{4}{12} = \dfrac{1}{3}$$

(i), (ii)에서 표본공간이 달라지면 사건 A가 일어날 확률도 달라짐을 알 수 있다.

02-2 셀파 안경을 끼지 않은 학생은 모두 34명이고, 이 중에서 A반 학생은 20명이다.

회원 수를 표로 나타내면 다음과 같다.

(단위:명)

	안경 ○	안경 ×	합계
A반	12	20	32
B반	19	14	33
합계	31	34	65

임의로 뽑은 한 명이 안경을 끼지 않은 학생인 사건을 E, A반 학생인 사건을 A라 하면 임의로 뽑은 한 명이 안경을 끼지 않은 학생일 때, 그 학생이 A반 학생일 확률은 $P(A|E)$이다.

주어진 조건에서 $P(E) = \dfrac{34}{65}$, $P(A \cap E) = \dfrac{20}{65} = \dfrac{4}{13}$

따라서 구하는 확률은

$$P(A|E) = \dfrac{P(A \cap E)}{P(E)} = \dfrac{\frac{4}{13}}{\frac{34}{65}} = \dfrac{10}{17}$$

03-1 셀파 확률의 곱셈정리 $P(A \cap B) = P(B)P(A|B)$를 이용한다.

(1) 확률의 곱셈정리에서

$P(A \cap B) = P(B)P(A|B) = 0.4P(B)$ ……㉠

$P(A \cup B) = P(A) + P(B) - P(A \cap B)$에서

$0.9 = 0.6 + P(B) - 0.4P(B)$

$0.6P(B) = 0.3$ $\therefore P(B) = 0.5$ ……㉡

㉡을 ㉠에 대입하면

$P(A \cap B) = 0.4P(B) = 0.4 \times 0.5 = 0.2$

$\therefore \mathbf{P(B) = 0.5}, \mathbf{P(A \cap B) = 0.2}$

(2) 확률의 곱셈정리에서

$$P(A \cap B) = P(B)P(A|B) = \frac{1}{4}P(B)$$

또 $P(A^c \cap B^c) = P((A \cup B)^c) = 1 - P(A \cup B) = \frac{1}{3}$에서

$$P(A \cup B) = \frac{2}{3}$$

$P(A \cup B) = P(A) + P(B) - P(A \cap B)$이므로

$$\frac{2}{3} = \frac{1}{2} + P(B) - \frac{1}{4}P(B), \quad \frac{3}{4}P(B) = \frac{1}{6}$$

$$\therefore P(B) = \frac{2}{9}$$

04-1 〔셀파〕 확률의 곱셈정리를 이용한다.

(1) 지영이가 행운권을 뽑는 사건을 A, 선미가 행운권을 뽑는 사건을 B라 하면

지영이가 행운권을 뽑을 확률은

$$P(A) = \frac{3}{10}$$

지영이가 행운권을 뽑았을 때, 선미가 행운권을 뽑을 확률은

$$P(B|A) = \frac{2}{9}$$

따라서 구하는 확률은

$$P(A \cap B) = P(A)P(B|A)$$
$$= \frac{3}{10} \times \frac{2}{9} = \frac{1}{15}$$

(2) 지영이가 행운권을 뽑지 못하는 사건을 A, 선미가 행운권을 뽑는 사건을 B라 하면

지영이가 행운권을 뽑지 못할 확률은

$$P(A) = \frac{7}{10}$$

지영이가 행운권을 뽑지 못했을 때, 선미가 행운권을 뽑을 확률은

$$P(B|A) = \frac{3}{9} = \frac{1}{3}$$

따라서 구하는 확률은

$$P(A \cap B) = P(A)P(B|A)$$
$$= \frac{7}{10} \times \frac{1}{3} = \frac{7}{30}$$

05-1 〔셀파〕 천재 축구팀이 이기는 경우를 모두 구한다.

다음 시즌 천재 축구팀이 경기하는 날 비가 오는 사건을 A, 천재 축구팀이 경기에서 이기는 사건을 B라 하자.

다음 시즌 경기가 열리는 날의 30 %는 비가 내릴 것으로 예상되므로 천재 축구팀이 경기하는 날 비가 올 확률 $P(A) = 0.3$이고, 천재 축구팀이 경기하는 날 비가 오지 않을 확률 $P(A^c) = 0.7$이다.

이때 $P(B|A) = 0.7$, $P(B|A^c) = 0.4$이므로

다음 시즌에서 천재 축구팀이 이길 확률은

$$P(B) = P(A \cap B) + P(A^c \cap B)$$
$$= P(A)P(B|A) + P(A^c)P(B|A^c)$$
$$= 0.3 \times 0.7 + 0.7 \times 0.4 = \textbf{0.49}$$

| 참고 |

천재 축구팀이
(경기에서 이길 확률)
= (경기하는 날 비가 오고 이길 확률)
　　　　　 + (경기하는 날 비가 오지 않고 이길 확률)
= (경기하는 날 비가 올 확률) × (비오는 날 이길 확률)
　　　　 + (경기하는 날 비가 오지 않을 확률) × (비가 오지 않는 날 이길 확률)

〔셀파 특강〕 **확인 체크 01**

선우가 '간식'이 적힌 쪽지를 뽑는 사건을 A, 미연이가 '간식'이 적힌 쪽지를 뽑는 사건을 B라 하면

(i) 선우가 '간식'이 적힌 쪽지를 뽑고, 미연이도 '간식'이 적힌 쪽지를 뽑을 확률은

$$P(A \cap B) = P(A)P(B|A)$$
$$= \frac{4}{12} \times \frac{3}{11} = \frac{1}{11}$$

(ii) 선우가 '간식'이 적힌 쪽지를 뽑지 않고, 미연이는 '간식'이 적힌 쪽지를 뽑을 확률은

$$P(A^c \cap B) = P(A^c)P(B|A^c)$$
$$= \frac{8}{12} \times \frac{4}{11} = \frac{8}{33}$$

(i), (ii)에서 구하는 확률은

$$P(B) = P(A \cap B) + P(A^c \cap B)$$
$$= \frac{1}{11} + \frac{8}{33} = \frac{11}{33} = \frac{1}{3}$$

06-1 셀파 조건부확률로 나타내 본다.

우진이가 받은 전자우편이 '여행'이라는 단어를 포함하는 사건을 A, 광고인 사건을 B라 하자.

(i) 전자우편이 '여행'을 포함한 광고일 확률은
$$P(A \cap B) = P(A)P(B|A) = 0.1 \times 0.5 = 0.05$$

(ii) 전자우편이 '여행'을 포함하지 않은 광고일 확률은
$$P(A^C \cap B) = P(A^C)P(B|A^C) = 0.9 \times 0.2 = 0.18$$

(i), (ii)에서 우진이가 받은 전자우편이 광고일 확률은
$$P(B) = P(A \cap B) + P(A^C \cap B) = 0.05 + 0.18 = 0.23$$

따라서 우진이가 받은 한 전자우편이 광고일 때, 이 전자우편이 '여행'을 포함할 확률은
$$P(A|B) = \frac{P(A \cap B)}{P(B)} = \frac{0.05}{0.23} = \frac{5}{23}$$

| 다른 풀이 |

주어진 조건으로 확률을 계산하여 표로 나타내면 다음과 같다.

	A	A^C	합계
B	0.1×0.5	0.9×0.2	0.23
B^C	0.1×0.5	0.9×0.8	0.77
합계	0.1	0.9	1

따라서 구하는 확률은

$$\frac{(\text{받은 전자우편이 광고이면서 '여행'을 포함할 확률})}{(\text{받은 전자우편이 광고일 확률})}$$

$$= \frac{0.1 \times 0.5}{0.23} = \frac{0.05}{0.23} = \frac{5}{23}$$

집중 연습 본문 | 89 쪽

01 (1) $P(B|A) = P(B) = \dfrac{1}{3}$

(2) $P(A|B) = P(A) = \dfrac{1}{2}$

(3) $P(A^C|B) = P(A^C) = 1 - P(A) = 1 - \dfrac{1}{2} = \dfrac{1}{2}$

(4) $P(A|B^C) = P(A) = \dfrac{1}{2}$

(5) $P(A \cap B) = P(A)P(B) = \dfrac{1}{2} \times \dfrac{1}{3} = \dfrac{1}{6}$

(6) $P(A \cap B^C) = P(A)P(B^C) = P(A)\{1 - P(B)\}$
$$= \dfrac{1}{2} \times \left(1 - \dfrac{1}{3}\right) = \dfrac{1}{2} \times \dfrac{2}{3} = \dfrac{1}{3}$$

02 (1) $P(A) = 1 - P(A^C) = 1 - \dfrac{2}{3} = \dfrac{1}{3}$, $P(B) = \dfrac{1}{3}$이므로
$$P(A \cap B) = P(A)P(B) = \dfrac{1}{3} \times \dfrac{1}{3} = \dfrac{1}{9}$$

(2) $P(A \cap B) = P(A)P(B)$이므로 $\dfrac{1}{4} = \dfrac{1}{3}P(B)$
$$\therefore P(B) = \dfrac{3}{4}$$
$$\therefore P(A \cup B) = P(A) + P(B) - P(A \cap B)$$
$$= \dfrac{1}{3} + \dfrac{3}{4} - \dfrac{1}{4} = \dfrac{5}{6}$$

(3) $P(A \cap B^C) = P(A)P(B^C)$이므로
$0.3 = 0.5 \times P(B^C)$에서 $P(B^C) = 0.6$
$$\therefore P(B) = 1 - P(B^C) = 1 - 0.6 = 0.4$$

(4) $P(A^C \cap B) = P(B-A) = P(A \cup B) - P(A)$이므로
$$\dfrac{1}{5} = \dfrac{3}{5} - P(A) \qquad \therefore P(A) = \dfrac{2}{5}$$
$P(A \cup B) = P(A) + P(B) - P(A)P(B)$에서
$$\dfrac{3}{5} = \dfrac{2}{5} + P(B) - \dfrac{2}{5}P(B), \quad \dfrac{3}{5}P(B) = \dfrac{1}{5}$$
$$\therefore P(B) = \dfrac{1}{3}$$

07-1 셀파 $P(A \cap B) = P(A)P(B)$이면 두 사건 A, B는 서로 독립이다.

$A = \{1, 2, 3\}$, $B = \{2, 4, 6\}$, $C = \{3, 6\}$이므로
$$P(A) = \dfrac{1}{2}, \ P(B) = \dfrac{1}{2}, \ P(C) = \dfrac{1}{3}$$

(1) $A \cap B = \{2\}$이므로 $P(A \cap B) = \dfrac{1}{6}$

따라서 $P(A)P(B) = \dfrac{1}{2} \times \dfrac{1}{2} = \dfrac{1}{4} \neq P(A \cap B)$이므로
두 사건 A와 B는 서로 **종속**이다.

(2) $A \cap C = \{3\}$이므로 $P(A \cap C) = \dfrac{1}{6}$

따라서 $P(A)P(C) = \dfrac{1}{2} \times \dfrac{1}{3} = \dfrac{1}{6} = P(A \cap C)$이므로

두 사건 A와 C는 서로 **독립**이다.

셀파 **세미나** 배반사건과 독립사건의 관계

$P(A) > 0$, $P(B) > 0$인 두 사건 A, B에 대하여

❶ A, B가 서로 배반사건이면 A, B는 서로 종속이다.

❷ A, B가 서로 독립이면 $\Rightarrow$ A, B는 서로 배반사건이 아니다.

$P(A) > 0$, $P(B) \neq 0$인 두 사건 A, B에 대하여

❶ A와 B가 서로 배반사건이면

$A \cap B = \varnothing$이므로 $P(A \cap B) = 0$

$\therefore P(A|B) = \dfrac{P(A \cap B)}{P(B)} = \dfrac{0}{P(B)} = 0 \neq P(A)$

따라서 두 사건 A, B는 서로 종속이다.

즉, 두 사건이 서로 배반사건이면 두 사건은 동시에 일어나지 않으므로 한 사건이 일어나면 다른 사건은 일어날 수 없다. 따라서 두 사건이 서로 일어날 확률에 영향을 주므로 두 사건은 서로 종속임을 알 수 있다.

❷ A, B가 서로 독립이면

$P(A \cap B) = P(A)P(B) \neq 0$

이므로 A, B는 서로 배반사건이 아니다.

즉, 두 사건이 서로 독립이면 한 사건이 일어나는 것이 다른 사건이 일어날 확률에 영향을 주지 않으므로 두 사건은 동시에 일어날 수 있다. 따라서 두 사건은 서로 배반사건이 아니다.

배반사건과 독립사건의 비교

	배반사건	독립사건
의미	두 사건 A, B는 동시에 일어나지 않는다.	두 사건 A, B는 서로 영향을 주지 않는다.
덧셈 정리	$P(A \cup B)$ $= P(A) + P(B)$	$P(A \cup B)$ $= P(A) + P(B) - P(A \cap B)$
곱셈 정리	$P(A \cap B) = 0$	$P(A \cap B) = P(A)P(B)$
판단 방법	$P(A \cap B) = 0$이면 두 사건 A, B는 서로 배반사건이다.	$P(A \cap B) = P(A)P(B)$이면 두 사건 A, B는 서로 독립이다.

08-1 **셀파** 두 선수가 승부차기를 성공하는 사건은 서로 독립이다.

두 선수 A, B가 승부차기를 성공하는 사건을 각각 A, B라 하면 A, B는 서로 독립이다.

(ⅰ) A는 성공하고 B는 실패할 확률은

$P(A \cap B^C) = P(A)P(B^C) = 0.8 \times (1 - 0.9) = 0.08$

(ⅱ) A는 실패하고 B는 성공할 확률은

$P(A^C \cap B) = P(A^C)P(B) = (1 - 0.8) \times 0.9 = 0.18$

(ⅰ), (ⅱ)에서 한 선수만 성공할 확률은

$0.08 + 0.18 = \mathbf{0.26}$

08-2 **셀파** 세 사람이 활을 쏘아 명중시키는 사건은 서로 독립이다.

A, B, C 세 사람이 활을 쏘아 명중시키는 사건을 각각 A, B, C라 하면 A, B, C는 서로 독립이다.

(ⅰ) A만 명중시킬 확률은

$P(A \cap B^C \cap C^C) = P(A)P(B^C)P(C^C)$

$\qquad = \dfrac{4}{5} \times \left(1 - \dfrac{3}{4}\right) \times \left(1 - \dfrac{2}{3}\right) = \dfrac{1}{15}$

(ⅱ) B만 명중시킬 확률은

$P(A^C \cap B \cap C^C) = P(A^C)P(B)P(C^C)$

$\qquad = \left(1 - \dfrac{4}{5}\right) \times \dfrac{3}{4} \times \left(1 - \dfrac{2}{3}\right) = \dfrac{1}{20}$

(ⅲ) C만 명중시킬 확률은

$P(A^C \cap B^C \cap C) = P(A^C)P(B^C)P(C)$

$\qquad = \left(1 - \dfrac{4}{5}\right) \times \left(1 - \dfrac{3}{4}\right) \times \dfrac{2}{3} = \dfrac{1}{30}$

(ⅰ), (ⅱ), (ⅲ)에서 한 사람만 명중시킬 확률은

$\dfrac{1}{15} + \dfrac{1}{20} + \dfrac{1}{30} = \mathbf{\dfrac{3}{20}}$

09-1 **셀파** 6번 만에 민수가 이기려면 5번째 게임까지는 민수가 3번 이기고 2번은 비기거나 져야 하고, 6번째에는 민수가 이겨야 한다.

한 번의 가위바위보 게임에서 민수가 윤아를 이길 확률은 $\dfrac{1}{3}$이고,

비기거나 질 확률은 $\dfrac{2}{3}$이다.

게임을 시작한 지 6번 만에 민수가 이기려면 5번째까지는 민수가 3번 이기고 2번은 비기거나 져야 하고 6번째에는 민수가 이겨야 한다.

따라서 구하는 확률은

(5번 중 민수가 3번 이기고 2번은 비기거나 질 확률)

$\times$ (민수가 1번 이길 확률)

$= {}_5C_3 \left(\dfrac{1}{3}\right)^3 \left(\dfrac{2}{3}\right)^2 \times \dfrac{1}{3} = \mathbf{\dfrac{40}{729}}$

09-2 셀파 (앞면이 적어도 1번 나올 확률)
=1−(모두 뒷면이 나올 확률)

한 개의 동전을 n번 던져서 앞면이 적어도 1번 나오는 사건은 모두 뒷면이 나오는 사건의 여사건이다.

모두 뒷면이 나올 확률은 $\left(\dfrac{1}{2}\right)^n$이므로

앞면이 적어도 1번 나올 확률은 $1-\left(\dfrac{1}{2}\right)^n$

이때 앞면이 적어도 1번 나올 확률이 0.8 이상이므로

$1-\left(\dfrac{1}{2}\right)^n \geq 0.8$에서 $\left(\dfrac{1}{2}\right)^n \leq 0.2$ $\therefore \left(\dfrac{1}{2}\right)^n \leq \dfrac{1}{5}$

$2^n \geq 5$에서 $2^2=4$, $2^3=8$

따라서 자연수 n의 최솟값은 **3**

LECTURE 독립시행의 확률

한 개의 주사위를 4번 던질 때, 1의 눈이 3번 나올 확률을 구해 보자.

주사위를 던져서 1의 눈이 나오면 ○표, 1의 눈이 나오지 않으면 ×표로 나타내면 한 개의 주사위를 4번 던지는 독립시행에서 1의 눈이 3번 나오는 경우는 다음 표와 같이 $_4C_3$가지이다.

1번	2번	3번	4번	확률
○	○	○	×	$\left(\dfrac{1}{6}\right)^3\left(\dfrac{5}{6}\right)^1$
○	○	×	○	$\left(\dfrac{1}{6}\right)^3\left(\dfrac{5}{6}\right)^1$
○	×	○	○	$\left(\dfrac{1}{6}\right)^3\left(\dfrac{5}{6}\right)^1$
×	○	○	○	$\left(\dfrac{1}{6}\right)^3\left(\dfrac{5}{6}\right)^1$

$_4C_3$가지

이때 한 개의 주사위를 던져서 1의 눈이 나올 확률은 $\dfrac{1}{6}$, 1의 눈이 나오지 않을 확률은 $\dfrac{5}{6}$이고, 각각의 시행은 서로 독립이므로 각 경우의 확률은 $\left(\dfrac{1}{6}\right)^3\left(\dfrac{5}{6}\right)^1$이다.

그런데 이들은 서로 배반사건이므로 4번 중 1의 눈이 3번 나올 확률은 확률의 덧셈정리에 의하여 다음과 같다.

$\left(\dfrac{1}{6}\right)^3\left(\dfrac{5}{6}\right)^1+\left(\dfrac{1}{6}\right)^3\left(\dfrac{5}{6}\right)^1+\left(\dfrac{1}{6}\right)^3\left(\dfrac{5}{6}\right)^1+\left(\dfrac{1}{6}\right)^3\left(\dfrac{5}{6}\right)^1$
$=_4C_3\left(\dfrac{1}{6}\right)^3\left(\dfrac{5}{6}\right)^1$

일반적으로 한 개의 주사위를 n번 던져서 1의 눈이 r번 나올 확률은

$_nC_r\left(\dfrac{1}{6}\right)^r\left(\dfrac{5}{6}\right)^{n-r}$ $(r=1, 2, 3, \cdots, n-1)$

이고 $r=0$일 때 $\left(\dfrac{5}{6}\right)^n$, $r=n$일 때 $\left(\dfrac{1}{6}\right)^n$임을 알 수 있다.

10-1 셀파 4번의 타격에서 안타를 3번 치는 경우와 4번 치는 경우로 나누어 생각한다.

한 번의 타격에서 안타를 칠 확률이 $\dfrac{1}{3}$이므로 안타를 치지 못할 확률은 $\dfrac{2}{3}$이다.

(ⅰ) 4번의 타격에서 안타를 3번 칠 확률은

$_4C_3\left(\dfrac{1}{3}\right)^3\left(\dfrac{2}{3}\right)^1=\dfrac{8}{81}$

(ⅱ) 4번의 타격에서 안타를 4번 칠 확률은

$\left(\dfrac{1}{3}\right)^4=\dfrac{1}{81}$

(ⅰ), (ⅱ)에서 구하는 확률은 $\dfrac{8}{81}+\dfrac{1}{81}=\dfrac{\textbf{1}}{\textbf{9}}$

| 참고 |

4번의 타격에서 안타를 3번 치는 사건을 A, 4번 치는 사건을 B라 하면 사건 A와 B는 서로 배반사건이므로 구하는 확률은 확률의 덧셈정리에서 $P(A \cup B)=P(A)+P(B)$이다.

이때 $P(A)=\dfrac{8}{81}$, $P(B)=\dfrac{1}{81}$이므로

구하는 확률은 $P(A)+P(B)=\dfrac{8}{81}+\dfrac{1}{81}=\dfrac{1}{9}$

10-2 셀파 동전을 던져서 앞면이 나올 때와 뒷면이 나올 때를 나누어 생각한다.

한 개의 동전을 던져서 앞면이 나올 확률은 $\dfrac{1}{2}$이고, 뒷면이 나올 확률도 $\dfrac{1}{2}$이다.

또 주사위를 1번 던질 때, 2의 눈이 나올 확률은 $\dfrac{1}{6}$이고, 2의 눈이 나오지 않을 확률은 $\dfrac{5}{6}$이다.

(ⅰ) 한 개의 동전을 던져서 앞면이 나오는 경우
주사위를 2번 던질 때, 2의 눈이 1번 나올 확률은
$\dfrac{1}{2}\times{}_2C_1\left(\dfrac{1}{6}\right)^1\left(\dfrac{5}{6}\right)^1=\dfrac{5}{36}$

(ⅱ) 한 개의 동전을 던져서 뒷면이 나오는 경우
주사위를 1번 던질 때, 2의 눈이 1번 나올 확률은
$\dfrac{1}{2}\times\dfrac{1}{6}=\dfrac{1}{12}$

(ⅰ), (ⅱ)에서 구하는 확률은 $\dfrac{5}{36}+\dfrac{1}{12}=\dfrac{\textbf{2}}{\textbf{9}}$

점 P가 원점을 출발하여 점 A에 도착하려면 순서에 상관없이 x축의 양의 방향으로 3만큼, y축의 양의 방향으로 2만큼 이동해야 한다.

x축의 양의 방향으로 3만큼 이동하려면 3의 배수가 아닌 눈이 3번 나오고, y축의 양의 방향으로 2만큼 이동하려면 3의 배수의 눈이 2번 나와야 한다.

이때 주사위를 한 번 던져서 3의 배수의 눈이 나올 확률은 $\frac{1}{3}$이고

3의 배수가 아닌 눈이 나올 확률은 $\frac{2}{3}$이다.

따라서 한 개의 주사위를 5번 던져서 3의 배수의 눈이 2번 나와야 하므로 구하는 확률은

$$_5C_2\left(\frac{1}{3}\right)^2\left(\frac{2}{3}\right)^3=\frac{80}{243}$$

| 참고 |

점수 또는 위치에 대한 독립시행의 확률은 다음과 같이 구한다.
① 방정식을 이용하여 주어진 사건이 일어나는 횟수를 구한다.
② 독립시행의 확률을 구한다.

연습 문제

본문 **95~97** 쪽

01 셀파 $P(A|B)=\dfrac{P(A\cap B)}{P(B)}$ 를 이용한다.

(1) $P(A|B)=\dfrac{P(A\cap B)}{P(B)}=\dfrac{0.2}{0.9}=\dfrac{2}{9}$

(2) $P(B|A)=\dfrac{P(A\cap B)}{P(A)}$에서

$P(A\cap B)=P(A)P(B|A)=0.3\times0.4=0.12$

$\therefore\ P(A|B)=\dfrac{P(A\cap B)}{P(B)}=\dfrac{0.12}{0.5}=\mathbf{0.24}$

(3) $P(B|A)=\dfrac{P(A\cap B)}{P(A)}$에서

$P(A\cap B)=P(A)P(B|A)=0.3\times0.5=0.15$

또 $P(A\cup B)=P(A)+P(B)-P(A\cap B)$이므로

$0.7=0.3+P(B)-0.15$

$\therefore\ P(B)=0.7-0.3+0.15=\mathbf{0.55}$

---

02 셀파 $P(A\cap B^C)=P(A-B)=P(A)-P(A\cap B)$

$P(A\cap B)=P(B)P(A|B)=\dfrac{1}{2}\times\dfrac{1}{4}=\dfrac{1}{8}$

$P(B^C|A)=\dfrac{P(A\cap B^C)}{P(A)}$이고

$P(A\cap B^C)=P(A-B)=P(A)-P(A\cap B)$

$\qquad\qquad\quad=\dfrac{1}{3}-\dfrac{1}{8}=\dfrac{5}{24}$

이므로 $P(B^C|A)=\dfrac{\frac{5}{24}}{\frac{1}{3}}=\dfrac{5}{8}$

따라서 구하는 답은 ①

---

03 셀파 $P(B|A)=\dfrac{P(A\cap B)}{P(A)}$

이 학교의 70명의 학생 중에서 임의로 선택한 한 학생이 여학생인 사건을 A, 과학전시관을 다녀왔을 사건을 B라 하면 임의로 선택한 한 학생이 여학생이었을 때, 이 학생이 과학전시관을 다녀왔을 확률은 $P(B|A)$이다.

주어진 조건에서 $P(A)=\dfrac{36}{70}$, $P(A\cap B)=\dfrac{19}{70}$

따라서 구하는 확률은

$$P(B|A)=\dfrac{P(A\cap B)}{P(A)}=\dfrac{\frac{19}{70}}{\frac{36}{70}}=\mathbf{\dfrac{19}{36}}$$

---

04 셀파 수업을 받는 과목과 학생 수를 표로 나타낸다.

수업을 받는 과목과 학생 수를 표로 나타내면 다음과 같다.

(단위 : 명)

	중국어	일본어	합계
남학생	12	6	18
여학생	9	7	16
합계	21	13	34

선택한 한 학생이 중국어 수업을 듣는 학생일 사건을 A, 남학생일 사건을 B라 하면 선택한 한 학생이 중국어 수업을 받는다고 할 때, 이 학생이 남학생일 확률은 $P(B|A)$이다.

주어진 조건에서 $P(A)=\dfrac{21}{34}$, $P(A\cap B)=\dfrac{12}{34}$

따라서 구하는 확률은

$$P(B|A)=\dfrac{P(A\cap B)}{P(A)}=\dfrac{\frac{12}{34}}{\frac{21}{34}}=\mathbf{\dfrac{4}{7}}$$

05 셀파 4번째 시행에서 끝나려면 4번째 시행에 꼭 당첨제비가 나와야 한다.

4번째 제비를 뽑았을 때 시행이 끝나려면 세 번째 시행까지는 당첨제비 1개를 뽑고 4번째 시행에 남은 당첨제비 1개를 뽑아야 한다.

시행	1번째	2번째	3번째	4번째
(i)	○	×	×	○
(ii)	×	○	×	○
(iii)	×	×	○	○

(○ : 당첨제비를 뽑을 때, × : 당첨제비를 뽑지 못할 때)

각 경우의 확률을 구하면 다음과 같다.

(i) $\dfrac{2}{20} \times \dfrac{18}{19} \times \dfrac{17}{18} \times \dfrac{1}{17} = \dfrac{1}{190}$

(ii) $\dfrac{18}{20} \times \dfrac{2}{19} \times \dfrac{17}{18} \times \dfrac{1}{17} = \dfrac{1}{190}$

(iii) $\dfrac{18}{20} \times \dfrac{17}{19} \times \dfrac{2}{18} \times \dfrac{1}{17} = \dfrac{1}{190}$

(i), (ii), (iii)에서 구하는 확률은

$\dfrac{1}{190} + \dfrac{1}{190} + \dfrac{1}{190} = \dfrac{\mathbf{3}}{\mathbf{190}}$

06 셀파 $P(A \cap B) = P(A)P(B|A)$

갑이 ☆이 그려진 카드를 꺼내는 사건을 A, 을이 ☆이 그려진 카드를 꺼내는 사건을 B라 하면
갑이 ☆이 그려진 카드를 꺼낼 확률은

$P(A) = \dfrac{n}{n+4}$

갑이 ☆이 그려진 카드를 꺼냈을 때, 을이 ☆이 그려진 카드를 꺼낼 확률은

$P(B|A) = \dfrac{n-1}{n+3}$

갑과 을이 모두 ☆이 그려진 카드를 꺼낼 확률은
$P(A \cap B) = P(A)P(B|A)$

$\qquad = \dfrac{n}{n+4} \times \dfrac{n-1}{n+3}$

$\qquad = \dfrac{n^2 - n}{n^2 + 7n + 12}$

이때 $\dfrac{n^2-n}{n^2+7n+12} = \dfrac{1}{3}$이므로

$n^2 + 7n + 12 = 3n^2 - 3n$

$2n^2 - 10n - 12 = 0$, $n^2 - 5n - 6 = 0$, $(n-6)(n+1) = 0$

$\therefore \boldsymbol{n = 6}$ ($\because n$은 자연수)

07 셀파 A, B 주머니에서 흰 공을 뽑는 사건을 각각 A, B라 할 때, $P(B)$를 구한다.

A 주머니, B 주머니에서 흰 공을 뽑는 사건을 각각 A, B라 하면
B 주머니에서 흰 공을 뽑는 것은 다음 두 가지 경우가 있다.

(i) A 주머니에서 흰 공을 뽑은 경우
A 주머니에서 뽑은 흰 공 1개를 B 주머니에 넣은 다음 B 주머니에서 흰 공을 꺼낼 확률은

$P(A \cap B) = P(A)P(B|A) = \dfrac{2}{5} \times \dfrac{4}{9} = \dfrac{8}{45}$

(ii) A 주머니에서 빨간 공을 뽑은 경우
A 주머니에서 뽑은 빨간 공 1개를 B 주머니에 넣은 다음 B 주머니에서 흰 공을 꺼낼 확률은

$P(A^C \cap B) = P(A^C)P(B|A^C) = \dfrac{3}{5} \times \dfrac{3}{9} = \dfrac{1}{5}$

(i), (ii)에서 구하는 확률은
$P(B) = P(A \cap B) + P(A^C \cap B)$

$\qquad = \dfrac{8}{45} + \dfrac{1}{5} = \dfrac{\mathbf{17}}{\mathbf{45}}$

08 셀파 $P(A|B) = \dfrac{P(A \cap B)}{P(B)} = \dfrac{P(A \cap B)}{P(A \cap B) + P(A^C \cap B)}$

갑이 흰 공을 꺼내는 사건을 A, 을이 흰 공을 꺼내는 사건을 B라 하면

(i) 갑이 흰 공을 꺼내고 을도 흰 공을 꺼낼 확률은

$P(A) = \dfrac{5}{8}$, $P(B|A) = \dfrac{4}{7}$이므로

$P(A \cap B) = P(A)P(B|A) = \dfrac{5}{8} \times \dfrac{4}{7} = \dfrac{5}{14}$

(ii) 갑이 검은 공을 꺼내고 을은 흰 공을 꺼낼 확률은

$P(A^C) = \dfrac{3}{8}$, $P(B|A^C) = \dfrac{5}{7}$이므로

$P(A^C \cap B) = P(A^C)P(B|A^C) = \dfrac{3}{8} \times \dfrac{5}{7} = \dfrac{15}{56}$

(i), (ii)에서 을이 꺼낸 공이 흰 공일 확률은

$P(B) = P(A \cap B) + P(A^C \cap B) = \dfrac{5}{14} + \dfrac{15}{56} = \dfrac{35}{56}$

따라서 구하는 확률은

$P(A|B) = \dfrac{P(A \cap B)}{P(B)} = \dfrac{\dfrac{5}{14}}{\dfrac{35}{56}} = \dfrac{\mathbf{4}}{\mathbf{7}}$

09 셀파 찬성하는 학생 중 여학생의 비율을 구한다.

택한 한 명이 이 일에 대하여 찬성하는 학생일 사건을 A, 여학생인 사건을 B라 하면 찬성하는 학생을 택하는 것은 다음 두 가지 경우가 있다.

(i) 찬성하는 남학생을 택하는 경우

남학생과 여학생의 비율이 $2:1$이므로 남학생을 택할 확률은 $P(B^C)=\dfrac{2}{3}$, 남학생 중에 찬성하는 비율이 $\dfrac{6}{7}$이므로

$P(A|B^C)=\dfrac{6}{7}$이다.

$\therefore P(B^C \cap A)=P(B^C)P(A|B^C)=\dfrac{2}{3}\times\dfrac{6}{7}=\dfrac{4}{7}$

(ii) 찬성하는 여학생을 택하는 경우

남학생과 여학생의 비율이 $2:1$이므로 여학생을 택할 확률은 $P(B)=\dfrac{1}{3}$, 여학생 중 찬성하는 비율이 $\dfrac{2}{3}$이므로

$P(A|B)=\dfrac{2}{3}$이다.

$\therefore P(B \cap A)=P(B)P(A|B)=\dfrac{1}{3}\times\dfrac{2}{3}=\dfrac{2}{9}$

(i), (ii)에서 찬성하는 학생을 택할 확률은

$P(A)=P(B^C \cap A)+P(B \cap A)=\dfrac{4}{7}+\dfrac{2}{9}=\dfrac{50}{63}$

따라서 구하는 확률은

$P(B|A)=\dfrac{P(B\cap A)}{P(A)}=\dfrac{\dfrac{2}{9}}{\dfrac{50}{63}}=\dfrac{7}{25}$

10 셀파 두 사건 A, B가 서로 독립이면
$P(A\cap B)=P(A)P(B)$

$A=\{3,6\}$, $B=\{1,3,5\}$, $C=\{2,3,5\}$이므로

$P(A)=\dfrac{1}{3}$, $P(B)=\dfrac{1}{2}$, $P(C)=\dfrac{1}{2}$

또 $A\cap B=\{3\}$, $B\cap C=\{3,5\}$, $C\cap A=\{3\}$이므로

$P(A\cap B)=\dfrac{1}{6}$, $P(B\cap C)=\dfrac{1}{3}$, $P(C\cap A)=\dfrac{1}{6}$

ㄱ. $P(A)P(B)=\dfrac{1}{3}\times\dfrac{1}{2}=\dfrac{1}{6}=P(A\cap B)$이므로

두 사건 A, B는 서로 독립이다. (참)

ㄴ. $P(B)P(C)=\dfrac{1}{2}\times\dfrac{1}{2}=\dfrac{1}{4}\neq P(B\cap C)$이므로

두 사건 B, C는 서로 종속이다. (거짓)

ㄷ. $P(C)P(A)=\dfrac{1}{2}\times\dfrac{1}{3}=\dfrac{1}{6}=P(C\cap A)$이므로

두 사건 C, A는 서로 독립이다. (거짓)

따라서 보기의 설명 중 옳은 것은 ㄱ이다.

11 셀파 두 사건 A, B가 서로 독립이면 $P(A\cap B)=P(A)P(B)$

ㄱ. 두 사건 A, B가 서로 독립이므로

$P(A\cap B)=P(A)P(B)$

$\therefore \{1-P(A)\}\{1-P(B)\}$

$=1-P(A)-P(B)+P(A)P(B)$

$=1-\{P(A)+P(B)-P(A\cap B)\}$

$=1-P(A\cup B)$ (참)

ㄴ. [반례] 주사위 한 개를 던질 때, 짝수의 눈이 나오는 사건을 A, 3의 배수의 눈이 나오는 사건을 B라 하면

$A=\{2,4,6\}$, $B=\{3,6\}$, $A\cap B=\{6\}$이므로

$P(A)=\dfrac{1}{2}$, $P(B)=\dfrac{1}{3}$, $P(A\cap B)=\dfrac{1}{6}$

이때 $P(A)P(B)=P(A\cap B)=\dfrac{1}{6}$이므로

두 사건 A, B는 서로 독립이다.

그런데 $A\cap B\neq\varnothing$이므로 두 사건 A, B는 서로 배반사건이 아니다. (거짓)

ㄷ. 두 사건 A, B가 서로 독립이므로

$P(A\cup B)=P(A)+P(B)-P(A\cap B)$

$\qquad\qquad =P(A)+P(B)-P(A)P(B)$

$P(A\cup B)=\dfrac{1}{4}+P(B)-\dfrac{1}{4}P(B)=\dfrac{5}{8}$에서

$\dfrac{3}{4}P(B)=\dfrac{3}{8}$ $\therefore P(B)=\dfrac{1}{2}$

$\therefore P(A-B)=P(A\cap B^C)=P(A)P(B^C)$

$\qquad\qquad =\dfrac{1}{4}\times\dfrac{1}{2}=\dfrac{1}{8}$ (거짓)

따라서 보기의 설명 중 옳은 것은 ㄱ이다.

12 셀파 두 사건 A, B가 서로 독립이면 A와 B^C도 서로 독립이다.

$P(A^C)=\dfrac{3}{4}$에서 $P(A)=1-P(A^C)=1-\dfrac{3}{4}=\dfrac{1}{4}$

두 사건 A, B가 서로 독립이면 A와 B^C도 서로 독립이므로

$P(A\cap B^C)=P(A)P(B^C)$

이때 $P(A\cup B^C)=P(A)+P(B^C)-P(A\cap B^C)$

$\qquad\qquad\qquad =P(A)+P(B^C)-P(A)P(B^C)$

이므로 $\dfrac{3}{10}=\dfrac{1}{4}+P(B^C)-\dfrac{1}{4}P(B^C)$

$\dfrac{3}{4}P(B^C)=\dfrac{1}{20}$에서 $P(B^C)=\dfrac{1}{15}$

$\therefore P(B)=1-P(B^C)=1-\dfrac{1}{15}=\dfrac{14}{15}$

13 셀파 두 사건 A, B가 서로 독립이면

$$\mathrm{P}(B|A)=\frac{\mathrm{P}(A\cap B)}{\mathrm{P}(A)}=\frac{\mathrm{P}(A)\mathrm{P}(B)}{\mathrm{P}(A)}=\mathrm{P}(B)$$

두 사건 A, B가 서로 독립이므로

$$\mathrm{P}(B|A)=\mathrm{P}(B)=\frac{1}{4}$$

$$\therefore \mathrm{P}(B^C)=1-\frac{1}{4}=\frac{3}{4}$$

또 두 사건 A, B^C도 서로 독립이므로

$$\mathrm{P}(A\cap B^C)=\mathrm{P}(A)\mathrm{P}(B^C)=\frac{2}{5}\times\frac{3}{4}=\frac{3}{10}$$

따라서 구하는 답은 ③

---

14 셀파 (명중시키지 못할 확률)$=1-$(명중시킬 확률)

A, B, C가 활을 쏘아 과녁에 명중시키는 사건을 각각 A, B, C라 하면 A, B, C는 서로 독립이다.

㉮ (i) A, B는 명중시키고, C는 명중시키지 못할 확률은

$$\mathrm{P}(A\cap B\cap C^C)=0.6\times0.8\times0.3=0.144$$

㉯ (ii) A, C는 명중시키고, B는 명중시키지 못할 확률은

$$\mathrm{P}(A\cap B^C\cap C)=0.6\times0.2\times0.7=0.084$$

㉰ (iii) B, C는 명중시키고, A는 명중시키지 못할 확률은

$$\mathrm{P}(A^C\cap B\cap C)=0.4\times0.8\times0.7=0.224$$

㉱ (i), (ii), (iii)에서 두 사람만 과녁에 명중시킬 확률은

$$0.144+0.084+0.224=\mathbf{0.452}$$

채점 기준	배점
㉮ A, B는 명중시키고, C는 명중시키지 못할 확률을 구한다.	30%
㉯ A, C는 명중시키고, B는 명중시키지 못할 확률을 구한다.	30%
㉰ B, C는 명중시키고, A는 명중시키지 못할 확률을 구한다.	30%
㉱ 두 사람만 과녁에 명중시킬 확률을 구한다.	10%

---

15 셀파 $n=4$, $r=3$, $p=\frac{1}{4}$인 독립시행의 확률을 계산한다.

다트를 1번 던져서 당첨될 확률은 $\frac{1}{4}$이다.

다트를 던지는 것은 독립시행이므로 구하는 확률은

$$_4\mathrm{C}_3\left(\frac{1}{4}\right)^3\left(\frac{3}{4}\right)^1=\mathbf{\frac{3}{64}}$$

| 참고 |

다트를 1번 던져서 '당첨'이 적힌 영역을 맞히는 사건을 A라 하면

$$\mathrm{P}(A)=\frac{1}{4},\ \mathrm{P}(A^C)=\frac{3}{4}\text{이다.}$$

이때 '당첨'이 적힌 영역을 맞히면 ○, '꽝'이 적힌 영역을 맞히면 ×로 나타낼 때, 4번의 시행 중에서 '당첨'이 적힌 영역을 3번 맞히는 경우는 다음과 같다.

시행	확률
○ ○ ○ ×	$\frac{1}{4}\times\frac{1}{4}\times\frac{1}{4}\times\frac{3}{4}=\left(\frac{1}{4}\right)^3\left(\frac{3}{4}\right)^1$
○ ○ × ○	$\frac{1}{4}\times\frac{1}{4}\times\frac{3}{4}\times\frac{1}{4}=\left(\frac{1}{4}\right)^3\left(\frac{3}{4}\right)^1$
○ × ○ ○	$\frac{1}{4}\times\frac{3}{4}\times\frac{1}{4}\times\frac{1}{4}=\left(\frac{1}{4}\right)^3\left(\frac{3}{4}\right)^1$
× ○ ○ ○	$\frac{3}{4}\times\frac{1}{4}\times\frac{1}{4}\times\frac{1}{4}=\left(\frac{1}{4}\right)^3\left(\frac{3}{4}\right)^1$

---

16 셀파 한 개의 주사위를 6번 던지는 시행은 독립시행이다.

1개의 주사위를 던질 때, 홀수의 눈이 나오는 사건을 A라 하면

1번의 시행에서 A가 일어날 확률은 $\frac{1}{2}$, A가 일어나지 않을 확률은 $1-\frac{1}{2}=\frac{1}{2}$이다.

(i) 한 개의 주사위를 6번 던질 때, 홀수의 눈이 5번 나올 확률은

$$_6\mathrm{C}_5\left(\frac{1}{2}\right)^5\left(\frac{1}{2}\right)^1=\frac{6}{64}$$

(ii) 한 개의 주사위를 6번 던질 때, 홀수의 눈이 6번 나올 확률은

$$\left(\frac{1}{2}\right)^6=\frac{1}{64}$$

(i), (ii)에서 홀수의 눈이 5번 이상 나올 확률은

$$\frac{6}{64}+\frac{1}{64}=\mathbf{\frac{7}{64}}$$

---

17 셀파 이길 확률이 p이면 질 확률은 $1-p$이다.

(i) A팀이 B팀을 2번 이길 확률은

$$_3\mathrm{C}_2\left(\frac{4}{5}\right)^2\left(\frac{1}{5}\right)^1=\frac{48}{125}$$

(ii) A팀이 B팀을 3번 이길 확률은

$$\left(\frac{4}{5}\right)^3=\frac{64}{125}$$

(i), (ii)에서 A팀이 B팀을 적어도 2번 이길 확률은

$$\frac{48}{125}+\frac{64}{125}=\mathbf{\frac{112}{125}}$$

5. 확률분포

1-1 (1) 한 개의 주사위를 2번 던질 때, 짝수는 0번, 1번, 2번이 나올 수 있으므로 확률변수 X가 가질 수 있는 값은 $0, 1,$ [2]

(2) 한 개의 주사위를 1번 던질 때, 짝수의 눈이 나올 확률은 $\frac{1}{2}$, 홀수의 눈이 나올 확률은 $\frac{1}{2}$이므로

$$P(X=\boxed{0})=\frac{1}{2}\times\frac{1}{2}=\frac{1}{4}$$

$$P(X=1)=\frac{1}{2}\times\frac{1}{2}+\frac{1}{2}\times\frac{1}{2}=\frac{1}{\boxed{2}}$$

$$P(X=2)=\frac{1}{2}\times\frac{1}{2}=\frac{1}{\boxed{4}}$$

1-2 (1) 흰 공 1개, 붉은 공 2개가 들어 있는 주머니에서 2개의 공을 꺼내면
(흰 공 0개, 붉은 공 2개), (흰 공 1개, 붉은 공 1개)
가 나올 수 있다.
따라서 확률변수 X가 가질 수 있는 값은 $0, 1$

(2) $P(X=0)=\dfrac{{}_2C_2}{{}_3C_2}=\dfrac{1}{3}$

$P(X=1)=\dfrac{{}_1C_1\times{}_2C_1}{{}_3C_2}=\dfrac{2}{3}$

2-1 (1) 확률분포를 표로 나타내면 다음과 같다.

X	0	1	2	합계
$P(X=x)$	$\frac{1}{\boxed{4}}$	$\frac{1}{2}$	$\frac{1}{4}$	$\boxed{1}$

(2) 확률분포를 그래프로 나타내면 오른쪽과 같다.

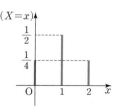

2-2 (1) 확률분포를 표로 나타내면 다음과 같다.

X	0	1	합계
$P(X=x)$	$\frac{1}{3}$	$\frac{2}{3}$	1

(2) 확률분포를 그래프로 나타내면 오른쪽과 같다.

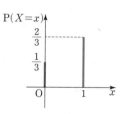

3-1 (1) $E(X)=1\times\frac{1}{4}+2\times\frac{1}{2}+3\times\frac{1}{4}=\boxed{2}$

(2) $E(X^2)=1^2\times\frac{1}{4}+2^2\times\frac{1}{2}+3^2\times\frac{1}{4}=\frac{9}{2}$이므로

$$V(X)=E(X^2)-\{E(X)\}^2$$
$$=\frac{\boxed{9}}{2}-2^2=\frac{1}{2}$$

(3) $\sigma(X)=\sqrt{V(X)}=\sqrt{\frac{1}{2}}=\dfrac{\sqrt{2}}{\boxed{2}}$

3-2 (1) $E(X)=0\times\frac{1}{8}+1\times\frac{3}{8}+2\times\frac{3}{8}+3\times\frac{1}{8}=\frac{3}{2}$

(2) $E(X^2)=0^2\times\frac{1}{8}+1^2\times\frac{3}{8}+2^2\times\frac{3}{8}+3^2\times\frac{1}{8}=3$이므로

$$V(X)=E(X^2)-\{E(X)\}^2=3-\left(\frac{3}{2}\right)^2=\frac{3}{4}$$

(3) $\sigma(X)=\sqrt{V(X)}=\dfrac{\sqrt{3}}{2}$

4-1 (1) $E(Y)=E(-2X+5)=-2E(X)+\boxed{5}=1$
$V(Y)=V(-2X+5)=(-2)^2V(X)=\boxed{4}$
$\sigma(Y)=\sigma(-2X+5)=|-2|\sigma(X)=\boxed{2}$

(2) $E(Y)=E(3X-1)=\boxed{3}E(X)-1=5$
$V(Y)=V(3X-1)=3^{\boxed{2}}V(X)=9$
$\sigma(Y)=\sigma(3X-1)=|3|\sigma(X)=\boxed{3}$

4-2 (1) $\mathrm{E}(Y)=\mathrm{E}(3X+2)=3\mathrm{E}(X)+2=\mathbf{17}$

$\mathrm{V}(Y)=\mathrm{V}(3X+2)=3^2\mathrm{V}(X)=\mathbf{36}$

$\sigma(Y)=\sigma(3X+2)=|3|\sigma(X)=\mathbf{6}$

(2) $\mathrm{E}(Y)=\mathrm{E}(-X+4)=-\mathrm{E}(X)+4=\mathbf{-1}$

$\mathrm{V}(Y)=\mathrm{V}(-X+4)=(-1)^2\mathrm{V}(X)=\mathbf{4}$

$\sigma(Y)=\sigma(-X+4)=|-1|\sigma(X)=\mathbf{2}$

5-1 (1) 3회의 독립시행이고, 한 번의 시행에서 3의 배수의 눈이 나올 확률은 $\dfrac{1}{3}$이다.

따라서 확률변수 X는 이항분포 $\mathrm{B}\!\left(3,\ \dfrac{1}{\boxed{3}}\right)$을 따른다.

(2) $\mathrm{P}(X=1)={}_3\mathrm{C}_1\!\left(\dfrac{1}{3}\right)^1\!\left(\dfrac{2}{3}\right)^{\boxed{2}}=\dfrac{\mathbf{4}}{\mathbf{9}}$

5-2 (1) 5회의 독립시행이고, 한 번의 시행에서 동전의 앞면이 나올 확률은 $\dfrac{1}{2}$이다.

따라서 확률변수 X는 이항분포 $\mathrm{B}\!\left(5,\ \dfrac{1}{2}\right)$을 따른다.

(2) $\mathrm{P}(X=3)={}_5\mathrm{C}_3\!\left(\dfrac{1}{2}\right)^3\!\left(\dfrac{1}{2}\right)^2=\dfrac{\mathbf{5}}{\mathbf{16}}$

6-1 (1) 확률변수 X가 이항분포 $\mathrm{B}\!\left(16,\ \dfrac{3}{4}\right)$을 따르므로

$\mathrm{E}(X)=16\times\dfrac{3}{4}=\boxed{\mathbf{12}}$

$\mathrm{V}(X)=16\times\dfrac{3}{4}\times\dfrac{1}{\boxed{4}}=\boxed{\mathbf{3}}$

(2) 확률변수 X가 이항분포 $\mathrm{B}\!\left(720,\ \dfrac{1}{6}\right)$을 따르므로

$\mathrm{E}(X)=720\times\dfrac{1}{6}=\boxed{\mathbf{120}}$

$\mathrm{V}(X)=720\times\dfrac{1}{6}\times\dfrac{\boxed{5}}{6}=\boxed{\mathbf{100}}$

6-2 (1) 확률변수 X가 이항분포 $\mathrm{B}(100,\ 0.1)$을 따르므로

$\mathrm{E}(X)=100\times0.1=\mathbf{10}$

$\mathrm{V}(X)=100\times0.1\times0.9=\mathbf{9}$

(2) 확률변수 X가 이항분포 $\mathrm{B}\!\left(400,\ \dfrac{1}{5}\right)$을 따르므로

$\mathrm{E}(X)=400\times\dfrac{1}{5}=\mathbf{80}$

$\mathrm{V}(X)=400\times\dfrac{1}{5}\times\dfrac{4}{5}=\mathbf{64}$

확인 문제
본문 | **106~118**쪽

01-1 셀파 확률변수 X에 대응하는 모든 확률의 총합은 1이다.

(1) 확률의 총합은 1이므로

$\dfrac{1}{7}+\dfrac{2}{7}+\dfrac{1}{7}+a+\dfrac{1}{7}=1 \qquad \therefore \boldsymbol{a=\dfrac{2}{7}}$

(2) $\mathrm{P}(0\le X\le2)=\mathrm{P}(X=0)+\mathrm{P}(X=1)+\mathrm{P}(X=2)$

$=\dfrac{1}{7}+\dfrac{2}{7}+\dfrac{1}{7}=\dfrac{\mathbf{4}}{\mathbf{7}}$

01-2 셀파 확률의 총합이 1임을 이용하여 상수 a의 값을 구한다.

확률의 총합은 1이므로 $a+3a+2a+4a=1$

$10a=1 \qquad \therefore a=\dfrac{1}{10}$

X	-2	-1	0	3	합계
$\mathrm{P}(X=x)$	$\dfrac{1}{10}$	$\dfrac{3}{10}$	$\dfrac{2}{10}$	$\dfrac{4}{10}$	1

(1) $\mathrm{P}(X\ge0)=\mathrm{P}(X=0)+\mathrm{P}(X=3)$

$=\dfrac{2}{10}+\dfrac{4}{10}=\dfrac{\mathbf{3}}{\mathbf{5}}$

(2) $X^2-X-6=0$에서 $(X+2)(X-3)=0$

$\therefore X=-2$ 또는 $X=3$

$\therefore \mathrm{P}(X^2-X-6=0)=\mathrm{P}(X=-2$ 또는 $X=3)$

$=\mathrm{P}(X=-2)+\mathrm{P}(X=3)$

$=\dfrac{1}{10}+\dfrac{4}{10}=\dfrac{\mathbf{1}}{\mathbf{2}}$

02-1 셀파 $P(X=1)+P(X=2)+P(X=3)+P(X=4)=1$ 을 이용하여 상수 k의 값을 구한다.

(1) 확률변수 X의 확률분포를 표로 나타내면 다음과 같다.

X	1	2	3	4	합계
$P(X=x)$	k	$4k$	$9k$	$16k$	1

확률의 총합은 1이므로

$$k+4k+9k+16k=1,\ 30k=1 \qquad \therefore k=\frac{1}{30}$$

(2) $P(X\geq3)=P(X=3)+P(X=4)$
$$=9k+16k$$
$$=\frac{9}{30}+\frac{16}{30}=\frac{5}{6}$$

02-2 셀파 $\dfrac{k}{AB}=\dfrac{k}{B-A}\left(\dfrac{1}{A}-\dfrac{1}{B}\right)(A\neq B)$임을 이용한다.

확률변수 X의 확률분포를 표로 나타내면 다음과 같다.

X	1	2	$\cdots$	10	합계
$P(X=x)$	$\dfrac{k}{1\times2}$	$\dfrac{k}{2\times3}$	$\cdots$	$\dfrac{k}{10\times11}$	1

확률의 총합은 1이므로
$$P(X=1)+P(X=2)+\cdots+P(X=10)=1$$
즉, $\dfrac{k}{1\times2}+\dfrac{k}{2\times3}+\cdots+\dfrac{k}{10\times11}=1$에서
$$k\left(\frac{1}{1\times2}+\frac{1}{2\times3}+\cdots+\frac{1}{10\times11}\right)=1$$
$$k\left\{\left(1-\frac{1}{2}\right)+\left(\frac{1}{2}-\frac{1}{3}\right)+\cdots+\left(\frac{1}{10}-\frac{1}{11}\right)\right\}=1$$
$$k\left(1-\frac{1}{11}\right)=1,\ \frac{10}{11}k=1 \qquad \therefore k=\frac{11}{10}$$

LECTURE 부분분수로의 변형

분수로 된 식의 분모가 두 개 이상의 인수의 곱으로 이루어진 경우 다음과 같이 두 개 이상의 식으로 나누어 계산한다.

❶ $\dfrac{1}{AB}=\dfrac{1}{B-A}\left(\dfrac{1}{A}-\dfrac{1}{B}\right)$ (단, $A\neq B$)

예 $\dfrac{1}{x(x+1)}=\dfrac{1}{(x+1)-x}\left(\dfrac{1}{x}-\dfrac{1}{x+1}\right)=\dfrac{1}{x}-\dfrac{1}{x+1}$

❷ $\dfrac{k}{AB}=\dfrac{k}{B-A}\left(\dfrac{1}{A}-\dfrac{1}{B}\right)$ (단, $A\neq B$)

예 $\dfrac{2}{x(x+2)}=\dfrac{2}{(x+2)-x}\left(\dfrac{1}{x}-\dfrac{1}{x+2}\right)=\dfrac{1}{x}-\dfrac{1}{x+2}$

03-1 셀파 압정을 n번 던져서 똑바로 선 횟수를 x라 할 때, $P(X=x)={}_n C_x p^x(1-p)^{n-x}$에 대입하여 확률변수 X의 확률을 구한다.

(1) 확률변수 X가 가질 수 있는 값은 0, 1, 2이다.

압정을 300번 던질 때, 똑바로 선 경우가 100번이므로 압정을 1번 던질 때 압정이 똑바로 설 확률은 $\dfrac{1}{3}$, 똑바로 서지 못할 확률은 $\dfrac{2}{3}$이다.

이때 확률변수 X의 확률질량함수는
$$P(X=x)={}_2 C_x\left(\frac{1}{3}\right)^x\left(\frac{2}{3}\right)^{2-x}\ (x=0,\,1,\,2)$$

확률변수 X가 각 값을 가질 확률은
$$P(X=0)={}_2 C_0\left(\frac{1}{3}\right)^0\left(\frac{2}{3}\right)^2=\frac{4}{9}$$
$$P(X=1)={}_2 C_1\left(\frac{1}{3}\right)^1\left(\frac{2}{3}\right)^1=\frac{4}{9}$$
$$P(X=2)={}_2 C_2\left(\frac{1}{3}\right)^2\left(\frac{2}{3}\right)^0=\frac{1}{9}$$

따라서 X의 확률분포를 표로 나타내면 다음과 같다.

X	0	1	2	합계
$P(X=x)$	$\dfrac{4}{9}$	$\dfrac{4}{9}$	$\dfrac{1}{9}$	1

(2) $P(X=2)=\dfrac{1}{9}$

04-1 셀파 $V(X)=E(X^2)-\{E(X)\}^2$

확률의 총합은 1이므로
$$\frac{2}{5}+a+b+\frac{1}{10}=1$$
$$\therefore a+b=\frac{1}{2} \qquad \cdots\cdots \text{㉠}$$

X의 평균이 1이므로 $E(X)=1$에서
$$0\times\frac{2}{5}+1\times a+2\times b+3\times\frac{1}{10}=1$$
$$\therefore a+2b=\frac{7}{10} \qquad \cdots\cdots \text{㉡}$$

㉠, ㉡을 연립하여 풀면
$$a=\frac{3}{10},\ b=\frac{1}{5}$$

$$E(X^2)=0^2\times\frac{2}{5}+1^2\times\frac{3}{10}+2^2\times\frac{1}{5}+3^2\times\frac{1}{10}=2$$

이므로
$$V(X)=E(X^2)-\{E(X)\}^2=2-1=1$$

04-2 셀파 확률의 총합이 1임을 이용하여 상수 a의 값을 구한다.

확률의 총합은 1이므로

$$\frac{3}{10}+\frac{1}{10}+2a+a=1$$

$$3a=\frac{3}{5} \qquad \therefore a=\frac{1}{5}$$

$$E(X)=-1\times\frac{3}{10}+0\times\frac{1}{10}+1\times\frac{2}{5}+2\times\frac{1}{5}=\frac{1}{2}$$

또, $E(X^2)=(-1)^2\times\frac{3}{10}+0^2\times\frac{1}{10}+1^2\times\frac{2}{5}+2^2\times\frac{1}{5}=\frac{3}{2}$

이므로

$$V(X)=E(X^2)-\{E(X)\}^2$$
$$=\frac{3}{2}-\left(\frac{1}{2}\right)^2=\frac{5}{4}$$

$$\therefore \sigma(X)=\sqrt{V(X)}=\sqrt{\frac{5}{4}}=\frac{\sqrt{5}}{2}$$

05-1 셀파 주사위의 각 눈이 나올 확률은 $P(X=x)=\frac{1}{6}$이다.

확률변수 X가 가질 수 있는 값은 1, 2, 3, 4, 5, 6이고,
그 확률은 각각

$$P(X=1)=\frac{1}{6}, P(X=2)=\frac{1}{6},$$

$$P(X=3)=\frac{1}{6}, P(X=4)=\frac{1}{6},$$

$$P(X=5)=\frac{1}{6}, P(X=6)=\frac{1}{6}$$

따라서 X의 확률분포를 표로 나타내면 다음과 같다.

X	1	2	3	4	5	6	합계
$P(X=x)$	$\frac{1}{6}$	$\frac{1}{6}$	$\frac{1}{6}$	$\frac{1}{6}$	$\frac{1}{6}$	$\frac{1}{6}$	1

$$E(X)=1\times\frac{1}{6}+2\times\frac{1}{6}+3\times\frac{1}{6}+4\times\frac{1}{6}+5\times\frac{1}{6}+6\times\frac{1}{6}$$

$$=\frac{7}{2}$$

$$E(X^2)=1^2\times\frac{1}{6}+2^2\times\frac{1}{6}+3^2\times\frac{1}{6}+4^2\times\frac{1}{6}+5^2\times\frac{1}{6}+6^2\times\frac{1}{6}$$

$$=\frac{91}{6}$$

이므로

$$V(X)=E(X^2)-\{E(X)\}^2$$
$$=\frac{91}{6}-\left(\frac{7}{2}\right)^2=\frac{35}{12}$$

05-2 셀파 1개의 동전을 던져 앞면이 나올 확률은 $\frac{1}{2}$, 뒷면이 나올 확률도 $\frac{1}{2}$이다.

확률변수 X가 가질 수 있는 값은 0, 50, 100, 150이다.

(i) $X=0$은 50원짜리 동전과 100원짜리 동전 모두 뒷면이 나오는 경우이므로

$$P(X=0)=\frac{1}{2}\times\frac{1}{2}=\frac{1}{4}$$

(ii) $X=50$은 50원짜리 동전은 앞면, 100원짜리 동전은 뒷면이 나오는 경우이므로

$$P(X=50)=\frac{1}{2}\times\frac{1}{2}=\frac{1}{4}$$

(iii) $X=100$은 50원짜리 동전은 뒷면, 100원짜리 동전은 앞면이 나오는 경우이므로

$$P(X=100)=\frac{1}{2}\times\frac{1}{2}=\frac{1}{4}$$

(iv) $X=150$은 50원짜리 동전과 100원짜리 동전 모두 앞면이 나오는 경우이므로

$$P(X=150)=\frac{1}{2}\times\frac{1}{2}=\frac{1}{4}$$

(i)~(iv)에서 확률변수 X의 확률분포를 표로 나타내면 다음과 같다.

X	0	50	100	150	합계
$P(X=x)$	$\frac{1}{4}$	$\frac{1}{4}$	$\frac{1}{4}$	$\frac{1}{4}$	1

$$E(X)=0\times\frac{1}{4}+50\times\frac{1}{4}+100\times\frac{1}{4}+150\times\frac{1}{4}=75$$

$$E(X^2)=0^2\times\frac{1}{4}+50^2\times\frac{1}{4}+100^2\times\frac{1}{4}+150^2\times\frac{1}{4}=8750$$

이므로

$$V(X)=E(X^2)-\{E(X)\}^2$$
$$=8750-75^2=3125$$

$$\sigma(X)=\sqrt{V(X)}=\sqrt{3125}=25\sqrt{5}$$

집중 연습 본문 | 112쪽

01 $E(X)=5, V(X)=4, \sigma(X)=2$이므로

(1) $E(4X+1)=4E(X)+1=4\times5+1=21$

(2) $V(2X-3)=2^2V(X)=4\times4=16$

(3) $\sigma(-3X+2)=|-3|\sigma(X)=3\times2=6$

02 $E(X)=3$, $E(X^2)=25$이므로

(1) $E(7-2X)=-2E(X)+7=-2\times3+7=\mathbf{1}$

(2) $V(X)=E(X^2)-\{E(X)\}^2=25-3^2=16$

$\therefore V(7-2X)=(-2)^2V(X)=4\times16=\mathbf{64}$

(3) $\sigma(7-2X)=\sqrt{V(7-2X)}=\sqrt{64}=\mathbf{8}$

03 주어진 표에서 확률변수 X의 평균, 분산을 구하면 다음과 같다.

$E(X)=10\times\dfrac{1}{10}+20\times\dfrac{3}{5}+30\times\dfrac{3}{10}=22$

$E(X^2)=10^2\times\dfrac{1}{10}+20^2\times\dfrac{3}{5}+30^2\times\dfrac{3}{10}=520$이므로

$V(X)=E(X^2)-\{E(X)\}^2=520-22^2=36$

(1) $E(2X+5)=2E(X)+5=2\times22+5=\mathbf{49}$

(2) $V(2X+5)=2^2V(X)=4\times36=\mathbf{144}$

04 확률의 총합은 1이므로

$2a+3a+3a+2a=1$

$10a=1$ $\therefore a=\dfrac{1}{10}$

주어진 표에 $a=\dfrac{1}{10}$을 대입하면 다음과 같다.

X	0	1	2	3	합계
$P(X=x)$	$\dfrac{1}{5}$	$\dfrac{3}{10}$	$\dfrac{3}{10}$	$\dfrac{1}{5}$	1

$E(X)=0\times\dfrac{1}{5}+1\times\dfrac{3}{10}+2\times\dfrac{3}{10}+3\times\dfrac{1}{5}=\dfrac{3}{2}$

$E(X^2)=0^2\times\dfrac{1}{5}+1^2\times\dfrac{3}{10}+2^2\times\dfrac{3}{10}+3^2\times\dfrac{1}{5}=\dfrac{33}{10}$이므로

$V(X)=E(X^2)-\{E(X)\}^2=\dfrac{33}{10}-\left(\dfrac{3}{2}\right)^2=\dfrac{21}{20}$

(1) $E(3-2X)=-2E(X)+3=-2\times\dfrac{3}{2}+3=\mathbf{0}$

(2) $V(3-2X)=(-2)^2V(X)=4\times\dfrac{21}{20}=\mathbf{\dfrac{21}{5}}$

06-1 셀파 $E(X)$, $V(X)$를 구한다.

$Y=\dfrac{1}{10}X-\dfrac{3}{2}$에서 $X=10Y+15$이므로

$E(X)=E(10Y+15)=10E(Y)+15$

$=10\times(-0.5)+15=10$

$V(X)=V(10Y+15)=10^2V(Y)$

$=10^2\times0.45=45$

따라서 $V(X)=E(X^2)-\{E(X)\}^2$이므로

$E(X^2)=V(X)+\{E(X)\}^2$

$=45+10^2=\mathbf{145}$

06-2 셀파 확률의 총합은 1이다.

확률변수 X의 확률분포를 표로 나타내면 다음과 같다.

X	3	4	5	합계
$P(X=x)$	$\dfrac{3}{2}k$	$2k$	$\dfrac{5}{2}k$	1

확률의 총합은 1이므로

$\dfrac{3}{2}k+2k+\dfrac{5}{2}k=1$, $6k=1$ $\therefore k=\dfrac{1}{6}$

$E(X)=3\times\dfrac{1}{4}+4\times\dfrac{1}{3}+5\times\dfrac{5}{12}=\dfrac{25}{6}$

$\therefore E(-6X+1)=-6E(X)+1=-6\times\dfrac{25}{6}+1=\mathbf{-24}$

07-1 셀파 확률변수 X는 이항분포 $B(5,\,0.1)$을 따른다.

(1) K 기계에서 생산되는 제품 중 10 %는 불량품이므로 생산된 제품의 불량률은 0.1이고, 이 기계에서 생산된 제품 중에서 5개를 고를 때 나오는 불량품의 개수가 확률변수 X이므로 X는 이항분포 $B(5,\,0.1)$을 따른다.

따라서 확률변수 X의 확률질량함수는

$$P(X=x)=\begin{cases} {}_5C_0(0.9)^5 & (x=0) \\ {}_5C_x(0.1)^x(0.9)^{5-x} & (x=1,\,2,\,3,\,4) \\ {}_5C_5(0.1)^5 & (x=5) \end{cases}$$

(2) $P(X\leq1)=P(X=0)+P(X=1)$

$={}_5C_0(0.9)^5+{}_5C_1(0.1)^1(0.9)^4$

$=(0.9)^5+0.5\times(0.9)^4$

$=0.590+0.5\times0.656$

$=\mathbf{0.918}$

08-1 셀파 확률변수 X의 확률질량함수가
$P(X=x)={}_nC_xp^x(1-p)^{n-x}$이면 확률변수 X는 이항분포
$B(n, p)$를 따른다.

확률변수 X는 이항분포 $B\left(48, \dfrac{1}{4}\right)$을 따르므로

X의 평균, 분산, 표준편차는

$E(X)=48\times\dfrac{1}{4}=\textbf{12}$

$V(X)=48\times\dfrac{1}{4}\times\dfrac{3}{4}=\textbf{9}$

$\sigma(X)=\sqrt{9}=\textbf{3}$

08-2 셀파 확률변수 X가 이항분포 $B(n, p)$를 따르므로
$E(X)=np,\ V(X)=np(1-p),\ \sigma(X)=\sqrt{np(1-p)}$

확률변수 X는 이항분포 $B(12, p)$를 따르므로
$V(X)=12p(1-p)$

주어진 조건에서 $V(X)=\dfrac{9}{4}$이므로

$12p(1-p)=\dfrac{9}{4},\ 16p^2-16p+3=0$

$(4p-1)(4p-3)=0$ $\quad\therefore p=\dfrac{1}{4}\left(\because 0<p<\dfrac{1}{2}\right)$

따라서 확률변수 X는 이항분포 $B\left(12, \dfrac{1}{4}\right)$을 따르므로

$E(X)=12\times\dfrac{1}{4}=3$

$V(X)=E(X^2)-\{E(X)\}^2$에서
$E(X^2)=V(X)+\{E(X)\}^2$

$\qquad=\dfrac{9}{4}+3^2=\dfrac{\textbf{45}}{\textbf{4}}$

집중 연습 본문 | **117** 쪽

01 (1) 100회의 독립시행이고, 한 개의 동전을 한 번 던져서
앞면이 나올 확률은 $\dfrac{1}{2}$이므로 확률변수 X는 이항분포
$B\left(100, \dfrac{1}{2}\right)$을 따른다.

$\therefore E(X)=100\times\dfrac{1}{2}=\textbf{50}$

(2) 3회의 독립시행이고, 한 개의 주사위를 한 번 던져서 3의
배수의 눈이 나올 확률은 $\dfrac{1}{3}$이므로 확률변수 X는 이항분
포 $B\left(3, \dfrac{1}{3}\right)$을 따른다.

$\therefore E(X)=3\times\dfrac{1}{3}=\textbf{1}$

(3) 5회의 독립시행이고, 숫 성공률이 0.6이므로 확률변수 X
는 이항분포 $B(5, 0.6)$을 따른다.
$\therefore E(X)=5\times0.6=\textbf{3}$

02 (1) 1000회의 독립시행이고, 한 개의 씨앗이 발아할 확률은
$\dfrac{80}{100}=\dfrac{4}{5}$이므로 확률변수 X는 이항분포 $B\left(1000, \dfrac{4}{5}\right)$
를 따른다.

$\therefore E(X)=1000\times\dfrac{4}{5}=\textbf{800}$

$\sigma(X)=\sqrt{1000\times\dfrac{4}{5}\times\dfrac{1}{5}}=\textbf{4}\sqrt{\textbf{10}}$

(2) 20회의 독립시행이고, 1회의 시행에서 흰 공을 뽑을 확률
이 $\dfrac{4}{10}=\dfrac{2}{5}$이므로 확률변수 X는 이항분포 $B\left(20, \dfrac{2}{5}\right)$를
따른다.

$\therefore E(X)=20\times\dfrac{2}{5}=\textbf{8}$

$\sigma(X)=\sqrt{20\times\dfrac{2}{5}\times\dfrac{3}{5}}=\sqrt{\dfrac{24}{5}}=\dfrac{\textbf{2}\sqrt{\textbf{30}}}{\textbf{5}}$

03 (1) 불량품의 개수를 X라 하면 1000회의 독립시행이고, 한 개
의 제품이 불량품일 확률은 $\dfrac{3}{100}$이므로 확률변수 X는 이
항분포 $B\left(1000, \dfrac{3}{100}\right)$을 따른다.

$\therefore E(X)=1000\times\dfrac{3}{100}=\textbf{30}$

(2) 검은 공이 나오는 횟수를 X라 하면 30회의 독립시행이고, 1회의 시행에서 검은 공이 나올 확률은 $\dfrac{3}{5}$이므로 확률변수 X는 이항분포 $B\left(30, \dfrac{3}{5}\right)$을 따른다.

$$\therefore E(X)=30\times\dfrac{3}{5}=\mathbf{18}$$

(3) 완치되는 환자 수를 X라 하면 100회의 독립시행이고, 치료율이 90 %, 즉 $\dfrac{9}{10}$이므로 확률변수 X는 이항분포 $B\left(100, \dfrac{9}{10}\right)$를 따른다.

$$\therefore \sigma(X)=\sqrt{100\times\dfrac{9}{10}\times\dfrac{1}{10}}=\mathbf{3}$$

(4) 3개의 앞면과 1개의 뒷면이 나오는 횟수를 X라 하면 동전 4개를 동시에 던질 때, 3개는 앞면, 1개는 뒷면이 나올 확률은

$$_4C_3\left(\dfrac{1}{2}\right)^3\left(\dfrac{1}{2}\right)^1=\dfrac{1}{4}$$

이때 320회의 독립시행이므로 확률변수 X는 이항분포 $B\left(320, \dfrac{1}{4}\right)$을 따른다.

$$\therefore E(X)=320\times\dfrac{1}{4}=\mathbf{80}$$

$$V(X)=320\times\dfrac{1}{4}\times\dfrac{3}{4}=\mathbf{60}$$

09-1 셀파 한 개의 주사위를 한 번 던져서 6의 약수의 눈이 나올 확률을 구한다.

한 개의 주사위를 한 번 던져서 나온 눈의 수가 6의 약수인 경우는 1, 2, 3, 6의 4가지이므로 6의 약수의 눈이 나올 확률은 $\dfrac{2}{3}$이다.

이때 주사위를 6번 던지므로 확률변수 X는 이항분포 $B\left(6, \dfrac{2}{3}\right)$를 따른다.

$$\therefore E(X)=6\times\dfrac{2}{3}=4$$

$$\therefore E(Y)=E(12X-36)$$
$$=12E(X)-36$$
$$=12\times4-36=\mathbf{12}$$

09-2 셀파 꺼낸 공을 다시 주머니에 넣으므로 독립시행을 n번 반복하는 경우이다.

15개의 공 중에서 흰 공이 k개 있으므로 한 번의 시행에서 흰 공이 나올 확률은 $\dfrac{k}{15}$이다.

이때 n회의 독립시행이므로 확률변수 X는 이항분포 $B\left(n, \dfrac{k}{15}\right)$를 따른다.

이때 $E(X)=20$에서 $n\times\dfrac{k}{15}=20$ ·····㉠

$V(X)=4^2=16$에서

$n\times\dfrac{k}{15}\times\left(1-\dfrac{k}{15}\right)=16$ ·····㉡

㉠을 ㉡에 대입하면

$20\left(1-\dfrac{k}{15}\right)=16,\ 1-\dfrac{k}{15}=\dfrac{4}{5}$ $\therefore \mathbf{k=3}$

$k=3$을 ㉠에 대입하면

$n\times\dfrac{1}{5}=20$ $\therefore \mathbf{n=100}$

연습 문제 본문 | **120~121** 쪽

01 셀파 $P(X=0)=a$, $P(X=1)=2a$, $P(X=2)=b$

확률의 총합은 1이므로

$a+2a+b=1,\ 3a+b=1$ ·····㉠

$P(X=0)=a,\ P(X=1)=2a$이므로

$P(X=0)+P(X=1)=\dfrac{1}{2}$에서

$a+2a=\dfrac{1}{2}$ $\therefore a=\dfrac{1}{6}$

$a=\dfrac{1}{6}$을 ㉠에 대입하면

$\dfrac{1}{2}+b=1$ $\therefore b=\dfrac{1}{2}$

$\therefore 3a-b=3\times\dfrac{1}{6}-\dfrac{1}{2}=\mathbf{0}$

02 셀파 $\mathrm{P}(X\le1)=\mathrm{P}(X=0)+\mathrm{P}(X=1)$

확률변수 X의 확률분포를 표로 나타내면 다음과 같다.

X	0	1	2	3	합계
$\mathrm{P}(X=x)$	$\dfrac{2}{c}$	$\dfrac{2}{c}$	$\dfrac{4}{c}$	$\dfrac{8}{c}$	1

확률의 총합은 1이므로

$$\frac{2}{c}+\frac{2}{c}+\frac{4}{c}+\frac{8}{c}=1,\ \frac{16}{c}=1 \qquad \therefore c=16$$

$$\therefore \mathrm{P}(X\le1)=\mathrm{P}(X=0)+\mathrm{P}(X=1)$$
$$=\frac{2}{c}+\frac{2}{c}=\frac{4}{c}$$
$$=\frac{4}{16}=\boldsymbol{\frac{1}{4}}$$

03 셀파 $\mathrm{P}(X\le2)=\mathrm{P}(X=0)+\mathrm{P}(X=1)+\mathrm{P}(X=2)$

(1) 나오는 불량품의 개수를 확률변수 X라 하면 X가 가질 수 있는 값은 0, 1, 2, 3이다.

이때 X가 각 값을 가질 확률은

$$\mathrm{P}(X=0)=\frac{{}_6\mathrm{C}_3}{{}_{10}\mathrm{C}_3}=\frac{1}{6}$$

$$\mathrm{P}(X=1)=\frac{{}_6\mathrm{C}_2\times{}_4\mathrm{C}_1}{{}_{10}\mathrm{C}_3}=\frac{1}{2}$$

$$\mathrm{P}(X=2)=\frac{{}_6\mathrm{C}_1\times{}_4\mathrm{C}_2}{{}_{10}\mathrm{C}_3}=\frac{3}{10}$$

$$\mathrm{P}(X=3)=\frac{{}_4\mathrm{C}_3}{{}_{10}\mathrm{C}_3}=\frac{1}{30}$$

이므로 확률변수 X의 확률분포를 표로 나타내면 다음과 같다.

X	0	1	2	3	합계
$\mathrm{P}(X=x)$	$\dfrac{1}{6}$	$\dfrac{1}{2}$	$\dfrac{3}{10}$	$\dfrac{1}{30}$	1

(2) $\mathrm{P}(X\le2)=\mathrm{P}(X=0)+\mathrm{P}(X=1)+\mathrm{P}(X=2)$
$$=\frac{1}{6}+\frac{1}{2}+\frac{3}{10}=\boldsymbol{\frac{29}{30}}$$

| 참고 |
여사건의 확률을 이용하여 구할 수 있다.
$$\mathrm{P}(X\le2)=1-\mathrm{P}(X>2)$$
$$=1-\mathrm{P}(X=3)$$
$$=1-\frac{1}{30}=\frac{29}{30}$$

04 셀파 $\dfrac{1}{8}+b+c=1,\ \mathrm{E}(X)=\dfrac{1}{2},\ \mathrm{V}(X)=1$을 이용한다.

확률의 총합은 1이므로 $\dfrac{1}{8}+b+c=1$

$$\therefore b+c=\frac{7}{8} \qquad \cdots\cdots\ \text{㉠}$$

$\mathrm{E}(X)=\dfrac{1}{2}$이므로 $-a\times\dfrac{1}{8}+0\times b+1\times c=\dfrac{1}{2}$

$$\therefore -\frac{1}{8}a+c=\frac{1}{2} \qquad \cdots\cdots\ \text{㉡}$$

$$\mathrm{V}(X)=\mathrm{E}(X^2)-\{\mathrm{E}(X)\}^2$$
$$=(-a)^2\times\frac{1}{8}+0^2\times b+1^2\times c-\left(\frac{1}{2}\right)^2$$
$$=\frac{1}{8}a^2+c-\frac{1}{4}$$

$\mathrm{V}(X)=1$이므로 $\dfrac{1}{8}a^2+c-\dfrac{1}{4}=1$

$$\therefore \frac{1}{8}a^2+c=\frac{5}{4} \qquad \cdots\cdots\ \text{㉢}$$

㉠, ㉡, ㉢을 연립하여 풀면

$$a=2,\ b=\frac{1}{8},\ c=\frac{3}{4}$$

$$\therefore a+2b+c=2+\frac{1}{4}+\frac{3}{4}=\boldsymbol{3}$$

| 참고 |
(1) 연립방정식의 풀이 (대입법)

㉡에서 $c=\dfrac{1}{2}+\dfrac{1}{8}a$를 ㉢에 대입하면

$$\frac{1}{8}a^2+\left(\frac{1}{2}+\frac{1}{8}a\right)=\frac{5}{4}$$

$$\frac{1}{8}a^2+\frac{1}{8}a-\frac{3}{4}=0$$

$a^2+a-6=0$에서 $(a+3)(a-2)=0$

$$\therefore a=-3\ \text{또는}\ a=2$$

이때 $a>0$이므로 $a=2$

$a=2$를 ㉡에 대입하면 $c=\dfrac{3}{4}$

$c=\dfrac{3}{4}$을 ㉠에 대입하면 $b=\dfrac{1}{8}$

$$\therefore a=2,\ b=\frac{1}{8},\ c=\frac{3}{4}$$

(2) 연립방정식의 풀이 (가감법)

㉢$-$㉡을 하면

$$\frac{1}{8}a^2+\frac{1}{8}a=\frac{3}{4}$$

(1)과 같은 방법으로 풀면

$$a=2,\ b=\frac{1}{8},\ c=\frac{3}{4}$$

05 [셀파] 확률변수 X의 값이 될 수 있는 수를 모두 찾고 각각의 확률을 구한다.

확률변수 X가 가질 수 있는 값은 0, 1, 2, 3이고, 그 확률은 각각

$$P(X=0)=\frac{_7C_3}{_{10}C_3}=\frac{7}{24}$$

$$P(X=1)=\frac{_3C_1\times_7C_2}{_{10}C_3}=\frac{21}{40}$$

$$P(X=2)=\frac{_3C_2\times_7C_1}{_{10}C_3}=\frac{7}{40}$$

$$P(X=3)=\frac{_3C_3}{_{10}C_3}=\frac{1}{120}$$

따라서 확률변수 X의 확률분포를 표로 나타내면 다음과 같다.

X	0	1	2	3	합계
$P(X=x)$	$\frac{7}{24}$	$\frac{21}{40}$	$\frac{7}{40}$	$\frac{1}{120}$	1

$$\therefore E(X)=0\times\frac{7}{24}+1\times\frac{21}{40}+2\times\frac{7}{40}+3\times\frac{1}{120}$$

$$=\frac{9}{10}$$

06 [셀파] 확률변수 X의 확률분포를 표로 나타낸다.

㉮ 확률변수 X가 가질 수 있는 값은 0, 1, 2이고, 그 확률은 각각

$$P(X=0)=\frac{_4C_2}{_6C_2}=\frac{2}{5}$$

$$P(X=1)=\frac{_4C_1\times_2C_1}{_6C_2}=\frac{8}{15}$$

$$P(X=2)=\frac{_2C_2}{_6C_2}=\frac{1}{15}$$

따라서 X의 확률분포를 표로 나타내면 다음과 같다.

X	0	1	2	합계
$P(X=x)$	$\frac{2}{5}$	$\frac{8}{15}$	$\frac{1}{15}$	1

㉯ $E(X)=0\times\frac{2}{5}+1\times\frac{8}{15}+2\times\frac{1}{15}=\frac{2}{3}$

$E(X^2)=0^2\times\frac{2}{5}+1^2\times\frac{8}{15}+2^2\times\frac{1}{15}=\frac{4}{5}$

㉰ $\therefore V(X)=E(X^2)-\{E(X)\}^2$

$$=\frac{4}{5}-\left(\frac{2}{3}\right)^2=\frac{16}{45}$$

채점 기준	배점
㉮ X의 확률분포를 표로 나타낸다.	50%
㉯ $E(X)$, $E(X^2)$을 구한다.	30%
㉰ $V(X)$를 구한다.	20%

07 [셀파] 확률의 총합이 1임을 이용하여 상수 a의 값을 구한다.

확률의 총합은 1이므로

$$a+3a+3a+a=1 \qquad \therefore a=\frac{1}{8}$$

X	-1	0	1	2	합계
$P(X=x)$	$\frac{1}{8}$	$\frac{3}{8}$	$\frac{3}{8}$	$\frac{1}{8}$	1

$$E(X)=-1\times\frac{1}{8}+0\times\frac{3}{8}+1\times\frac{3}{8}+2\times\frac{1}{8}=\frac{1}{2}$$

$$E(X^2)=(-1)^2\times\frac{1}{8}+0^2\times\frac{3}{8}+1^2\times\frac{3}{8}+2^2\times\frac{1}{8}=1$$

이므로

$$V(X)=E(X^2)-\{E(X)\}^2$$

$$=1-\left(\frac{1}{2}\right)^2=\frac{3}{4}$$

$$\sigma(X)=\sqrt{V(X)}=\sqrt{\frac{3}{4}}=\frac{\sqrt{3}}{2}$$

$$\therefore \sigma(2X-3)=|2|\sigma(X)$$

$$=2\times\frac{\sqrt{3}}{2}=\sqrt{3}$$

08 [셀파] $V(aX+b)=a^2V(X)$

확률변수 X가 가질 수 있는 값은 0, 1, 2이고, 그 확률은 각각

$$P(X=0)=\frac{_3C_2}{_5C_2}=\frac{3}{10}$$

$$P(X=1)=\frac{_2C_1\times_3C_1}{_5C_2}=\frac{3}{5}$$

$$P(X=2)=\frac{_2C_2}{_5C_2}=\frac{1}{10}$$

따라서 X의 확률분포를 표로 나타내면 다음과 같다.

X	0	1	2	합계
$P(X=x)$	$\frac{3}{10}$	$\frac{3}{5}$	$\frac{1}{10}$	1

$$E(X)=0\times\frac{3}{10}+1\times\frac{3}{5}+2\times\frac{1}{10}=\frac{4}{5}$$

$$E(X^2)=0^2\times\frac{3}{10}+1^2\times\frac{3}{5}+2^2\times\frac{1}{10}=1$$

이므로

$$V(X)=E(X^2)-\{E(X)\}^2$$

$$=1-\left(\frac{4}{5}\right)^2=\frac{9}{25}$$

$$\therefore V(5X+2)=5^2V(X)$$

$$=25\times\frac{9}{25}=9$$

09 셀파 $P(X \geq 19) = P(X=19) + P(X=20)$

동아리의 회원 20명 중에서 1명이 실제로 활동할 확률이 80 %,
즉 0.8이므로 확률변수 X는 이항분포 $B(20, 0.8)$을 따른다.
따라서 X의 확률질량함수는

$$P(X=x) = \begin{cases} {}_{20}C_0(0.2)^{20} & (x=0) \\ {}_{20}C_x(0.8)^x(0.2)^{20-x} & (x=1, 2, \cdots, 19) \\ {}_{20}C_{20}(0.8)^{20} & (x=20) \end{cases}$$

$$\begin{aligned} \therefore P(X \geq 19) &= P(X=19) + P(X=20) \\ &= {}_{20}C_{19}(0.8)^{19}(0.2)^1 + {}_{20}C_{20}(0.8)^{20} \\ &= 20 \times 0.014 \times 0.2 + 0.012 \\ &= \textbf{0.068} \end{aligned}$$

10 셀파 엔진이 고장난 자동차의 수를 확률변수 X로 놓는다.

한 대의 자동차가 100000 km를 주행할 때까지 엔진이 고장날 확
률은 $\dfrac{1}{2}$이다.

이 자동차를 10대 구입하였을 때, 100000 km를 주행할 때까지
엔진이 고장난 자동차의 수를 확률변수 X라 하면 X는 이항분포
$B\left(10, \dfrac{1}{2}\right)$을 따른다.

X의 확률질량함수는

$$P(X=x) = \begin{cases} {}_{10}C_0\left(\dfrac{1}{2}\right)^{10} & (x=0) \\ {}_{10}C_x\left(\dfrac{1}{2}\right)^x\left(\dfrac{1}{2}\right)^{10-x} & (x=1, 2, \cdots, 9) \\ {}_{10}C_{10}\left(\dfrac{1}{2}\right)^{10} & (x=10) \end{cases}$$

따라서 엔진이 고장난 자동차가 2대 이하일 확률은
$$\begin{aligned} P(X \leq 2) &= P(X=0) + P(X=1) + P(X=2) \\ &= {}_{10}C_0\left(\dfrac{1}{2}\right)^{10} + {}_{10}C_1\left(\dfrac{1}{2}\right)^1\left(\dfrac{1}{2}\right)^9 + {}_{10}C_2\left(\dfrac{1}{2}\right)^2\left(\dfrac{1}{2}\right)^8 \\ &= \dfrac{1}{1024} + \dfrac{10}{1024} + \dfrac{45}{1024} = \dfrac{\textbf{7}}{\textbf{128}} \end{aligned}$$

11 셀파 확률변수 X가 이항분포 $B(n, p)$를 따를 때,
$E(X) = np$, $V(X) = np(1-p)$

확률질량함수에서 확률변수 X는 이항분포 $B\left(12, \dfrac{1}{4}\right)$을 따르므로

$$E(X) = 12 \times \dfrac{1}{4} = 3$$

$$V(X) = 12 \times \dfrac{1}{4} \times \dfrac{3}{4} = \dfrac{9}{4}$$

$$\begin{aligned} \therefore E(4X-3) + V(4X-3) &= 4E(X) - 3 + 4^2V(X) \\ &= 4 \times 3 - 3 + 16 \times \dfrac{9}{4} = \textbf{45} \end{aligned}$$

12 셀파 확률변수 X가 이항분포 $B(n, p)$를 따르면 $E(X) = np$

한 개의 주사위를 1번 던져서 홀수의 눈이 나올 확률은 $\dfrac{1}{2}$이다.

이때 주사위를 36번 던지므로 확률변수 X는 이항분포
$B\left(36, \dfrac{1}{2}\right)$을 따른다.

$$E(X) = 36 \times \dfrac{1}{2} = 18$$

따라서 $2X-1$의 평균은
$$\begin{aligned} E(2X-1) &= 2E(X) - 1 \\ &= 2 \times 18 - 1 = \textbf{35} \end{aligned}$$

13 셀파 $V(X) = E(X^2) - \{E(X)\}^2$

발아율이 0.9이고 씨앗 100개를 심었으므로 확률변수 X는 이항
분포 $B(100, 0.9)$를 따른다.
$$E(X) = 100 \times 0.9 = 90$$
$$V(X) = 100 \times 0.9 \times 0.1 = 9$$
따라서 $V(X) = E(X^2) - \{E(X)\}^2$이므로 X^2의 평균은
$$\begin{aligned} E(X^2) &= V(X) + \{E(X)\}^2 \\ &= 9 + 90^2 = \textbf{8109} \end{aligned}$$

6. 정규분포

본문 | **125, 127** 쪽

개념 익히기

1-1 확률변수 X가 범위 안의 어느 한 값을 취할 수 있는 것이 같은 정도로 일어난다고 기대할 수 있으므로 구하는 확률은

$$P(2 \leq X \leq 4) = \frac{(\text{구간 } 2 \leq X \leq 4\text{의 길이})}{(\text{구간 } 0 \leq X \leq 8\text{의 길이})}$$
$$= \frac{4 - \boxed{2}}{8} = \frac{1}{4}$$

1-2 $P(X \leq 30) = \dfrac{(\text{구간 } 0 \leq X \leq 30\text{의 길이})}{(\text{구간 } 0 \leq X \leq 60\text{의 길이})}$

$$= \frac{30}{60} = \frac{1}{2}$$

2-1 m의 값이 일정할 때, σ의 값에 따른 확률밀도함수의 그래프는 오른쪽 그림과 같다. 즉,

(1) σ의 값이 커지면 곡선은 **낮아지고** 양쪽으로 퍼진다.

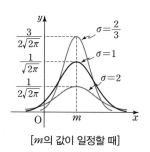

[m의 값이 일정할 때]

(2) σ의 값이 작아지면 곡선은 **높아지고** 뾰족해진다.

2-2 σ의 값이 일정할 때, m의 값에 따른 확률밀도함수의 그래프는 오른쪽 그림과 같다.
즉, σ의 값이 일정할 때, m의 값이 변하면 곡선의 모양은 **달라지지 않는다.**

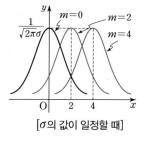

[σ의 값이 일정할 때]

3-1 (1) $P(Z \leq 1)$
$= P(Z \leq \boxed{0}) + P(0 \leq Z \leq 1)$
$= 0.5 + 0.3413$
$= \mathbf{0.8413}$

(2) $P(1 \leq Z \leq 2)$
$= P(0 \leq Z \leq 2) - P(0 \leq Z \leq 1)$
$= 0.4772 - \boxed{0.3413}$
$= \boxed{\mathbf{0.1359}}$

3-2 (1) $P(Z \geq 1)$
$= P(Z \geq 0) - P(0 \leq Z \leq 1)$
$= 0.5 - 0.3413$
$= \mathbf{0.1587}$

(2) $P(|Z| \leq 1.5)$
$= P(-1.5 \leq Z \leq 1.5)$
$= P(-1.5 \leq Z \leq 0)$
$\quad + P(0 \leq Z \leq 1.5)$
$= P(0 \leq Z \leq 1.5) + P(0 \leq Z \leq 1.5)$
$= 0.4332 + 0.4332$
$= \mathbf{0.8664}$

4-1 $m = 5$, $\sigma = 2$이고 $Z = \dfrac{X - 5}{2}$는 표준정규분포를 따르므로

$$P(5 \leq X \leq 8) = P\left(\frac{5 - 5}{2} \leq Z \leq \frac{\boxed{8} - 5}{2}\right)$$
$$= P(0 \leq Z \leq \boxed{1.5})$$

이때 표준정규분포표에서 $P(0 \leq Z \leq \boxed{1.5}) = 0.4332$ 이므로
$$P(5 \leq X \leq 8) = \boxed{\mathbf{0.4332}}$$

4-2 $m = 3$, $\sigma = 4$이고 $Z = \dfrac{X - 3}{4}$은 표준정규분포를 따르므로

$$P(3 \leq X \leq 11) = P\left(\frac{3 - 3}{4} \leq Z \leq \frac{\boxed{11} - 3}{4}\right)$$
$$= P(0 \leq Z \leq \boxed{2})$$

이때 표준정규분포표에서 $P(0 \leq Z \leq \boxed{2}) = 0.4772$ 이므로
$$P(3 \leq X \leq 11) = \boxed{\mathbf{0.4772}}$$

(1) 전구의 수명은 시간이므로 어떤 범위에서 임의의 실숫값을 연속적으로 가질 수 있다. 따라서 **연속확률변수**이다.

(2) 농구 선수가 한 경기에서 성공시킨 3점 슛의 개수는 셀 수 있다. 따라서 **이산확률변수**이다.

확인 문제 본문 **129~140** 쪽

01-1 셀파 $0 \le x \le 1$에서 $f(x)$가 확률변수 X의 확률밀도함수이면 $f(x) \ge 0$이고, 함수 $y=f(x)$의 그래프와 x축 및 두 직선 $x=0$, $x=1$로 둘러싸인 부분의 넓이가 1이다.

ㄱ. $0 \le x \le 1$에서 $f(x) > 0$이고, $f(x)$의 그래프와 x축, y축 및 직선 $x=1$로 둘러싸인 부분의 넓이는 $1 \times 1 = 1$이므로 $f(x)$는 확률밀도함수이다.

ㄴ. $0 \le x \le 1$에서 $f(x) \ge 0$이고, $f(x)$의 그래프와 x축 및 직선 $x=1$로 둘러싸인 부분의 넓이는 $\frac{1}{2} \times 1 \times 2 = 1$이므로 $f(x)$는 확률밀도함수이다.

ㄷ. $0 \le x \le 1$에서 $f(x) \ge 0$이고, $f(x)$의 그래프와 x축, y축으로 둘러싸인 부분의 넓이는 $\frac{1}{2} \times 1 \times 1 = \frac{1}{2}$이므로 $f(x)$는 확률밀도함수가 아니다.

따라서 확률밀도함수인 것은 ㄱ, ㄴ이다.

02-1 셀파 $f(x)$의 그래프와 x축 및 두 직선 $x=3$, $x=5$로 둘러싸인 부분의 넓이가 1이 되도록 상수 k의 값을 정한다.

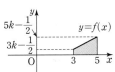

$3 \le x \le 5$에서 확률밀도함수 $y=f(x)$의 그래프와 x축 사이의 넓이는 1이므로

$$\frac{1}{2} \times (8k-1) \times 2 = 1$$

$\left[\left(3k - \frac{1}{2}\right) + \left(5k - \frac{1}{2}\right)\right] \times (5-3)$

$8k - 1 = 1 \qquad \therefore k = \frac{1}{4}$

이때 $\mathrm{P}(X \le 4)$는 오른쪽 그림에서 색칠한 부분의 넓이와 같으므로

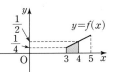

$$\mathrm{P}(X \le 4) = \frac{1}{2} \times \left(\frac{1}{4} + \frac{1}{2}\right) \times 1 = \frac{3}{8}$$

02-2 셀파 확률밀도함수의 그래프와 x축으로 둘러싸인 부분의 넓이가 1이 되도록 a의 값을 정한다.

함수 $y=f(x)$의 그래프와 x축으로 둘러싸인 부분의 넓이가 1이므로

$$\frac{1}{2} \times 5 \times a = 1 \qquad \therefore a = \frac{2}{5}$$

이때 $\mathrm{P}(0 \le X \le b) = \frac{1}{15}$이므로 $b < 3$이어야 한다.

$\mathrm{P}(0 \le X \le b)$는 함수 $f(x) = \frac{2}{15}x$의 그래프와 x축 및 직선 $x=b$로 둘러싸인 부분의 넓이와 같으므로

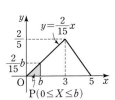

$$\frac{1}{2} \times b \times \frac{2}{15}b = \frac{1}{15}$$

$b^2 = 1$

$\therefore b = 1 \ (\because b > 0)$

세미나 연속확률변수의 확률

(1) 확률밀도함수를 이용하여 연속확률변수의 확률 구하기

$\alpha \le x \le \beta$에서 정의된 연속확률변수 X의 확률밀도함수가 $f(x)$일 때 $(\alpha \le a \le b \le \beta)$

❶ $\mathrm{P}(a \le X \le b)$는 $y=f(x)$의 그래프와 x축 및 두 직선 $x=a$, $x=b$로 둘러싸인 부분의 넓이와 같다.

❷ $\mathrm{P}(a \le X \le b) = \mathrm{P}(\alpha \le X \le \beta) - \mathrm{P}(\alpha \le X \le a) - \mathrm{P}(b \le X \le \beta)$

(2) 적분을 이용하여 연속확률변수의 확률 구하기

$\alpha \le x \le \beta$에서 정의된 연속확률변수 X의 확률밀도함수가 $f(x)$일 때

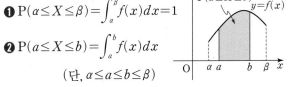

❶ $\mathrm{P}(\alpha \le X \le \beta) = \int_{\alpha}^{\beta} f(x)\,dx = 1$

❷ $\mathrm{P}(a \le X \le b) = \int_{a}^{b} f(x)\,dx$

(단, $\alpha \le a \le b \le \beta$)

03-1 셀파 직선 $x=m$에 대하여 대칭인 정규분포곡선을 그려 본다.

확률변수 X가 정규분포 $N(m, \sigma^2)$을 따를 때, 정규분포곡선은 직선 $x=m$에 대하여 대칭이므로

$P(m-\sigma \leq X \leq m) = P(m \leq X \leq m+\sigma)$

$P(X \geq m) = P(X \leq m) = 0.5$

(1) $P(X \geq m-\sigma)$

$= P(m-\sigma \leq X \leq m) + P(X \geq m)$

$= P(m \leq X \leq m+\sigma) + P(X \geq m)$

$= 0.3413 + 0.5$

$= \mathbf{0.8413}$

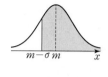

(2) $P(m-2\sigma \leq X \leq m+\sigma)$

$= P(m-2\sigma \leq X \leq m)$
$\qquad + P(m \leq X \leq m+\sigma)$

$= P(m \leq X \leq m+2\sigma)$
$\qquad + P(m \leq X \leq m+\sigma)$

$= 0.4772 + 0.3413$

$= \mathbf{0.8185}$

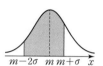

LEC TURE 정규분포에서의 확률

확률변수 X가 정규분포 $N(m, \sigma^2)$을 따를 때, 정규분포곡선은 직선 $x=m$에 대하여 대칭이므로 다음이 성립한다.

❶ $P(X \leq m) = P(X \geq m) = 0.5$

❷ $P(m-\sigma \leq X \leq m) = P(m \leq X \leq m+\sigma)$

❸ $P(m-\sigma \leq X \leq m+\sigma) = 2P(m \leq X \leq m+\sigma)$

❹ $P(X \leq m-\sigma) = P(X \geq m+\sigma)$
$\qquad\qquad = 0.5 - P(m \leq X \leq m+\sigma)$

셀파 특강 확인 체크 02

$P(0 \leq Z \leq 1) = a$, $P(0 \leq Z \leq 1.5) = b$라 하자.

ㄱ. $P(-1.5 \leq Z \leq 1)$

$= P(-1.5 \leq Z \leq 0) + P(0 \leq Z \leq 1)$

$= P(0 \leq Z \leq 1.5) + P(0 \leq Z \leq 1)$

$= a + b$

ㄴ. $P(-1 \leq Z \leq 1.5)$

$= P(-1 \leq Z \leq 0) + P(0 \leq Z \leq 1.5)$

$= P(0 \leq Z \leq 1) + P(0 \leq Z \leq 1.5)$

$= a + b$

ㄷ. $P(|Z| \leq 1.5)$

$= P(-1.5 \leq Z \leq 1.5)$

$= P(-1.5 \leq Z \leq 0) + P(0 \leq Z \leq 1.5)$

$= P(0 \leq Z \leq 1.5) + P(0 \leq Z \leq 1.5)$

$= 2b$

따라서 확률의 값이 나머지와 다른 것은 ㄷ이다.

04-1 셀파 확률변수 $Z = \dfrac{X-40}{10}$은 표준정규분포 $N(0, 1)$을 따른다.

(1) $P(32 \leq X \leq 40)$

$= P\left(\dfrac{32-40}{10} \leq Z \leq \dfrac{40-40}{10}\right)$

$= P(-0.8 \leq Z \leq 0)$

$= P(0 \leq Z \leq 0.8)$

$= \mathbf{0.2881}$

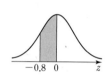

(2) $P(X \geq 52) = P\left(Z \geq \dfrac{52-40}{10}\right)$

$= P(Z \geq 1.2)$

$= 0.5 - P(0 \leq Z \leq 1.2)$

$= 0.5 - 0.3849$

$= \mathbf{0.1151}$

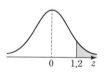

(3) $P(X \leq 50) = P\left(Z \leq \dfrac{50-40}{10}\right)$

$= P(Z \leq 1)$

$= 0.5 + P(0 \leq Z \leq 1)$

$= 0.5 + 0.3413$

$= \mathbf{0.8413}$

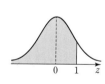

LEC TURE 정규분포의 확률

정규분포를 따르는 확률변수에 대한 확률을 구할 때는 표준정규분포를 따르는 확률변수로 바꾸어야 한다.

즉, 확률변수 X가 평균이 m, 표준편차가 σ인 정규분포를 따를 때, 다음과 같이 확률을 계산할 수 있다.

$$N(m, \sigma^2) \xrightarrow{\;Z = \frac{X-m}{\sigma}\;} N(0, 1)$$

$$P(X \geq a) \xrightarrow{\;\text{확률의 계산}\;} P\left(Z \geq \dfrac{a-m}{\sigma}\right)$$

본문 | **135** 쪽

01 확률변수 $Z=\dfrac{X-3}{4}$ 은 표준정규분포 $N(0, 1)$을 따르므로

$P(X \geq 11)$

$=P\left(Z \geq \dfrac{11-3}{4}\right)$

$=P(Z \geq 2)$

$=P(Z \geq 0)-P(0 \leq Z \leq 2)$

$=0.5-0.4772$

$=\mathbf{0.0228}$

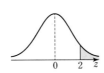

02 확률변수 $Z=\dfrac{X-12}{2}$ 는 표준정규분포 $N(0, 1)$을 따르므로

$P(8 \leq X \leq 18)$

$=P\left(\dfrac{8-12}{2} \leq Z \leq \dfrac{18-12}{2}\right)$

$=P(-2 \leq Z \leq 3)$

$=P(-2 \leq Z \leq 0)+P(0 \leq Z \leq 3)$

$=P(0 \leq Z \leq 2)+P(0 \leq Z \leq 3)$

$=0.4772+0.4987$

$=\mathbf{0.9759}$

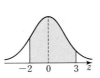

03 확률변수 $Z=\dfrac{X-160}{4}$ 은 표준정규분포 $N(0, 1)$을 따르므로

$P(154 \leq X \leq 166)$

$=P\left(\dfrac{154-160}{4} \leq Z \leq \dfrac{166-160}{4}\right)$

$=P(-1.5 \leq Z \leq 1.5)$

$=P(-1.5 \leq Z \leq 0)$
$\qquad +P(0 \leq Z \leq 1.5)$

$=P(0 \leq Z \leq 1.5)$
$\qquad +P(0 \leq Z \leq 1.5)$

$=2P(0 \leq Z \leq 1.5)$

$=2 \times 0.4332$

$=\mathbf{0.8664}$

04 확률변수 $Z=\dfrac{X-0}{2}$ 은 표준정규분포 $N(0, 1)$을 따르므로

$P(|X| \geq 2)$

$=P(X \leq -2)+P(X \geq 2)$

$=P\left(Z \leq \dfrac{-2-0}{2}\right)+P\left(Z \geq \dfrac{2-0}{2}\right)$

$=P(Z \leq -1)+P(Z \geq 1)$

$=2P(Z \geq 1)$

$=2\{P(Z \geq 0)-P(0 \leq Z \leq 1)\}$

$=2(0.5-0.3413)$

$=\mathbf{0.3174}$

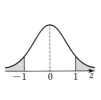

05 확률변수 $Z=\dfrac{X-30}{5}$ 은 표준정규분포 $N(0, 1)$을 따른다.

이때 $Y=3X-2$이므로

$P(Y \leq 73)$

$=P(3X-2 \leq 73)$

$=P(X \leq 25)$

$=P\left(Z \leq \dfrac{25-30}{5}\right)$

$=P(Z \leq -1)$

$=P(Z \geq 1)$

$=P(Z \geq 0)-P(0 \leq Z \leq 1)$

$=0.5-0.3413$

$=\mathbf{0.1587}$

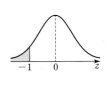

| 다른 풀이 |

$E(X)=30$, $V(X)=25$이므로

$E(Y)=E(3X-2)=3E(X)-2=3 \times 30-2=88$

$V(Y)=V(3X-2)=3^2 V(X)=9 \times 25=225$

즉, 확률변수 Y는 정규분포 $N(88, 15^2)$을 따른다.

한편 $Z=\dfrac{Y-88}{15}$ 로 놓으면 Z는 표준정규분포 $N(0, 1)$을 따르므로

$P(Y \leq 73)=P\left(Z \leq \dfrac{73-88}{15}\right)$

$\qquad =P(Z \leq -1)$

$\qquad =P(Z \geq 1)$

$\qquad =P(Z \geq 0)-P(0 \leq Z \leq 1)$

$\qquad =0.5-0.3413$

$\qquad =0.1587$

06 확률변수 $Z=\dfrac{X-20}{5}$은 표준정규분포 $N(0, 1)$을 따른다.

이때 $Y=4X+10$이므로

$P(Y\geq60)$

$=P(4X+10\geq60)$

$=P(X\geq12.5)$

$=P\left(Z\geq\dfrac{12.5-20}{5}\right)$

$=P(Z\geq-1.5)$

$=P(-1.5\leq Z\leq0)+P(Z\geq0)$

$=P(0\leq Z\leq1.5)+P(Z\geq0)$

$=0.4332+0.5$

$=\mathbf{0.9332}$

| 다른 풀이 |

$E(X)=20$, $V(X)=25$이므로

$E(Y)=E(4X+10)=4E(X)+10=4\times20+10=90$

$V(Y)=V(4X+10)=4^{2}V(X)=16\times25=400$

즉, 확률변수 Y는 정규분포 $N(90, 20^2)$을 따른다.

한편 $Z=\dfrac{Y-90}{20}$으로 놓으면 Z는 표준정규분포 $N(0, 1)$을 따르므로

$P(Y\geq60)=P\left(Z\geq\dfrac{60-90}{20}\right)$

$\qquad\qquad=P(Z\geq-1.5)$

$\qquad\qquad=P(-1.5\leq Z\leq0)+P(Z\geq0)$

$\qquad\qquad=P(0\leq Z\leq1.5)+P(Z\geq0)$

$\qquad\qquad=0.4332+0.5$

$\qquad\qquad=0.9332$

05-1 셀파 $m=200$, $\sigma=5$에서 $Z=\dfrac{X-200}{5}$으로 놓는다.

원두 커피 한 잔의 양을 확률변수 X라 하면 X는 정규분포 $N(200, 5^2)$을 따르므로 확률변수 $Z=\dfrac{X-200}{5}$은 표준정규분포 $N(0, 1)$을 따른다.

$P(X\geq210)=P\left(Z\geq\dfrac{210-200}{5}\right)$

$\qquad\qquad=P(Z\geq2)$

$\qquad\qquad=P(Z\geq0)-P(0\leq Z\leq2)$

$\qquad\qquad=0.5-0.4772=0.0228$

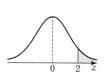

따라서 한 잔의 양이 210 mL 이상인 원두 커피는 전체의 **2.28 %**

06-1 셀파 합격자의 최저 최저 점수를 k라 하면 $P(X\geq k)=0.02$에서 k의 값을 구한다.

수험생 1000명의 점수를 확률변수 X라 하면 X는 정규분포 $N(70, 8^2)$을 따른다.

이때 합격할 확률은 $\dfrac{20}{1000}=0.02$이므로 합격자의 최저 점수를 k라 하면

$P(X\geq k)=0.02$

확률변수 $Z=\dfrac{X-70}{8}$은 표준정규분포 $N(0, 1)$을 따르므로

$P(X\geq k)=P\left(Z\geq\dfrac{k-70}{8}\right)=0.02$

$P(Z\geq0)-P\left(0\leq Z\leq\dfrac{k-70}{8}\right)=0.02$

$0.5-P\left(0\leq Z\leq\dfrac{k-70}{8}\right)=0.02$

$\therefore P\left(0\leq Z\leq\dfrac{k-70}{8}\right)=0.48$

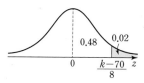

주어진 표준정규분포표에서 $P(0\leq Z\leq2)=0.48$이므로

$\dfrac{k-70}{8}=2$, $k-70=16$ $\qquad\therefore k=86$

따라서 구하는 최저 점수는 **86점**

| 참고 |

$P\left(Z\geq\dfrac{k-70}{8}\right)=0.02$에서

$\dfrac{k-70}{8}<0$이면 $P\left(Z\geq\dfrac{k-70}{8}\right)>0.50$이므로

$\dfrac{k-70}{8}>0$임을 알 수 있다.

LECTURE 최저 점수 구하기

n개의 자료 X(키, 몸무게, 성적 등)가 정규분포 $N(m, \sigma^2)$을 따를 때, 상위 a % 안에 드는 X의 최솟값은 다음과 같은 순서로 구한다.

① 구하는 최솟값을 k로 놓는다.

② $P(X\geq k)=\dfrac{a}{100}$에서 확률변수를 표준화한다.

③ 주어진 표준정규분포표를 이용하여 $\dfrac{k-m}{\sigma}$의 값을 구한다.

④ k의 값을 구한다.

수찬이의 물리, 화학, 생물 점수를 각각 확률변수 X_A, X_B, X_C
라 하자. 이때 수찬이네 반 학생들의 물리, 화학, 생물 점수는 각
각 정규분포 $N(70, 8^2)$, $N(75, 4^2)$, $N(70, 3^2)$을 따른다.
수찬이의 물리, 화학, 생물 점수를

$$Z_A = \frac{X_A - 70}{8}, \quad Z_B = \frac{X_B - 75}{4}, \quad Z_C = \frac{X_C - 70}{3}$$

으로 각각 표준화하면

$$Z_A = \frac{74 - 70}{8} = 0.5, \quad Z_B = \frac{71 - 75}{4} = -1, \quad Z_C = \frac{73 - 70}{3} = 1$$

표준정규분포곡선을 그려 Z_A, Z_B, Z_C의 위치를 나타내면 다음
과 같다.

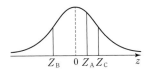

$$\therefore Z_C > Z_A > Z_B$$

따라서 수찬이는 **생물, 물리, 화학** 순으로 성적이 우수하다.

07-1 **셀파** 평균 $m = np$, 표준편차 $\sigma = \sqrt{npq}$ (단, $q = 1 - p$)

확률변수 X는 이항분포 $B\left(400, \dfrac{1}{5}\right)$을 따르므로 평균 m과 표준
편차 σ는

$$m = 400 \times \frac{1}{5} = 80$$

$$\sigma = \sqrt{400 \times \frac{1}{5} \times \frac{4}{5}} = 8$$

이때 n이 충분히 크므로 X는 근사적으로 정규분포 $N(80, 8^2)$을
따른다.

$$\begin{aligned}
\therefore P(72 \leq X \leq 88) &= P\left(\frac{72 - 80}{8} \leq Z \leq \frac{88 - 80}{8}\right) \\
&= P(-1 \leq Z \leq 1) \\
&= P(-1 \leq Z \leq 0) + P(0 \leq Z \leq 1) \\
&= P(0 \leq Z \leq 1) + P(0 \leq Z \leq 1) \\
&= 0.3413 + 0.3413 \\
&= \mathbf{0.6826}
\end{aligned}$$

07-2 **셀파** 조건에 맞는 이항분포를 구한 후 정규분포로 바꿔 해
결한다.

한 개의 주사위를 720번 던질 때, 6의 눈이 나온 횟수를 확률변수
X라 하면 X는 이항분포 $B\left(720, \dfrac{1}{6}\right)$을 따르므로 평균 m과 표
준편차 σ는

$$m = 720 \times \frac{1}{6} = 120, \quad \sigma = \sqrt{720 \times \frac{1}{6} \times \frac{5}{6}} = 10$$

이때 n이 충분히 크므로 X는 근사적으로 정규분포 $N(120, 10^2)$
을 따른다.

$$\begin{aligned}
\therefore P(110 \leq X \leq 135) &= P\left(\frac{110 - 120}{10} \leq Z \leq \frac{135 - 120}{10}\right) \\
&= P(-1 \leq Z \leq 1.5) \\
&= P(-1 \leq Z \leq 0) + P(0 \leq Z \leq 1.5) \\
&= P(0 \leq Z \leq 1) + P(0 \leq Z \leq 1.5) \\
&= 0.3413 + 0.4332 \\
&= \mathbf{0.7745}
\end{aligned}$$

LECTURE 정규분포와 이항분포

확률변수 X가 이항분포 $B(n, p)$를 따를 때, n이 충분히 크면
X는 근사적으로 정규분포 $N(m, \sigma^2)$을 따른다.
이때 $m = np$, $\sigma^2 = np(1 - p)$

이항분포 $B(n, p)$	$\xrightarrow[\sigma^2 = np(1-p)]{m = np}$	정규분포 $N(m, \sigma^2)$	$\xrightarrow{Z = \frac{X - m}{\sigma}}$	표준정규분포 $N(0, 1)$

08-1 **셀파** 뽑힌 학생이 근시일 확률은 $\dfrac{40}{100} = \dfrac{2}{5}$이다.

근시인 학생의 수를 확률변수 X라 하면 뽑힌 학생이 근시일 확률
은 $\dfrac{40}{100} = \dfrac{2}{5}$이다.

확률변수 X는 이항분포 $B\left(150, \dfrac{2}{5}\right)$를 따르므로 평균 m과 표준
편차 σ는

$$m = 150 \times \frac{2}{5} = 60, \quad \sigma = \sqrt{150 \times \frac{2}{5} \times \frac{3}{5}} = 6$$

이때 n이 충분히 크므로 X는 근사적으로 정규분포 $N(60, 6^2)$을
따른다.
근시인 학생이 k명 이하일 확률이 0.0228이므로

$$P(X \leq k) = P\left(Z \leq \frac{k - 60}{6}\right) = 0.0228 \qquad \cdots\cdots \text{㉠}$$

표준정규분포표에서 $P(0 \leq Z \leq 2) = 0.4772$이므로

$$P(Z \geq 2) = P(Z \geq 0) - P(0 \leq Z \leq 2)$$
$$= 0.5 - 0.4772 = 0.0228$$

이때 표준정규분포곡선은 직선 $z=0$에 대하여 대칭이므로

$$P(Z \geq 2) = P(Z \leq -2)$$
$$= 0.0228 \qquad \cdots\cdots \text{ⓛ}$$

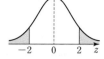

㉠, ㉡에서

$$\frac{k-60}{6} = -2, \ k-60 = -12 \qquad \therefore \boldsymbol{k=48}$$

| 참고 |

$np \geq 5$이고 $n(1-p) \geq 5$이면 n을 충분히 큰 값으로 생각한다.

따라서 이항분포 $B\left(n, \dfrac{1}{6}\right)$에서 n이 충분히 크다고 말할 수 있는 n의 값은

$$n \times \frac{1}{6} \geq 5 \text{이고 } n \times \frac{5}{6} \geq 5$$

$$n \geq 30 \text{이고 } n \geq 6 \qquad \therefore n \geq 30$$

즉, 이항분포 $B\left(n, \dfrac{1}{6}\right)$을 따르는 확률변수 X는 $n \geq 30$일 때 근사적으로 정규분포를 따른다.

셀파 세미나 이항분포와 정규분포의 관계

주사위를 n번 던져 1의 눈이 나온 횟수를 확률변수 X라 하면 주사위를 던지는 것은 독립시행이므로 X는 이항분포 $B\left(n, \dfrac{1}{6}\right)$을 따른다.

이때 X의 확률질량함수는

$$P(X=x) = \begin{cases} {}_n C_0 \left(\dfrac{5}{6}\right)^n & (x=0) \\[2mm] {}_n C_x \left(\dfrac{1}{6}\right)^x \left(\dfrac{5}{6}\right)^{n-x} & (x=1, 2, 3, \cdots, n-1) \\[2mm] {}_n C_n \left(\dfrac{1}{6}\right)^n & (x=n) \end{cases}$$

이다. 실제로 계산을 통해 시행 횟수를 달리하여 확률질량함수의 그래프를 그린 후 그 끝점을 실선으로 연결해 보면 다음 그림과 같이 n의 값이 커질수록 확률분포가 좌우 대칭인 정규분포곡선의 모양에 가깝게 된다는 것을 알 수 있다.

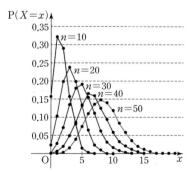

이때 그래프의 모양이 정규분포곡선처럼 좌우 대칭인 곡선은 아니지만 거의 비슷한 모양을 가지기 때문에 '근사적으로' 정규분포를 따른다고 한다.

01 셀파 $f(x)$가 확률밀도함수가 되려면 주어진 구간에서 $f(x) \geq 0$이고, $y=f(x)$의 그래프와 x축으로 둘러싸인 부분의 넓이가 1이어야 한다.

확률밀도함수가 되려면 주어진 구간에서 $f(x) \geq 0$이어야 하므로 ②, ④는 확률밀도함수가 될 수 없다.

또한 확률밀도함수가 되려면 주어진 구간에서 $y=f(x)$의 그래프와 x축으로 둘러싸인 부분의 넓이가 1이어야 한다.

① $2 \times 1 = 2$ ③ $\dfrac{1}{2} \times 2 \times 1 = 1$ ⑤ $\dfrac{1}{2} \times 2 \times 2 = 2$

이므로 ①, ⑤도 확률밀도함수가 될 수 없다.

③은 확률밀도함수가 될 두 조건을 모두 만족하므로 확률밀도함수로 적당하다.

따라서 구하는 답은 ③

02 셀파 확률밀도함수 $y=f(x)$의 그래프와 x축 사이의 넓이가 1임을 이용하여 b의 값을 구한다.

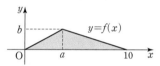

$f(x)$가 확률밀도함수이므로 색칠한 부분의 넓이가 1이다. 즉,

$$\frac{1}{2} \times 10 \times b = 1, \ 5b = 1 \qquad \therefore \boldsymbol{b = \frac{1}{5}}$$

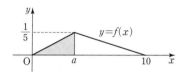

또 $P(0 \leq X \leq a)$는 위의 그림에서 색칠한 부분의 넓이와 같으므로

$$\frac{1}{2} \times a \times \frac{1}{5} = \frac{2}{5}, \ \frac{1}{10}a = \frac{2}{5} \qquad \therefore \boldsymbol{a = 4}$$

03 셀파 정규분포곡선은 직선 $x=m$에 대하여 대칭이다.

정규분포곡선은 직선 $x=m$에 대하여 대칭이고, $P(X \leq 12) = P(X \geq 26)$이므로

$$m = \frac{12+26}{2} = \boldsymbol{19}$$

04 셀파 정규분포곡선의 성질을 이용한다.

확률변수 X가 정규분포 $N(m, \sigma^2)$을 따를 때, 정규분포곡선의 대칭축이 직선 $x=m$이므로 정규분포곡선에서 대칭축을 찾으면 확률변수 X의 평균을 구할 수 있다.

이때 정규분포곡선 A와 B는 대칭축이 서로 같으므로

$$m_A = m_B$$

정규분포곡선에서 그래프의 대칭축이 오른쪽에 위치할수록 평균이 커지므로 m_C의 값이 가장 크다.

$$\therefore\ m_A = m_B < m_C$$

한편 표준편차가 커질수록 곡선은 낮아지면서 양쪽으로 퍼지며, 표준편차가 일정할 때 평균이 달라지면 곡선의 모양은 같고 대칭축의 위치만 바뀌므로

$$\sigma_A > \sigma_B = \sigma_C$$

따라서 보기 중 옳은 것은 ㄷ이다.

LECTURE 정규분포곡선

정규분포 $N(m, \sigma^2)$을 따르는 확률변수 X의 정규분포곡선은 σ의 값이 일정할 때, m의 값이 변하면 대칭축의 위치는 바뀌지만 곡선의 모양은 변하지 않는다.

오른쪽 그림과 같이 σ의 값이 일정할 때 $(m_1 < m_2 < m_3)$, 정규분포곡선은 평균 m의 값이 커질수록 오른쪽으로, 작아질수록 왼쪽으로 평행이동한다.

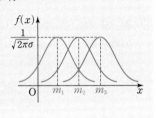

05 셀파 표준정규분포곡선을 그려서 해당 부분을 나타내 본다.

$$P(|Z| \leq a)$$
$$= P(-a \leq Z \leq a)$$
$$= P(-a \leq Z \leq 0) + P(0 \leq Z \leq a)$$
$$= 2P(0 \leq Z \leq a)$$

$P(|Z| \leq a) = 0.3830$에서

$2P(0 \leq Z \leq a) = 0.3830$

$$\therefore P(0 \leq Z \leq a) = 0.1915$$

표준정규분포표에서

$P(0 \leq Z \leq 0.5) = 0.1915$이므로

$$\boldsymbol{a = 0.5}$$

06 셀파 X의 정규분포곡선과 x축 및 두 직선 $x=a$, $x=b$로 둘러싸인 부분의 넓이 $\Rightarrow P(a \leq X \leq b)$

다음 그림에서 색칠한 부분의 넓이를 S라 하자.

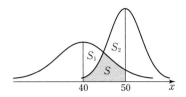

$$S_1 = P(40 \leq X \leq 50) - S$$
$$S_2 = P(40 \leq Y \leq 50) - S$$
$$\therefore\ S_2 - S_1$$
$$= P(40 \leq Y \leq 50) - P(40 \leq X \leq 50)$$
$$= P\left(\frac{40-50}{5} \leq Z \leq \frac{50-50}{5}\right) - P\left(\frac{40-40}{10} \leq Z \leq \frac{50-40}{10}\right)$$
$$= P(-2 \leq Z \leq 0) - P(0 \leq Z \leq 1)$$
$$= P(0 \leq Z \leq 2) - P(0 \leq Z \leq 1)$$
$$= 0.4772 - 0.3413$$
$$= \boldsymbol{0.1359}$$

07 셀파 색칠한 부분의 넓이를 확률로 나타내고, 확률변수 X, Y가 정규분포를 따르므로 정규분포를 표준화하여 대입한 후 k의 값을 구한다.

색칠한 부분의 넓이가 같으므로

$$P(70 \leq X \leq k) = P(50 \leq Y \leq 60)$$

확률변수 X, Y는 각각 정규분포 $N(50, 10^2)$, $N(40, 5^2)$을 따르므로 확률변수 X, Y를 각각 표준화하면

$$P(70 \leq X \leq k) = P\left(\frac{70-50}{10} \leq Z \leq \frac{k-50}{10}\right)$$
$$= P\left(2 \leq Z \leq \frac{k-50}{10}\right)$$

$$P(50 \leq Y \leq 60) = P\left(\frac{50-40}{5} \leq Z \leq \frac{60-40}{5}\right)$$
$$= P(2 \leq Z \leq 4)$$

즉, $P\left(2 \leq Z \leq \dfrac{k-50}{10}\right) = P(2 \leq Z \leq 4)$이므로

$$\frac{k-50}{10} = 4, \ k - 50 = 40 \qquad \therefore\ \boldsymbol{k = 90}$$

08 셀파 평균 $m=\dfrac{64+56}{2}=60$

정규분포 $N(m,\sigma^2)$을 따르는 확률변수 X의 정규분포곡선은 직선 $x=m$에 대하여 대칭이고, 조건 (가)에서 $P(X\geq 64)=P(X\leq 56)$이므로

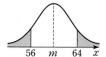

$m=\dfrac{64+56}{2}=60$

조건 (나)에서 $E(X^2)=3616$이므로
$V(X)=E(X^2)-\{E(X)\}^2=3616-60^2=16$
$\sigma\geq 0$이므로 $\sigma=4$
따라서 확률변수 X는 정규분포 $N(60,4^2)$을 따르므로
$Z=\dfrac{X-60}{4}$은 표준정규분포 $N(0,1)$을 따른다.

한편 $P(X\leq 68)=P\left(Z\leq\dfrac{68-60}{4}\right)=P(Z\leq 2)$

이때 주어진 표에서
$P(m\leq X\leq m+2\sigma)=P\left(\dfrac{m-m}{\sigma}\leq Z\leq\dfrac{m+2\sigma-m}{\sigma}\right)$
$=P(0\leq Z\leq 2)=0.4772$

이므로
$P(X\leq 68)=P(Z\leq 2)=0.5+P(0\leq Z\leq 2)$
$=0.5+0.4772=\mathbf{0.9772}$

09 셀파 $P(Z\leq -a)=P(Z\geq a)$임을 이용한다.

확률변수 X가 정규분포 $N(m,\sigma^2)$을 따르므로
$P(X\leq 3)=P\left(Z\leq\dfrac{3-m}{\sigma}\right)=P\left(Z\geq\dfrac{m-3}{\sigma}\right)$
$=0.5-P\left(0\leq Z\leq\dfrac{m-3}{\sigma}\right)=0.3$

즉, $P\left(0\leq Z\leq\dfrac{m-3}{\sigma}\right)=0.2$이므로
$\dfrac{m-3}{\sigma}=0.52$ $\therefore m=3+0.52\sigma$ ······ ㉠

$P(3\leq X\leq 80)=P\left(\dfrac{3-m}{\sigma}\leq Z\leq\dfrac{80-m}{\sigma}\right)$
$=P\left(\dfrac{3-m}{\sigma}\leq Z\leq 0\right)+P\left(0\leq Z\leq\dfrac{80-m}{\sigma}\right)$
$=P\left(0\leq Z\leq\dfrac{m-3}{\sigma}\right)+P\left(0\leq Z\leq\dfrac{80-m}{\sigma}\right)$
$=0.2+P\left(0\leq Z\leq\dfrac{80-m}{\sigma}\right)=0.3$

즉, $P\left(0\leq Z\leq\dfrac{80-m}{\sigma}\right)=0.1$이므로

$\dfrac{80-m}{\sigma}=0.25$ $\therefore m=80-0.25\sigma$ ······ ㉡

㉠, ㉡에서
$3+0.52\sigma=80-0.25\sigma,\ 0.77\sigma=77$ $\therefore \sigma=100$
$m=3+0.52\times 100=55$
$\therefore m+\sigma=\mathbf{155}$

10 셀파 정규분포 $N(m,\sigma^2)$의 정규분포곡선은 직선 $x=m$에 대하여 대칭이다.

$f(100-x)=f(100+x)$이므로 $f(x)$는 $x=100$에 대하여 대칭이다. $\therefore m=100$
이때 $P(m\leq X\leq m+20)=P(100\leq X\leq 120)=0.4772$에서
$P\left(0\leq Z\leq\dfrac{120-100}{\sigma}\right)=0.4772$이므로

$\dfrac{120-100}{\sigma}=2$ $\therefore \sigma=10$

$\therefore P(85\leq X\leq 120)=P\left(\dfrac{85-100}{10}\leq Z\leq\dfrac{120-100}{10}\right)$
$=P(-1.5\leq Z\leq 2)$
$=P(-1.5\leq Z\leq 0)+P(0\leq Z\leq 2)$
$=P(0\leq Z\leq 1.5)+P(0\leq Z\leq 2)$
$=0.4332+0.4772$
$=\mathbf{0.9104}$

11 셀파 $x^2+(A-1)x+1-A=0$의 판별식 D를 생각한다.

곡선 $y=x^2+Ax+1$과 직선 $y=x+A$가 만나려면 방정식 $x^2+(A-1)x+1-A=0$의 해가 존재해야 하므로 판별식 D는
$D=(A-1)^2-4(1-A)=(A-1)(A+3)\geq 0$
$\therefore A\leq -3$ 또는 $A\geq 1$

확률변수 A가 정규분포 $N(1,4^2)$을 따르므로 $Z=\dfrac{A-1}{4}$은 표준정규분포 $N(0,1)$을 따른다.

$\therefore P(A\leq -3)+P(A\geq 1)$
$=P\left(Z\leq\dfrac{-3-1}{4}\right)+P\left(Z\geq\dfrac{1-1}{4}\right)$
$=P(Z\leq -1)+P(Z\geq 0)$
$=P(Z\geq 1)+P(Z\geq 0)$
$=\{P(Z\geq 0)-P(0\leq Z\leq 1)\}+P(Z\geq 0)$
$=(0.5-0.3413)+0.5=\mathbf{0.6587}$

12 셀파 $P(|X-1|\leq1)=0.4772$를 만족시키는 σ의 값을 구한다.

㉮ 확률변수 X가 정규분포 $N(2, \sigma^2)$을 따르므로

$Z=\dfrac{X-2}{\sigma}$는 표준정규분포 $N(0, 1)$을 따른다.

㉯ $P(|X-1|\leq1)=P(0\leq X\leq2)$

$\qquad\qquad\qquad\quad=P\left(-\dfrac{2}{\sigma}\leq Z\leq0\right)=P\left(0\leq Z\leq\dfrac{2}{\sigma}\right)$

$\qquad\qquad\qquad\quad=0.4772$

이때 $P(0\leq Z\leq2)=0.4772$이므로 $\dfrac{2}{\sigma}=2$ $\quad\therefore \sigma=1$

㉰ $\therefore P(X\geq5)=P\left(Z\geq\dfrac{5-2}{1}\right)=P(Z\geq3)$

$\qquad\qquad\qquad=0.5-P(0\leq Z\leq3)$

$\qquad\qquad\qquad=0.5-0.4987=\textbf{0.0013}$

채점 기준	배점
㉮ X를 표준화한다.	20%
㉯ σ의 값을 구한다.	40%
㉰ $P(X\geq5)$를 구한다.	40%

13 셀파 기부한 쌀의 무게를 확률변수 X라 하면 X는 정규분포 $N(1.5, 0.2^2)$을 따른다.

어느 쌀 모으기 행사에 참여한 학생들이 기부한 쌀의 무게를 확률변수 X라 하면 X는 정규분포 $N(1.5, 0.2^2)$을 따르므로

$Z=\dfrac{X-1.5}{0.2}$는 표준정규분포 $N(0, 1)$을 따른다.

$\therefore P(1.3\leq X\leq1.8)=P\left(\dfrac{1.3-1.5}{0.2}\leq Z\leq\dfrac{1.8-1.5}{0.2}\right)$

$\qquad\qquad\qquad\quad=P(-1\leq Z\leq1.5)$

$\qquad\qquad\qquad\quad=P(-1\leq Z\leq0)+P(0\leq Z\leq1.5)$

$\qquad\qquad\qquad\quad=P(0\leq Z\leq1)+P(0\leq Z\leq1.5)$

$\qquad\qquad\qquad\quad=0.3413+0.4332=\textbf{0.7745}$

14 셀파 A, B과수원에서 생산하는 귤의 무게를 각각 확률변수 X, Y로 놓고 X, Y를 각각 표준화하여 비교한다.

A과수원에서 생산하는 귤의 무게를 확률변수 X라 하면 X는 정규분포 $N(86, 15^2)$을 따른다.

또 B과수원에서 생산하는 귤의 무게를 확률변수 Y라 하면 Y는 정규분포 $N(88, 10^2)$을 따른다.

$P(X\leq98)=P(Y\leq a)$에서

$P\left(Z\leq\dfrac{98-86}{15}\right)=P\left(Z\leq\dfrac{a-88}{10}\right)$

$\dfrac{4}{5}=\dfrac{a-88}{10}$, $a-88=8$ $\quad\therefore \boldsymbol{a=96}$

15 셀파 $np=100\times\dfrac{1}{2}=50$, $n(1-p)=100\times\dfrac{1}{2}=50$으로 n이 충분히 크므로 X는 근사적으로 정규분포를 따른다.

동전을 100번 던져 앞면이 나오는 횟수를 확률변수 X라 하면 X는 이항분포 $B\left(100, \dfrac{1}{2}\right)$을 따르므로 평균 m과 표준편차 σ는

$m=100\times\dfrac{1}{2}=50$

$\sigma=\sqrt{100\times\dfrac{1}{2}\times\dfrac{1}{2}}=5$

이때 n이 충분히 크므로 X는 근사적으로 정규분포 $N(50, 5^2)$을 따른다.

앞면이 X번, 뒷면이 $(100-X)$번 나왔다면 점수는

$5X+(-1)\times(100-X)=6X-100$

$\therefore P(6X-100\geq140)$

$=P(X\geq40)=P\left(Z\geq\dfrac{40-50}{5}\right)$

$=P(Z\geq-2)$

$=P(0\leq Z\leq2)+P(Z\geq0)$

$=0.4772+0.5$ ↙ $=P(-2\leq Z\leq0)$

$=\textbf{0.9772}$

16 셀파 AB형인 사람의 수를 확률변수 X라 하면 X는 이항분포 $B\left(400, \dfrac{1}{10}\right)$을 따른다.

AB형인 사람의 수를 확률변수 X라 하면 X는 이항분포 $B\left(400, \dfrac{1}{10}\right)$을 따르므로 평균 m과 표준편차 σ는

$m=400\times\dfrac{1}{10}=40$

$\sigma=\sqrt{400\times\dfrac{1}{10}\times\dfrac{9}{10}}=6$

이때 n이 충분히 크므로 X는 근사적으로 정규분포 $N(40, 6^2)$을 따른다.

$\therefore P(37\leq X\leq49)$

$=P\left(\dfrac{37-40}{6}\leq Z\leq\dfrac{49-40}{6}\right)$

$=P(-0.5\leq Z\leq1.5)$

$=P(-0.5\leq Z\leq0)+P(0\leq Z\leq1.5)$

$=P(0\leq Z\leq0.5)+P(0\leq Z\leq1.5)$

$=0.1915+0.4332$

$=\textbf{0.6247}$

7. 통계적 추정

개념 익히기
본문 | **147** 쪽

1-1 (1) 모집단 : **A사에서 만든 전구 전체**

(2) 표본 : **조사하기 위해 임의로 선택한 전구 1000개**
표본의 크기 : **1000**

1-2 (1) 모집단 : **전국 고등학생들**

(2) 표본 : **조사하기 위해 임의로 뽑은 고등학생 500명**
표본의 크기 : **500**

2-1 (1) 처음 꺼낼 때 나올 수 있는 경우의 수는 4
두 번째 꺼낼 때 나올 수 있는 경우의 수도 4이므로
곱의 법칙에 따라 경우의 수는
$4 \times$ **4** $=$ **16**

(2) 처음 꺼낼 때 나올 수 있는 경우의 수는 4
두 번째 꺼낼 때 나올 수 있는 경우의 수는 3이므로
곱의 법칙에 따라 경우의 수는
$4 \times 3 =$ **12**

2-2 (1) 처음 꺼낼 때 나올 수 있는 경우의 수는 5
두 번째 꺼낼 때 나올 수 있는 경우의 수도 5이므로
곱의 법칙에 따라 경우의 수는 $5 \times 5 =$ **25**

(2) 처음 꺼낼 때 나올 수 있는 경우의 수는 5
두 번째 꺼낼 때 나올 수 있는 경우의 수는 4이므로
곱의 법칙에 따라 경우의 수는 $5 \times 4 =$ **20**

| 참고 |
표본을 추출하는 방법
❶ 복원추출: 한 번 추출된 자료를 다시 되돌려 놓은 후 다음 자료를 뽑는 것
❷ 비복원추출: 한 번 추출된 자료를 되돌려 놓지 않고 다음 자료를 뽑는 것

01-1 셀파 표본평균 $\overline{X}$의 평균 $\mathrm{E}(\overline{X}) = m$, 분산 $\mathrm{V}(\overline{X}) = \dfrac{\sigma^2}{n}$,

표준편차 $\sigma(\overline{X}) = \dfrac{\sigma}{\sqrt{n}}$이다.

모평균 $m = 10$, 모표준편차 $\sigma = 3$, 표본의 크기 $n = 100$이므로
$\overline{X}$의 평균, 분산, 표준편차는
$\mathrm{E}(\overline{X}) = m = \mathbf{10}$

$\mathrm{V}(\overline{X}) = \dfrac{\sigma^2}{n} = \dfrac{9}{100} = \mathbf{0.09}$

$\sigma(\overline{X}) = \sqrt{0.09} = \mathbf{0.3}$

| 참고 |
모집단에서 표본을 임의추출할 때, 표본평균 $\overline{X}$는 추출한 표본에 따라 여러 가지 값을 가질 수 있는 확률변수이다.

01-2 셀파 표본평균 $\overline{X}$의 표준편차 $\sigma(\overline{X}) = \dfrac{\sigma}{\sqrt{n}}$이다.

모표준편차 $\sigma = 1.8$이므로
$\sigma(\overline{X}) = \dfrac{1.8}{\sqrt{n}} \leq 0.6$

이 식의 양변을 제곱하면 $\dfrac{1.8^2}{n} \leq 0.6^2$

$\therefore n \geq \dfrac{1.8^2}{0.6^2} = 9$

따라서 구하는 n의 최솟값은 **9**

02-1 셀파 표본평균 $\overline{X}$의 분산 $\mathrm{V}(\overline{X}) = \dfrac{\sigma^2}{n}$임을 이용한다.

모평균을 m, 모분산을 σ^2이라 하면
$m = \mathrm{E}(X) = -1 \times \dfrac{1}{6} + 0 \times \dfrac{1}{3} + 1 \times \dfrac{1}{2} = \dfrac{1}{3}$

$\sigma^2 = \mathrm{V}(X) = \left\{ (-1)^2 \times \dfrac{1}{6} + 0^2 \times \dfrac{1}{3} + 1^2 \times \dfrac{1}{2} \right\} - \left(\dfrac{1}{3} \right)^2$

$= \dfrac{2}{3} - \dfrac{1}{9} = \dfrac{5}{9}$

이때 표본의 크기가 n이고, 표본평균 $\overline{X}$의 분산이 $\dfrac{1}{9}$이므로

$\mathrm{V}(\overline{X}) = \dfrac{\sigma^2}{n} = \dfrac{\frac{5}{9}}{n} = \dfrac{1}{9}, \ \dfrac{5}{9} = \dfrac{1}{9}n \qquad \therefore n = \mathbf{5}$

(1) 모집단의 확률분포

예를 들어 2, 4, 6, 8의 숫자가 하나씩 적힌 4개의 공이 들어 있는 주머니에서 한 개의 공을 임의로 꺼낼 때, 이 공에 적힌 숫자를 확률변수 X라 하면 X의 확률분포, 즉 모집단의 확률분포는 다음 표와 같다.

X	2	4	6	8	합계
$P(X=x)$	$\frac{1}{4}$	$\frac{1}{4}$	$\frac{1}{4}$	$\frac{1}{4}$	1

따라서 모평균, 모분산, 모표준편차는 다음과 같다.

$$m=E(X)=2\times\frac{1}{4}+4\times\frac{1}{4}+6\times\frac{1}{4}+8\times\frac{1}{4}=5,$$

$$\sigma^2=V(X)=\left(2^2\times\frac{1}{4}+4^2\times\frac{1}{4}+6^2\times\frac{1}{4}+8^2\times\frac{1}{4}\right)$$
$$-5^2=5,$$

$$\sigma=\sqrt{5}$$

(2) 표본평균의 확률분포

위 모집단에서 임의로 복원추출한 크기 $n=2$인 표본을 X_1, X_2라 하면 표본 (X_1, X_2)에 대하여 표본평균 $\overline{X}=\frac{X_1+X_2}{2}$는 다음과 같다.

표본 (X_1, X_2)	(2, 2)	(2, 4), (4, 2)	(2, 6), (4, 4), (6, 2)	(2, 8), (4, 6), (6, 4), (8, 2)
$\overline{X}$	2	3	4	5

표본 (X_1, X_2)	(4, 8), (6, 6), (8, 4)	(6, 8), (8, 6)	(8, 8)
$\overline{X}$	6	7	8

따라서 표본평균 $\overline{X}$의 확률분포는 다음 표와 같다.

$\overline{X}$	2	3	4	5	6	7	8	합계
$P(\overline{X}=\overline{x})$	$\frac{1}{16}$	$\frac{1}{8}$	$\frac{3}{16}$	$\frac{1}{4}$	$\frac{3}{16}$	$\frac{1}{8}$	$\frac{1}{16}$	1

이때 $\overline{X}$의 평균, 분산, 표준편차는 다음과 같다.

$$E(\overline{X})=5, V(\overline{X})=\frac{5}{2}, \sigma(\overline{X})=\frac{\sqrt{10}}{2}$$

(1), (2)에서 표본평균 $\overline{X}$의 평균, 분산, 표준편차를 모집단의 모평균, 모분산, 모표준편차와 비교하면

$$E(\overline{X})=m, V(\overline{X})=\frac{\sigma^2}{n}, \sigma(\overline{X})=\frac{\sigma}{\sqrt{n}}$$

가 성립함을 알 수 있다.

02-2 〔셀파〕 모집단의 확률분포표를 만들고, 모평균과 모분산을 먼저 구한다.

확률변수 X의 확률분포는 다음 표와 같다.

X	1	3	5	7	합계
$P(X=x)$	$\frac{1}{4}$	$\frac{1}{4}$	$\frac{1}{4}$	$\frac{1}{4}$	1

모평균을 m, 모분산을 σ^2이라 하면

$$m=E(X)=1\times\frac{1}{4}+3\times\frac{1}{4}+5\times\frac{1}{4}+7\times\frac{1}{4}=4$$

$$\sigma^2=V(X)=\left(1^2\times\frac{1}{4}+3^2\times\frac{1}{4}+5^2\times\frac{1}{4}+7^2\times\frac{1}{4}\right)-4^2=5$$

이때 표본의 크기 $n=2$이므로 평균과 분산은

$$E(\overline{X})=m=4$$

$$V(\overline{X})=\frac{\sigma^2}{n}=\frac{5}{2}$$

집중 연습

본문 | 151 쪽

01 (1) 모집단이 정규분포 $N(100, 6^2)$을 따르고 표본의 크기 $n=9$이므로 표본평균 $\overline{X}$는 정규분포 $N\left(100, \frac{6^2}{9}\right)$, 즉 $N(100, 2^2)$을 따른다.

$$\therefore P(\overline{X}\le104)=P\left(Z\le\frac{104-100}{2}\right)$$
$$=P(Z\le2)$$
$$=P(Z\le0)+P(0\le Z\le2)$$
$$=0.5+0.4772$$
$$=\mathbf{0.9772}$$

(2) 모집단이 정규분포 $N(500, 25^2)$을 따르고 표본의 크기 $n=25$이므로 표본평균 $\overline{X}$는 정규분포 $N\left(500, \frac{25^2}{25}\right)$, 즉 $N(500, 5^2)$을 따른다.

$$\therefore P(\overline{X}\ge505)=P\left(Z\ge\frac{505-500}{5}\right)$$
$$=P(Z\ge1)$$
$$=P(Z\ge0)-P(0\le Z\le1)$$
$$=0.5-0.3413$$
$$=\mathbf{0.1587}$$

02 (1) 표본의 크기 $n=100$은 충분히 큰 수이고,

$m=120$, $\sigma=10$이므로

$$\mathrm{E}(\overline{X})=m=120, \ \sigma(\overline{X})=\frac{\sigma}{\sqrt{n}}=\frac{10}{\sqrt{100}}=1$$

에서 표본평균 $\overline{X}$는 정규분포 $\mathrm{N}(120, 1^2)$을 따른다.

$$\therefore \ \mathrm{P}(\overline{X}\leq 122)=\mathrm{P}\!\left(Z\leq \frac{122-120}{1}\right)$$
$$=\mathrm{P}(Z\leq 2)$$
$$=\mathrm{P}(Z\leq 0)+\mathrm{P}(0\leq Z\leq 2)$$
$$=0.5+0.4772$$
$$=\mathbf{0.9772}$$

(2) 표본의 크기 $n=25$는 충분히 큰 수이고,

$m=102$, $\sigma=5$이므로

$$\mathrm{E}(\overline{X})=m=102, \ \sigma(\overline{X})=\frac{\sigma}{\sqrt{n}}=\frac{5}{\sqrt{25}}=1$$

에서 표본평균 $\overline{X}$는 정규분포 $\mathrm{N}(102, 1^2)$을 따른다.

$$\therefore \ \mathrm{P}(101\leq \overline{X}\leq 103)$$
$$=\mathrm{P}\!\left(\frac{101-102}{1}\leq Z\leq \frac{103-102}{1}\right)$$
$$=\mathrm{P}(-1\leq Z\leq 1)$$
$$=2\mathrm{P}(0\leq Z\leq 1)$$
$$=2\times 0.3413$$
$$=\mathbf{0.6826}$$

LEC TURE 표본평균 $\overline{X}$의 분포의 그래프

2, 4, 6, 8의 숫자가 하나씩 적힌 4개의 공이 들어 있는 주머니에서 크기가 n인 표본을 임의추출할 때, 표본의 크기 n이 커짐에 따라 표본평균 $\overline{X}$의 분포의 그래프는 평균이 m, 분산이 $\dfrac{\sigma^2}{n}$인 정규분포의 그래프에 가까워진다.

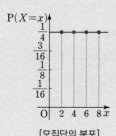
[모집단의 분포]

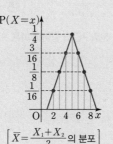
$\left[\overline{X}=\dfrac{X_1+X_2}{2}$의 분포$\right]$

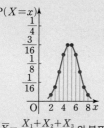
$\left[\overline{X}=\dfrac{X_1+X_2+X_3}{3}$의 분포$\right]$

03-1 셀파 모집단의 분포가 정규분포를 따르므로 표본평균 $\overline{X}$도 정규분포를 따른다.

모집단이 정규분포 $\mathrm{N}(70, 10^2)$을 따르고 표본의 크기가 25이므로 표본평균 $\overline{X}$는 정규분포 $\mathrm{N}\!\left(70, \dfrac{10^2}{25}\right)$, 즉 $\mathrm{N}(70, 2^2)$을 따른다.

따라서 $Z=\dfrac{\overline{X}-70}{2}$은 표준정규분포 $\mathrm{N}(0, 1)$을 따르므로

$$\mathrm{P}(67\leq \overline{X}\leq 72)=\mathrm{P}\!\left(\frac{67-70}{2}\leq Z\leq \frac{72-70}{2}\right)$$
$$=\mathrm{P}(-1.5\leq Z\leq 1)$$
$$=\mathrm{P}(-1.5\leq Z\leq 0)+\mathrm{P}(0\leq Z\leq 1)$$
$$=\mathrm{P}(0\leq Z\leq 1.5)+\mathrm{P}(0\leq Z\leq 1)$$
$$=0.4332+0.3413$$
$$=\mathbf{0.7745}$$

04-1 셀파 표본평균 $\overline{X}$가 정규분포를 따르므로 $\overline{X}$를 Z로 표준화한다.

모집단이 정규분포 $\mathrm{N}(80, 8^2)$을 따르므로 크기가 n인 표본의 표본평균 $\overline{X}$는 정규분포 $\mathrm{N}\!\left(80, \left(\dfrac{8}{\sqrt{n}}\right)^2\right)$을 따른다.

$$\therefore \ \mathrm{P}(\overline{X}\leq 84)=\mathrm{P}\!\left(Z\leq \frac{84-80}{\dfrac{8}{\sqrt{n}}}\right)=0.9938$$

이때 $\mathrm{P}(0\leq Z\leq 2.5)=0.4938$에서

$\mathrm{P}(Z\leq 2.5)=0.5+0.4938=0.9938$이므로

$$\frac{84-80}{\dfrac{8}{\sqrt{n}}}=2.5, \ \sqrt{n}=5 \qquad \therefore \ \boldsymbol{n=25}$$

04-2 셀파 $\mathrm{P}(\overline{X}\leq k)=\mathrm{P}\!\left(Z\leq \dfrac{k}{2}\right)$

모집단이 정규분포 $\mathrm{N}(0, 10^2)$을 따르고 표본의 크기가 25이므로 표본평균 $\overline{X}$는 정규분포 $\mathrm{N}\!\left(0, \dfrac{10^2}{25}\right)$, 즉 $\mathrm{N}(0, 2^2)$을 따른다.

이때 $Z=\dfrac{\overline{X}-0}{2}$은 표준정규분포 $\mathrm{N}(0, 1)$을 따른다.

$\mathrm{P}(\overline{X}\leq k)\leq 0.07$이므로

$$\mathrm{P}(\overline{X}\leq k)=\mathrm{P}\left(Z\leq\frac{k}{2}\right)$$

$$=\mathrm{P}\left(Z\geq-\frac{k}{2}\right)$$

$$=0.5-\mathrm{P}\left(0\leq Z\leq-\frac{k}{2}\right)\leq 0.07$$

$\therefore \mathrm{P}\left(0\leq Z\leq-\frac{k}{2}\right)\geq 0.43$

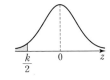

표준정규분포표에서 $\mathrm{P}(0\leq Z\leq 1.5)=0.43$이므로

$$-\frac{k}{2}\geq 1.5 \qquad \therefore k\leq-3$$

따라서 k의 최댓값은 **−3**

셀파 특강 확인 체크 01

표본평균의 값 $\overline{x}=10$, 모표준편차 $\sigma=1$, 표본의 크기 $n=16$이므로 모평균 m을 신뢰도 95 %로 추정하면

$$10-1.96\times\frac{1}{\sqrt{16}}\leq m\leq 10+1.96\times\frac{1}{\sqrt{16}}$$

$$10-0.49\leq m\leq 10+0.49$$

$$\therefore \textbf{9.51}\leq \textbf{\textit{m}}\leq \textbf{10.49}$$

05-1 **셀파** 표본의 크기가 충분히 크므로 모표준편차 대신 주어진 표본표준편차를 사용해도 된다.

표본평균의 값 $\overline{x}=70$, 표본의 크기 $n=900$이고 n은 충분히 크므로 모표준편차 σ 대신 표본표준편차 $s=15$를 사용한다.
모의고사 시험에 응시한 전체 수험생의 수학 점수의 평균 m을

(1) 신뢰도 95 %로 추정하면

$$70-1.96\times\frac{15}{\sqrt{900}}\leq m\leq 70+1.96\times\frac{15}{\sqrt{900}}$$

$$70-0.98\leq m\leq 70+0.98$$

$$\therefore \textbf{69.02}\leq \textbf{\textit{m}}\leq \textbf{70.98} \text{ (단위: 점)}$$

(2) 신뢰도 99 %로 추정하면

$$70-2.58\times\frac{15}{\sqrt{900}}\leq m\leq 70+2.58\times\frac{15}{\sqrt{900}}$$

$$70-1.29\leq m\leq 70+1.29$$

$$\therefore \textbf{68.71}\leq \textbf{\textit{m}}\leq \textbf{71.29} \text{ (단위: 점)}$$

06-1 **셀파** 신뢰도 α %일 때의 신뢰구간의 길이는

$$2\times k\frac{\sigma}{\sqrt{n}} \text{ (단, }k\text{는 상수)}$$

모표준편차 $\sigma=6$, 표본의 크기 $n=10$, 신뢰도 α %인 신뢰구간의 길이가 4이므로

$$2\times k\frac{6}{\sqrt{10}}=4 \text{ (단, }k\text{는 상수)}$$

따라서 표본의 크기가 40일 때의 신뢰구간의 길이는

$$2\times k\frac{6}{\sqrt{40}}=2\times k\frac{6}{\sqrt{4\sqrt{10}}}=2\times k\frac{6}{\sqrt{10}}\times\frac{1}{2}=4\times\frac{1}{2}=\textbf{2}$$

06-2 **셀파** 신뢰도 95 %의 신뢰구간의 길이

$$\Rightarrow 2\times 1.96\frac{\sigma}{\sqrt{n}}$$

신뢰도 99 %의 신뢰구간의 길이

$$\Rightarrow 2\times 2.58\frac{\sigma}{\sqrt{n}}$$

모집단인 H고교 학생 전체의 키는 표준편차가 5 cm인 정규분포를 따르므로

(1) 신뢰도 95 %의 신뢰구간의 길이는 $2\times 1.96\dfrac{\sigma}{\sqrt{n}}$이고

$\sigma=5$, $n=100$이므로

$$2\times 1.96\times\frac{5}{\sqrt{100}}=\textbf{1.96 (cm)}$$

(2) 신뢰도 99 %의 신뢰구간의 길이는 $2\times 2.58\dfrac{\sigma}{\sqrt{n}}$이고

$\sigma=5$, $n=100$이므로

$$2\times 2.58\times\frac{5}{\sqrt{100}}=\textbf{2.58 (cm)}$$

LECTURE 신뢰구간의 길이에 따른 표본의 크기

모표준편차가 σ이고 신뢰도 α %의 신뢰구간의 길이는

$$2\times k\frac{\sigma}{\sqrt{n}}$$

❶ 신뢰구간의 길이를 짧게 하면

$\Rightarrow k\dfrac{\sigma}{\sqrt{n}}$의 값이 작아진다.

$\Rightarrow \sqrt{n}$의 값이 커진다.

$\Rightarrow \alpha$의 값이 작아진다.

❷ 신뢰구간의 길이를 길게 하면

$\Rightarrow k\dfrac{\sigma}{\sqrt{n}}$의 값이 커진다.

$\Rightarrow \sqrt{n}$의 값이 작아진다.

$\Rightarrow \alpha$의 값이 커진다.

07-1 셀파 신뢰도 95 % 의 신뢰구간의 길이

$$\Rightarrow 2 \times 2 \frac{\sigma}{\sqrt{n}}$$

$P(0 \leq Z \leq 2) = 0.475$ 에서 $P(|Z| \leq 2) = 2 \times 0.475 = 0.95$

이므로 신뢰도 95 % 의 신뢰구간의 길이는

$$2 \times 2 \frac{1}{\sqrt{n}} = \frac{4}{\sqrt{n}}$$

따라서 신뢰구간의 길이가 $\frac{1}{3}$ 이하가 되려면 $\frac{4}{\sqrt{n}} \leq \frac{1}{3}$ 에서

$$\sqrt{n} \geq 12 \qquad \therefore n \geq 144$$

따라서 n 의 최솟값은 **144**

07-2 신뢰도 99 % 의 신뢰구간의 길이

$$\Rightarrow 2 \times 2.58 \frac{\sigma}{\sqrt{n}}$$

모표준편차가 5 mm 이므로 신뢰도 99 % 의 제품 전체 길이의 평균 m 의 신뢰구간은

$$\overline{x} - 2.58 \frac{5}{\sqrt{n}} \leq m \leq \overline{x} + 2.58 \frac{5}{\sqrt{n}} \text{에서}$$

신뢰구간의 길이는 $2 \times 2.58 \times \frac{5}{\sqrt{n}}$ 이다.

이때 신뢰구간의 길이가 2 mm 이하가 되려면

$$2 \times 2.58 \times \frac{5}{\sqrt{n}} \leq 2, \sqrt{n} \geq 12.9$$

$$\therefore n \geq 166.41$$

따라서 표본의 크기의 최솟값은 **167**

연습 문제

본문 | **158~159** 쪽

01 셀파 모평균이 m 인 모집단에서 크기가 n 인 표본을 임의추출할 때, 표본평균 $\overline{X}$ 에 대하여 $E(\overline{X}) = E(X)$

모평균이 m 인 모집단에서 크기가 n 인 표본을 임의추출할 때, 표본평균 $\overline{X}$ 에 대하여

$E(\overline{X}) = m$ 이므로 $m = \frac{5}{6}$

$$m = 0 \times \frac{1}{3} + 1 \times a + 2 \times b = \frac{5}{6}$$

$$\therefore a + 2b = \frac{5}{6}$$

LEC TURE 이산확률변수와 표본평균

(1) **이산확률변수의 평균, 분산, 표준편차**

이산확률변수 X 에 대하여 $x_i \ (i = 1, 2, \cdots, n)$ 에 대응하는 확률을 p_i 라 할 때

❶ 평균: $E(X) = x_1 p_1 + x_2 p_2 + \cdots + x_n p_n$

❷ 분산: $V(X) = E(X^2) - \{E(X)\}^2$

❸ 표준편차: $\sigma(X) = \sqrt{V(X)}$

(2) **표본평균의 평균, 분산, 표준편차**

모평균이 m, 모표준편차가 σ 인 모집단에서 크기가 n 인 표본을 임의추출할 때, 표본평균 $\overline{X}$ 에 대하여

$$E(\overline{X}) = m, V(\overline{X}) = \frac{\sigma^2}{n}, \sigma(\overline{X}) = \frac{\sigma}{\sqrt{n}}$$

02 셀파 확률의 총합은 1임을 이용하여 a 의 값을 구한다.

확률의 총합은 1이므로

$$\frac{1}{3} + \frac{1}{2} + a = 1 \qquad \therefore a = \frac{1}{6}$$

$$E(X) = (-2) \times \frac{1}{3} + 0 \times \frac{1}{2} + 1 \times \frac{1}{6} = -\frac{1}{2}$$

$$V(X) = \left\{ (-2)^2 \times \frac{1}{3} + 0^2 \times \frac{1}{2} + 1^2 \times \frac{1}{6} \right\} - \left(-\frac{1}{2} \right)^2 = \frac{5}{4}$$

따라서 크기가 16인 표본의 표본평균 $\overline{X}$ 의 분산은

$$V(\overline{X}) = \frac{V(X)}{16} = \frac{\frac{5}{4}}{16} = \frac{5}{64}$$

03 셀파 표본평균 $\overline{X}$ 는 정규분포 $N\left(250, \frac{20^2}{25} \right)$ 을 따른다.

모집단이 정규분포 $N(250, 20^2)$ 을 따르므로 크기가 25인 표본의 표본평균 $\overline{X}$ 는 정규분포 $N\left(250, \frac{20^2}{25} \right)$, 즉 $N(250, 4^2)$ 을 따른다.

$$\therefore P(248 \leq \overline{X} \leq 258)$$

$$= P\left(\frac{248 - 250}{4} \leq Z \leq \frac{258 - 250}{4} \right)$$

$$= P(-0.5 \leq Z \leq 2)$$

$$= P(-0.5 \leq Z \leq 0) + P(0 \leq Z \leq 2)$$

$$= P(0 \leq Z \leq 0.5) + P(0 \leq Z \leq 2)$$

$$= 0.1915 + 0.4772$$

$$= \mathbf{0.6687}$$

04 셀파 모평균이 m, 모분산이 σ^2인 모집단에서 크기가 n인 표본을 임의추출할 때, 표본평균 $\overline{X}$에 대하여

$$\mathrm{E}(\overline{X})=m, \mathrm{V}(\overline{X})=\frac{\sigma^2}{n}$$

㉮ 모집단이 정규분포 $\mathrm{N}(50, 8^2)$을 따르므로 크기가 16인 표본의 표본평균 $\overline{X}$는 정규분포 $\mathrm{N}\left(50, \frac{8^2}{16}\right)$, 즉 $\mathrm{N}(50, 2^2)$을 따른다.

이때 $Z=\dfrac{\overline{X}-50}{2}$은 표준정규분포 $\mathrm{N}(0, 1)$을 따른다.

한편 모집단이 정규분포 $\mathrm{N}(75, \sigma^2)$을 따르므로 크기가 25인 표본의 표본평균 $\overline{Y}$는 정규분포 $\mathrm{N}\left(75, \frac{\sigma^2}{25}\right)$, 즉 $\mathrm{N}\left(75, \left(\frac{\sigma}{5}\right)^2\right)$을 따른다.

이때 $Z=\dfrac{\overline{Y}-75}{\dfrac{\sigma}{5}}$는 표준정규분포 $\mathrm{N}(0, 1)$을 따른다.

㉯ $\mathrm{P}(\overline{X}\le 53)+\mathrm{P}(\overline{Y}\le 69)=1$에서

$$\mathrm{P}\left(Z\le \frac{53-50}{2}\right)+\mathrm{P}\left(Z\le \frac{69-75}{\dfrac{\sigma}{5}}\right)=1$$

$$\mathrm{P}(Z\le 1.5)+\mathrm{P}\left(Z\le -\frac{30}{\sigma}\right)=1$$

$$\mathrm{P}(Z\le 1.5)+\mathrm{P}\left(Z\ge \frac{30}{\sigma}\right)=1$$

$$\mathrm{P}\left(Z\ge \frac{30}{\sigma}\right)=1-\mathrm{P}(Z\le 1.5)$$

이때 $1-\mathrm{P}(Z\le 1.5)=\mathrm{P}(Z\ge 1.5)$이므로

$$\mathrm{P}\left(Z\ge \frac{30}{\sigma}\right)=\mathrm{P}(Z\ge 1.5)$$에서

$$\frac{30}{\sigma}=1.5 \qquad \therefore \sigma=20$$

㉰ 따라서 표본평균 $\overline{Y}$는 정규분포 $\mathrm{N}(75, 4^2)$을 따르므로

$$\mathrm{P}(\overline{Y}\ge 71)=\mathrm{P}\left(Z\ge \frac{71-75}{4}\right)=\mathrm{P}(Z\ge -1)$$
$$=\mathrm{P}(-1\le Z\le 0)+\mathrm{P}(Z\ge 0)$$
$$=\mathrm{P}(0\le Z\le 1)+0.5$$
$$=0.3413+0.5=\mathbf{0.8413}$$

채점 기준	배점
㉮ 표본평균 $\overline{X}$, $\overline{Y}$의 정규분포를 구한다.	30%
㉯ σ의 값을 구한다.	50%
㉰ $\mathrm{P}(\overline{Y}\ge 71)$을 구한다.	20%

05 셀파 $\mathrm{E}(\overline{X})=m=45$, $\mathrm{V}(\overline{X})=\dfrac{\sigma^2}{n}=\dfrac{8^2}{16}=4$

이 지역 1인 가구의 월 식료품 구입비를 확률변수 X라 하면 X는 정규분포 $\mathrm{N}(45, 8^2)$을 따르므로 임의로 추출한 16가구의 월 식료품 구입비의 표본평균을 $\overline{X}$라 하면 표본평균 $\overline{X}$는 정규분포 $\mathrm{N}\left(45, \frac{8^2}{16}\right)$, 즉 $\mathrm{N}(45, 2^2)$을 따른다.

이때 $Z=\dfrac{\overline{X}-45}{2}$는 표준정규분포 $\mathrm{N}(0, 1)$을 따른다.

따라서 임의추출한 16가구의 월 식료품 구입비의 표본평균이 44만 원 이상이고 47만 원 이하일 확률은

$$\mathrm{P}(44\le \overline{X}\le 47)$$
$$=\mathrm{P}\left(\frac{44-45}{2}\le Z\le \frac{47-45}{2}\right)$$
$$=\mathrm{P}(-0.5\le Z\le 1)$$
$$=\mathrm{P}(-0.5\le Z\le 0)+\mathrm{P}(0\le Z\le 1)$$
$$=\mathrm{P}(0\le Z\le 0.5)+\mathrm{P}(0\le Z\le 1)$$
$$=0.1915+0.3413$$
$$=\mathbf{0.5328}$$

06 셀파 $\mathrm{E}(\overline{X})=m$, $\mathrm{V}(\overline{X})=\dfrac{\sigma^2}{n}=\dfrac{10^2}{25}=4$

약품 1병의 용량을 확률변수 X라 하면 X는 정규분포 $\mathrm{N}(m, 10^2)$을 따르므로 임의로 추출한 25병의 용량의 표본평균을 $\overline{X}$라 하면 표본평균 $\overline{X}$는 정규분포 $\mathrm{N}\left(m, \frac{10^2}{25}\right)$, 즉 $\mathrm{N}(m, 2^2)$을 따른다.

이때 $Z=\dfrac{\overline{X}-m}{2}$은 표준정규분포 $\mathrm{N}(0, 1)$을 따른다.

임의로 추출한 25병의 용량의 표본평균이 2000 이상일 확률이 0.9772이므로 $\mathrm{P}(\overline{X}\ge 2000)=0.9772$에서

$$\mathrm{P}(\overline{X}\ge 2000)$$
$$=\mathrm{P}\left(Z\ge \frac{2000-m}{2}\right)$$
$$=\mathrm{P}\left(\frac{2000-m}{2}\le Z\le 0\right)+\mathrm{P}(Z\ge 0)$$
$$=\mathrm{P}\left(0\le Z\le \frac{m-2000}{2}\right)+0.5$$
$$=0.9772$$

$$\therefore \mathrm{P}\left(0\le Z\le \frac{m-2000}{2}\right)=0.4772$$

표준정규분포표에서 $\mathrm{P}(0\le Z\le 2)=0.4772$이므로

$$\frac{m-2000}{2}=2, \quad m-2000=4$$

$$\therefore \mathbf{m=2004}$$

LEC TURE 표준정규분포에서의 확률

❶ $\mathrm{P}(Z\leq k)<0.5$이면

⇨ $k<0$

⇨ $\mathrm{P}(Z\leq k)=0.5-\mathrm{P}(k\leq Z\leq 0)$

$\qquad\qquad\quad =0.5-\mathrm{P}(0\leq Z\leq -k)$

❷ $\mathrm{P}(Z\leq k)>0.5$이면

⇨ $k>0$

⇨ $\mathrm{P}(Z\leq k)=0.5+\mathrm{P}(0\leq Z\leq k)$

❸ $\mathrm{P}(Z\geq k)<0.5$이면

⇨ $k>0$

⇨ $\mathrm{P}(Z\geq k)=0.5-\mathrm{P}(0\leq Z\leq k)$

❹ $\mathrm{P}(Z\geq k)>0.5$이면

⇨ $k<0$

⇨ $\mathrm{P}(Z\geq k)=0.5+\mathrm{P}(k\leq Z\leq 0)$

$\qquad\qquad\quad =0.5+\mathrm{P}(0\leq Z\leq -k)$

---

07 셀파 $\mathrm{E}(\overline{X})=m=50,\ \mathrm{V}(\overline{X})=\dfrac{\sigma^2}{n}=\dfrac{\sigma^2}{16}$

$\mathrm{E}(\overline{X})=m=50,\ \mathrm{V}(\overline{X})=\dfrac{\sigma^2}{n}=\dfrac{\sigma^2}{16}$이므로 표본평균 $\overline{X}$는 정규

분포 $\mathrm{N}\!\left(50,\ \dfrac{\sigma^2}{16}\right)$, 즉 $\mathrm{N}\!\left(50,\ \left(\dfrac{\sigma}{4}\right)^2\right)$을 따른다.

이때 $Z=\dfrac{\overline{X}-50}{\dfrac{\sigma}{4}}$은 표준정규분포 $\mathrm{N}(0,\ 1)$을 따른다.

$\mathrm{P}(50\leq\overline{X}\leq 56)=0.4332$에서

$\mathrm{P}(50\leq\overline{X}\leq 56)$

$=\mathrm{P}\!\left(\dfrac{50-50}{\dfrac{\sigma}{4}}\leq Z\leq\dfrac{56-50}{\dfrac{\sigma}{4}}\right)$

$=\mathrm{P}\!\left(0\leq Z\leq\dfrac{24}{\sigma}\right)$

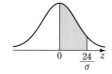

$=0.4332$

표준정규분포표에서 $\mathrm{P}(0\leq Z\leq 1.5)=0.4332$이므로

$\dfrac{24}{\sigma}=1.5$ $\quad\therefore \boldsymbol{\sigma=16}$

---

08 셀파 모평균 m의 추정 ⇨ $\overline{x}-k\dfrac{\sigma}{\sqrt{n}}\leq m\leq\overline{x}+k\dfrac{\sigma}{\sqrt{n}}$

(1) $\mathrm{P}(|Z|\leq 2)=0.95$이므로 신뢰도 95 %로 모평균 m을 추정
하면

$\overline{x}-2\dfrac{\sigma}{\sqrt{n}}\leq m\leq\overline{x}+2\dfrac{\sigma}{\sqrt{n}}$에서

$70-2\times\dfrac{5}{\sqrt{100}}\leq m\leq 70+2\times\dfrac{5}{\sqrt{100}}$

$70-2\times\dfrac{1}{2}\leq m\leq 70+2\times\dfrac{1}{2}$

$\therefore \boldsymbol{69\leq m\leq 71}$

(2) $\mathrm{P}(|Z|\leq 3)=0.99$이므로 신뢰도 99 %로 모평균 m을 추정
하면

$\overline{x}-3\dfrac{\sigma}{\sqrt{n}}\leq m\leq\overline{x}+3\dfrac{\sigma}{\sqrt{n}}$에서

$70-3\times\dfrac{5}{\sqrt{100}}\leq m\leq 70+3\times\dfrac{5}{\sqrt{100}}$

$70-3\times\dfrac{1}{2}\leq m\leq 70+3\times\dfrac{1}{2}$

$\therefore \boldsymbol{68.5\leq m\leq 71.5}$

---

09 셀파 신뢰도 95 %의 신뢰구간은

$\overline{x}-1.96\dfrac{\sigma}{\sqrt{n}}\leq m\leq\overline{x}+1.96\dfrac{\sigma}{\sqrt{n}}$

표본평균의 값을 $\overline{x}$라 하면 모표준편차가 10, 표본의 크기가 n이
므로 이 회사 직원들의 하루 여가 활동 시간의 모평균 m에 대한
신뢰도 95 %의 신뢰구간은

$\overline{x}-1.96\times\dfrac{10}{\sqrt{n}}\leq m\leq\overline{x}+1.96\times\dfrac{10}{\sqrt{n}}$

이때 추정한 신뢰구간이 $38.08\leq m\leq 45.92$이므로

$\overline{x}-1.96\times\dfrac{10}{\sqrt{n}}=38.08$ $\qquad\cdots\cdots$ ㉠

$\overline{x}+1.96\times\dfrac{10}{\sqrt{n}}=45.92$ $\qquad\cdots\cdots$ ㉡

㉡$-$㉠을 하면

$2\times 1.96\times\dfrac{10}{\sqrt{n}}=7.84,\ 3.92\times\dfrac{10}{\sqrt{n}}=7.84$

$\sqrt{n}=5$ $\quad\therefore \boldsymbol{n=25}$

10 셀파 모평균의 신뢰구간의 길이 $2 \times k \dfrac{\sigma}{\sqrt{n}}$ 는 신뢰도에 따른 상수 k, 모표준편차 σ, 표본의 크기 n에 따라 결정된다.

신뢰도 99 %의 신뢰구간의 길이가 4이므로

$2 \times 2.58 \times \dfrac{\sigma}{\sqrt{n}} = 4$

이때 표본의 크기가 25이므로

$2 \times 2.58 \times \dfrac{\sigma}{\sqrt{25}} = 4$

$\therefore 2.58\sigma = 10$ ······㉠

신뢰도 99 %의 신뢰구간의 길이가 1이므로

$2 \times 2.58 \times \dfrac{\sigma}{\sqrt{n}} = 1$

$2 \times \dfrac{10}{\sqrt{n}} = 1 \ (\because ㉠)$

$\sqrt{n} = 20$ $\therefore n = 400$

따라서 구하는 표본의 크기는 **400**

| 다른 풀이 |

같은 신뢰도로 모평균의 신뢰구간의 길이를 $\dfrac{1}{4}$ 배로 짧게 하려면

표본의 크기를 4^2배로 늘리면 된다.

표본의 크기가 25일 때 신뢰구간의 길이가 4이고, 신뢰도는 같게 하면서 신뢰구간의 길이가 1이 되도록 하려면 $25 \times 4^2 = 400$이므로 구하는 표본의 크기는 400

| 참고 |

신뢰도와 모표준편차가 일정할 때, 신뢰구간의 길이를 $\dfrac{1}{k}$ 배로 하려면 표본의 크기를 k^2배로 하면 된다.

11 셀파 $P(-z \le Z \le z) = 2P(0 \le Z \le z)$

$P(-z \le Z \le z) = P(-z \le Z \le 0) + P(0 \le Z \le z)$
$\qquad\qquad\qquad\quad = 2P(0 \le Z \le z) = 0.796$

$\therefore P(0 \le Z \le z) = 0.398$

주어진 표준정규분포표에서 $P(0 \le Z \le 1.27) = 0.3980$이므로

$z = 1.27$

이때 신뢰도 79.6 %의 신뢰구간의 길이가 l이므로

$l = 2 \times 1.27 \times \dfrac{\sigma}{\sqrt{n}}$

신뢰구간의 길이가 $2l$이면

$2l = 2 \times 2 \times 1.27 \times \dfrac{\sigma}{\sqrt{n}} = 2 \times 2.54 \times \dfrac{\sigma}{\sqrt{n}}$

이때

$P(-2.54 \le Z \le 2.54) = P(-2.54 \le Z \le 0) + P(0 \le Z \le 2.54)$
$\qquad\qquad\qquad\qquad\quad = 2P(0 \le Z \le 2.54)$
$\qquad\qquad\qquad\qquad\quad = 2 \times 0.4945 = 0.989$

따라서 신뢰구간의 길이가 $2l$일 때의 신뢰도 $a = $ **98.9**

12 셀파 신뢰도 95 %의 신뢰구간의 길이는 $2 \times 1.96 \dfrac{\sigma}{\sqrt{n}}$

표본의 크기를 n이라 하면 모표준편차가 10이므로 모평균 m에 대한 신뢰도 95 %의 신뢰구간의 길이는

$2 \times 1.96 \times \dfrac{10}{\sqrt{n}}$

이때 신뢰구간의 길이가 2 이하가 되게 하려면

$2 \times 1.96 \times \dfrac{10}{\sqrt{n}} \le 2$, $\sqrt{n} \ge 19.6$

$\therefore n \ge 384.16$

따라서 표본의 크기의 최솟값은 **385**